INTRODUCCION

al

ANTIGUO

TESTAMENTO

INTRODUCCION

al

ANTIGUO

TESTAMENTO

Basada en el *Syllabus* de
Juan R. Sampey

Por
CLYDE T. FRANCISCO

Versión Castellana por
Juan Juan Lacué

♦♦♦♦ ♦♦♦♦

CASA BAUTISTA DE PUBLICACIONES

CASA BAUTISTA DE PUBLICACIONES

Apartado Postal 4255, El Paso, TX 79914 EE. UU. de A.

www.casabautista.org

Publicado originalmente en inglés bajo el título *Introducing the Old Testament,* © copyright 1950 por Broadman Press, Nashville, Tennessee, EE. UU. de A.

Ediciones: 1964, 1968, 1978, 1980, 1982, 1986, 1988, 1989, 1990, 1993, 1996, 1997, 1999
Decimocuarta edición: 2002

Clasificación Decimal Dewey: 221

Temas: 1. Biblia AT – Estudio
2. Biblia AT – Historia

ISBN: 0-311-04010-1
C.B.P. Art. No. 04010

2 M 6 02

Impreso en EE. UU. de A.
Printed in U.S.A.

A mi padre
L. T. FRANCISCO
cuyo amor por la Biblia inspiró

a su hijo

PROLOGO

Este es el primer libro de la pluma de este autor pero no será el último. Es un erudito de gran promesa como lo destaca su carrera estudiantil tanto en la Universidad de Richmond como en el Seminario Teológico Bautista del Sur. Siente pasión consumidora por conocer mejor el campo de interpretación del Antiguo Testamento, pero aun más grande es su pasión de sentir por sí mismo y de enseñar a otros las verdades del Antiguo Testamento.

La naturaleza y el propósito de este libro están claramente indicados en su título, INTRODUCCION AL ANTIGUO TESTAMENTO. No se pretende que sea una presentación ni una interpretación completa y cabal del Antiguo Testamento. Más bien, es una introducción a este amplio campo del estudio. El libro tendrá gran valor para quienes deseen adquirir conocimientos elementales acerca del Antiguo Testamento pero es también de valor para quienes quieran usar el libro como base para un estudio detenido del Antiguo Testamento.

El autor, quien es profesor de Interpretación del Antiguo Testamento en el Seminario Teológico Bautista del Sur, escribió el libro principalmente para llenar las necesidades de sus propios alumnos pero también para poner en las manos de otros profesores de Antiguo Testamento un libro apto para sus propósitos y de ayuda para sus alumnos.

Puesto que hay tanto escrito "en la ley de Moisés, y en los profetas, y en los salmos" tocante a Cristo, cosas que él mismo dijo que deberían ser cumplidas, un conocimiento del Antiguo Testamento es indispensable para todo estudiante que quiera comprender el mensaje y el ministerio de nuestro Señor y Salvador. De ahí el tremendo valor y la gran importancia de este libro.

—Ellis A. Fuller
Rector

Seminario Teológico Bautista del Sur
Louisville, Kentucky, EE. UU. de N. A.

PREFACIO

Fue con gran titubeo que asumí la responsabilidad de escribir esta obra. Pero la gran necesidad existente en las aulas del Seminario Teológico Bautista del Sur de un libro de texto sobre la materia ha hecho imperativo este esfuerzo. Sin la ayuda del material de *Syllabus for Old Testament Study,* de J. R. Sampey, la preparación de este libro quizá hubiera sido permanentemente postergada. El consejo sagaz del doctor J. B. Weatherspoon y del doctor Ellis A. Fuller ha sido de incalculable valor. El doctor D. W. Deere ha colaborado infatigablemente en muchos de los detalles del manuscrito. El doctor Kyle M. Yates y el doctor J. Leo Green, antiguos profesores míos, así como el doctor J. J. Owens, mi colega, ciertamente reconocerán mi deuda para con ellos por mucho de lo que he escrito. Al doctor R. T. Daniel, profesor de Antiguo Testamento en el Seminario Teológico Bautista del Sudoeste, le hago extensivo mi más sincero agradecimiento por sus acertados consejos.

No está dentro del propósito de este libro considerar los detalles propios del estudio erudito. Incluir material técnico en esta obra sería derrotar el propósito principal para su redacción, propósito que anhela vincular al lector con la historia esencial y con las enseñanzas del Antiguo Testamento. Cualquier estudio a fondo entibiaría el interés de dicho lector y ofuscaría su comprensión.

Hasta donde me ha sido posible he tratado de hacer que el material presentado sea de tal naturaleza que resulte benéfico para el maestro de escuela dominical, para el laico interesado en la materia, para el estudiante universitario, y para el seminarista principiante. Tal propósito puede resultar irrealizable pero resta la satisfacción de que se ha hecho la prueba. Se acusa hoy en día una importante necesidad de asumir una posición que recalque las enseñanzas positivas del Antiguo Testamento, indistintamente de opiniones tocante a problemas de índole crítica. Sin embargo, antes de que se pueda arribar a dicha posición, estos problemas deben ser estudiados con todo cuidado y pesados concienzudamente. Después de tal proceso, ciertamente quedan en pie algunas verdades positivas. INTRODUCCION AL ANTIGUO TESTAMENTO trata de presentar las verdades permanentes que sobreviven a esta conflagración escolástica.

Las citas bíblicas contenidas en la obra, a menos que se especifique alguna otra versión, corresponden a la Versión de Reina-Valera de 1909. En algunos casos el autor se permite la libertad de presentar su propia traducción. Cada libro del cual se toman citas ha sido usado con el correspondiente permiso y según se especifica al pie de dichas citas. Los nombres de personajes y lugares también son deletreados como aparecen en la Versión de Reina-Valera de 1909.

CONTENIDO

PROLOGO 7
PREFACIO 9
INTRODUCCION 13
PARTE I — El Pentateuco 29
    Génesis 37
    Exodo 53
    Levítico 57
    Números 60
    Deuteronomio 62
PARTE II — Estudio de los Libros Historicos 71
    Josué 74
    Jueces 77
    Ruth 80
    Libros de Samuel 82
    Libros Primero y Segundo de los Reyes 98
    Libros Primero y Segundo de las Crónicas 100
    Esdras y Nehemías 102
    Esther 105
    Resumen de la Historia de Israel:
        931-722 a. de J. C. 108
    Resumen de la Historia Hebrea: 722-330 a. de
        J. C. 115
PARTE III — Estudio de los Profetas 120
    Abdías 124

Joel 129
Jonás 134
Amós 138
Oseas 144
Miqueas 150
Isaías 155
Nahum 179
Sofonías 183
Habacuc 187
Jeremías 192
Ezequiel 215
Daniel 226
Haggeo 235
Zacarías 239
Malaquías 245
PARTE IV — ESTUDIO DE LOS LIBROS POETICOS 249
Job 256
Salmos 272
Proverbios 298
Ecclesiastés 302
Cantar de los Cantares 308
Lamentaciones 310
LISTA DE LIBROS SUGERIDOS PARA ESTUDIO INTRODUC-
TORIO DEL ANTIGUO TESTAMENTO 311
TABLA CRONOLOGICA DEL REINO DE ISRAEL 321

INTRODUCCION

La Naturaleza del Antiguo Testamento

A pesar de que la Biblia es el libro que más se vende, no es leído por el hombre término medio. Se guarda en las bibliotecas y lo mencionan los predicadores pero es generalmente considerado como un libro cuya lectura es aburrida, o como un libro cerrado que solamente puede ser interpretado por expertos. Esta apatía se nota especialmente en cuanto al Antiguo Testamento. Los culpables de esta deplorable situación son, en parte, algunos ingenuos expositores que, ignorando la situación histórica, tratan de colocar en el Antiguo Testamento un Nuevo Testamento completo. Si el Antiguo Testamento es solamente el Nuevo Testamento en jeroglíficos, es mucho más simple leer el Nuevo Testamento. Si se estudia el Antiguo Testamento sin tener en cuenta su situación histórica, el aliento de vida desaparece de él.

Muchos críticos textuales han contribuido también a crear esta trágica situación respecto al Antiguo Testamento, considerando su contenido como fragmentos sin sentido o relegando su verdad revelada al campo de lo vulgar. Como un experto ha dicho, lo que se "empezó con un cortaplumas, se ha continuado con un hacha."[1] Tal vez, como

---

[1] C. C. Torrey, *The Second Isaiah* (Nueva York: Charles Scribner's Sons, 1928), p. 13.

otro ha dicho, algunos críticos han sido inducidos "por las fascinantes estratagemas del hombre perverso."[2] Aunque el método crítico ha hecho una considerable contribución al estudio del Antiguo Testamento en su insistencia sobre el hecho de que un pasaje no puede ser entendido aparte de su situación histórica, esto ha sido seguido con tan minucioso análisis que las verdades más importantes han sido olvidadas.

Su énfasis evolutivo ha hecho creer que las únicas porciones del Antiguo Testamento dignas de estudio son los profetas del siglo octavo, en cuyas porciones la religión del Antiguo Testamento llega a su apogeo. Para los escritores del Nuevo Testamento, sin embargo, el Antiguo Testamento era de una naturaleza completamente distinta. No limitaron su atención a aquellos pasajes del Antiguo Testamento que más afinidad tenían con las enseñanzas de Jesús, sino que vieron toda la historia de los hebreos como culminando con Dios manifestándose al Israel espiritual por medio de la encarnación de su Hijo. En Jesús encontramos la misma actitud. Consideró las Escrituras como una unidad y no como una compilación.

Hay, además, otro grupo que ha contribuido al desinterés en el Antiguo Testamento —aquellos que menosprecian su importancia cuando lo comparan con el Nuevo Testamento. Dicen que siendo el Nuevo Testamento el cumplimiento del Antiguo, el estudio de los escritos judíos es de poco valor. Tal opinión es tan irracional como el estudiante que cree que tendría que empezar su estudio de la lengua del Antiguo Testamento en una clase de hebreo avanzado, puesto que solamente en la clase superior es posible obtener la revelación completa. Pero para en-

---

[2] N. H. Snaith. *The Distinctive Ideas of the Old Testament* (Filadelfia: The Westminster Press, 1946), p. 13.

tender el hebreo avanzado es necesario pasar por el valle preliminar de sombra. De la misma manera aquellos que tratan de entender el Nuevo Testamento separado del Antiguo, están expuestos a trágicos errores e interpretaciones equivocadas. Esta actitud ha conducido a muchos a interpretar los conceptos del Nuevo Testamento exclusivamente según el pensamiento griego, ignorando los conceptos hebreos que les dieron raíz. Esta ha sido la característica de la historia del pensamiento cristiano. Durante los últimos años, sin embargo, tal vez el más importante énfasis de los estudios del Nuevo Testamento ha sido la esencial unidad de la Biblia. Como un escritor lo ha expresado: "No es posible progreso alguno en el entendimiento del cristianismo primitivo a menos que el arca de la exégesis del Nuevo Testamento sea recobrada de su vagar por tierras de los filisteos y vuelta a su hogar en medio de las Escrituras del Antiguo Testamento, a la Ley y a los Profetas."[3] Y a la inversa, por supuesto, el Antiguo Testamento nunca debe ser estudiado independientemente del Nuevo porque es el Nuevo Testamento el que revela muchos de los misterios del Antiguo, declarando los propósitos escondidos en su revelación.

Tal vez la mayor dificultad con que se ha de enfrentar el que desea comprender el Antiguo Testamento es un entendimiento inadecuado de la naturaleza de su literatura. El medio por el cual los escritores desearon transmitir sus pensamientos fue el lenguaje. El arte de la palabra es el principal medio por el cual las ideas de una persona pueden ser legadas a otras. El lenguaje tiene sus formas definidas que llevan consigo sus propias leyes igualmente definidas de uso e interpretación. Si un escritor bíblico usó un de-

---

[3] Compárese R. V. G. Tasker, *The Old Testament in the New Testament* (Filadelfia: The Westminster Press, 1945), p. 9.

terminado tipo de literatura se debe interpretar ese pasaje de acuerdo con las leyes universales de ese modo de expresión. Hasta que sea capaz de determinar si un pasaje es una atrevida imagen poética o una afirmación prosaica de un hecho científico, su interpretación ha de ser necesariamente precaria. Si esto no puede ser adecuadamente determinado, el significado del pasaje ha de permanecer incierto.

Una mirada ligera a la traducción de la Biblia en inglés (o español) será suficiente para mostrar que se le presta poca ayuda al lector para descubrir qué clase de literatura es determinado pasaje. Si se abre al azar, se descubrirá que está arbitrariamente dividida en libros, capítulos, y versículos. Sin tener en cuenta que tanto las divisiones de capítulos como las de versículos fueron introducidas para facilitar la consulta, el lector llega a creer que esas divisiones han existido siempre, aunque los originales no tuvieron ni capítulos ni versículos. Sin duda que estas divisiones son de gran ayuda para el estudio de las Escrituras pero la literatura ha sufrido considerablemente a causa de tal pragmática fragmentación. Imaginémonos lo que ocurriría si las poesías de Tennyson fuesen editadas, divididas en capítulos y versículos sin tener en cuenta su distribución original. Y sin embargo, precisamente esta suerte han corrido las Escrituras.

Hay algunos que desaprueban el estudio literario como si el admirar la exquisita hermosura de una flor imposibilitase a uno para gozar de su dulce fragancia. Antes de que algo pueda ser apreciado debe primero atraer. La forma teológica de tratar las Escrituras ha destruido mucho de su encanto para el mundo. Necesitamos renovar una apreciación de la belleza de los relatos bíblicos porque es la puerta abierta para descubrir la revelación fundamental. Es una tragedia de la civilización moderna que a través de las escuelas y universidades los alumnos aprendan a apreciar la belleza y sublimidad de las obras de Cervantes, Byron, Shakespeare y Browning, y que ignoren por completo a la más grande literatura que el mundo ha ccnocido porque se halla en la Biblia. Si se encontrase en cualquier otro lugar, el mundo literario se descubriría ante ella.

Pero no ha sido siempre así en el mundo de habla inglesa. Un profesor norteamericano de literatura inglesa ha escrito que el acontecimiento más importante en los anales de la historia inglesa no fue la derrota de la Armada Invencible ni la batalla de Waterloo, sino la traducción de un libro. "Fue en el siglo dieciséis que la traducción de la Biblia en lengua vernácula por Tyndale y Coverdale hizo de los ingleses el pueblo de un libro — y ese libro, la Biblia ... Las costumbres mentales de los ingleses se convirtieron en hebreas."[4]

Saintsbury habla de la *Authorized Version* de 1611 como el libro usado por todo hombre y mujer de habla inglesa para el uso más noble de su idioma. Su fraseología se puede leer en los discursos de Patrick Henry y en los grandes discursos de Lincoln. James Russell Lowell y Nathaniel Hawthorne denotan la influencia de su contenido. Pfeiffer[5] ha señalado un buen número de expresiones hoy presentes en nuestro idioma cuyo origen es hebreo: "lamerán el polvo"; "el sudor de tu frente"; "veneno y ajenjo"; "amontonar ascuas de fuego"; "una tierra que fluye leche y miel"; "las estrellas desde sus órbitas"; "caña frágil"; "hueso de mis huesos, y carne de mi carne";

---

[4] E. C. Baldwin, *Types of Literature in the Old Testament* (Nueva York: The Ronald Press Co., 1929), p. 15.
[5] R. H. Pfeiffer, *Introduction to the Old Testament* (tercera edición, Nueva York: Harper and Brothers, 1941), p. 15.

"ojo por ojo"; "las ollas de las carnes"; "la piel de mis dientes"; "una pequeña nube como la mano de un hombre"; "leñadores y aguadores"; "la mujer de tu seno". Una apreciación de la belleza sublime de la literatura del Antiguo Testamento nunca destruirá su interés religioso sino al contrario, lo fomentará y acrecentará.

Es de esperar que los estudios contenidos en este libro contribuyan a un mejor entendimiento de la naturaleza del Antiguo Testamento. La importancia de las Escrituras hebreas en el plan de la salvación es de un valor inestimable. Sus personalidades, una vez conocidas, pierden su posición cronológica en las lecciones de sus experiencias con Dios. El cielo y la tierra pasarán pero esta Palabra vivirá para siempre.

Principios de Interpretacion

En las páginas que preceden se ha hecho énfasis en ciertos métodos que el estudiante debería seguir para interpretar cualquier pasaje del Antiguo Testamento. Será provechoso considerarlos de una manera más detenida. Cuando se trate de descubrir el significado de una sección de las Escrituras hebreas, en primer lugar deben ser determinados los siguientes datos, los cuales están puestos según el orden en que deben ser considerados:

1. La posición histórica del escritor. Esto incluye la historia y las condiciones sociales y religiosas de su tiempo. Algo debe saberse acerca de la vida privada del autor, si es posible, y algo sobre su medio.

2. El idioma original en que el autor escribió. Es imposible traducir de un idioma a otro puesto que toda traducción es en realidad una interpretación. Conocer el hebreo es imprescindible para hacer una correcta exposición

del Antiguo Testamento. Si no se conoce, el estudiante debe seguir el segundo método y estudiar los mejores comentarios basados en un texto hebreo.

3. El contexto del pasaje. Los escritores de las Sagradas Escrituras no escribieron cada versículo sin orden ni concierto, sino que coordinaron lógicamente un pensamiento con otro. Cada versículo debe estar adecuadamente relacionado con los que lo rodean. Cada pasaje debe ser estudiado a la luz del libro que lo contiene y cada libro debe ser examinado según su relación total del Antiguo Testamento.

4. La naturaleza de la literatura. Como ya se ha sugerido en la sección anterior, es de suma importancia determinar el tipo de literatura para comprender un pasaje del Antiguo Testamento.

5. La relación a su cumplimiento futuro. El estudio crítico del Antiguo Testamento con su énfasis histórico ha llevado a muchos a concluir su análisis con el cuarto procedimiento. Ni Jesús ni los autores del Nuevo Testamento siguieron tal método. De la misma manera que la vida de un hombre hace explícitas las tendencias escondidas de su infancia, así también el Nuevo Testamento revela las verdades ocultas del Antiguo. Verdades que ni los mismos autores ni expositores judíos de tiempos posteriores vieron, descansan dormidas en muchas expresiones del Antiguo Testamento; verdades reveladas solamente en Jesucristo. Se debe tener cuidado de no leer en pasajes del Antiguo Testamento las enseñanzas del Nuevo Testamento, aunque nunca se debe olvidar que Jesús es la clave a la única comprensión verdadera del sueño de los profetas. Primero se debe determinar lo que el pasaje significó para el escritor y para su generación. Luego se debe descubrir su relación con el plan eterno de Dios, la cual relación tal vez el autor inspirado no vio, pero que es evidente para aquellos que viven en la plenitud de la luz.

IDIOMAS ORIGINALES

Todo el Nuevo Testamento está escrito en griego, cualquiera que haya sido el idioma original en que escribieron Mateo, Santiago y otros. El Antiguo Testamento fue compuesto por hombres que hablaban y escribían el hebreo; y el hebreo es el idioma original de todo el Antiguo Testamento, excepto unos seis capítulos de Daniel (2:4 a 7:28), aproximadamente tres de Esdras (4:8 a 6:18; 7: 12-26), y un versículo de Jeremías (10:11). Estos capítulos están escritos en lengua aramea, hermana del hebreo. Si uno desea leer toda la Biblia en el original, debe aprender el hebreo, el arameo y el griego.

ESTADO DEL TEXTO HEBREO

Los judíos durante dos mil años han tenido mucho cuidado en preservar sus libros sagrados en su pureza primitiva. No han escatimado esfuerzos para preservar un texto puro. Por otra parte, no debe olvidarse que las Escrituras hebreas a menudo estuvieron en grandes peligros. Antíoco Epífanes (c. 167 a. de J. C.) quemó todas las copias que pudo encontrar. Muchos rollos fueron destruidos durante las terribles guerras romanas (c. 70 d. de J. C.) Además, puede ser que fueran insertados en los textos errores de escribas mucho antes de los días de Esdras y de su escuela de escribas. A los involuntarios errores de los escribas hay que añadir las posibles correcciones de los editores.

El texto moderno masorético, con las citas de las variantes en los diferentes textos, es un testimonio de la

necesidad de la crítica textual del Antiguo Testamento.
S. Baer y Franz Delitzsch de cuando en cuando, a lo largo
de más de veinte años, publicaron por partes una edición
del texto masorético hebreo. C. D. Ginsburg es autor de
una compilación cuidadosa del texto masorético. Kittel ha
publicado una buena edición de la Biblia hebrea. Las notas
que aparecen al pie de esta edición citan versiones muy
antiguas y contienen muchas opiniones de renombrados
eruditos modernos. Esta es la mejor edición de la Biblia
hebrea para el estudio crítico.

Los antiguos hebreos escribieron sin indicar las vocales. El texto compuesto únicamente de consonantes es
usado todavía hoy en las sinagogas. Entre los siglos sexto
y octavo d. de J. C. los autores del texto masorético idea-
ron el actual sistema de vocales y desde entonces, en las
copias de las Escrituras, están indicadas las vocales que
acompañan al texto compuesto de consonantes. Las Bi-
blias hebreas modernas siguen el sistema palestino que
emplea los puntos sobre, debajo, y en medio de las consonantes. El sistema babilónico era "sobrelineal". Naturalmente, la carencia de vocales dejó un margen más amplio
para ambigüedades y las antiguas versiones, especialmente
la de los Setenta, dan evidencias de que el mismo texto
compuesto de consonantes era leído y entendido de formas
distintas.

Hasta tiempos bastante recientes los manuscritos existentes completos más antiguos de la Biblia hebrea tenían
fecha aproximadamente del año 1000 d. de J. C. El des-
cubrimiento de los numerosos documentos en la región
vecina al mar Muerto ha revolucionado completamente el
estudio del texto del Antiguo Testamento. Entre estos
descubrimientos se encuentran manuscritos de casi todos
los libros del Antiguo Testamento, y la mayoría de los

eruditos los sitúan en el primer siglo d. de J. C. Al fin los eruditos del Antiguo Testamento cuentan con materiales fidedignos para una reconstrucción de los textos originales hebreos.

VERSIONES ANTIGUAS

1. Griegas

(1) La *Versión de los Setenta* fue probablemente la primera versión de las Escrituras hebreas. El Pentateuco fue traducido en Egipto hacia el año 250 a. de J. C. Josefo relata la maravillosa historia del trabajo de los setenta traductores. Los expertos están de acuerdo en que la historia ha sido "revestida"; pero es indiscutible que la versión de la Ley de la Versión de los Setenta fue hecha en Egipto mucho antes de la era cristiana. Los Profetas y el Hagiógrafo fueron traducidos más tarde. El griego de la Versión de los Setenta es muy diferente al griego clásico. Diferentes libros de la Biblia cayeron evidentemente en diferentes manos; y mientras algunos traductores conocían bastante bien el hebreo y relativamente bien el griego, otros, en cambio, no estaban familiarizados con ninguno de estos dos idiomas. La mayoría de los traductores fueron bastante fieles al original hebreo, mientras que otros tuvieron la tendencia de parafrasear. El Pentateuco es la mejor traducción; el libro de Daniel es la peor. Los apóstoles citan muy a menudo la Versión de los Setenta y el lenguaje del Nuevo Testamento (koiné) se anticipa en gran parte en esta traducción griega.

(2) Otras tres versiones griegas del Antiguo Testamento fueron hechas por judíos desde el año 100 d. de J. C. al 200. No se conocen fechas exactas y solamente han

sido preservados fragmentos de estas traducciones. (1) La versión de Aquila probablemente data de los últimos años de la primera mitad del siglo segundo d. de J. C. Era una traducción extremadamente literal. Los judíos la citaban oponiéndose a los cristianos que usaban la Versión de los Setenta. (2) Teodocio, en la última mitad del siglo segundo, hizo una versión muy parecida a la de los Setenta. (3) Simaco, a fines del siglo segundo, hizo una versión que aspiraba a ser pulida. Hay mucha paráfrasis.

Las *Hexaplas de Orígenes* (c. 230 d. de J. C.) contenían, además del texto hebreo y una transcripción griega del hebreo, las cuatro versiones griegas antes mencionadas. No quedan más que fragmentos de la gran obra de Orígenes. Tal vez nunca fue hecha una copia completa de esta obra magna.

2. Siriacas

Probablemente se hizo una versión siriaca entre los años 150 y 200 d. de J. C. para los cristianos que hablaban siriaco. La *Peshitta,* hecha algo más tarde, es la versión común.

3. Los Targumes

Mucho antes de Cristo, las Escrituras hebreas fueron probablemente traducidas oralmente por intérpretes públicos en las sinagogas. Posiblemente se hicieron versiones escritas en arameo ya en el siglo primero de nuestra era.

(1) El *Targum* de Onkelos es una traducción literal del Pentateuco al arameo. La fecha es desconocida pero se supone que fue hecha entre los siglos primero y tercero d. de J. C.

(2) El *Targum de Jonatán* sobre los profetas fue probablemente hecha en el siglo tercero d. de J. C.

4. Versiones Latinas

(1) La *Antigua Latina* pertenece al siglo segundo y es una traducción literal de la Versión de los Setenta y no del hebreo.

(2) La *Versión de Jerónimo*, más tarde conocida como la *Vulgata Latina*, se terminó en el año 405 d. de J. C. Es un buen trabajo aunque no una traducción perfecta e infalible del texto verdadero de la Biblia, como afirmó el Concilio de Trento. La *Versión de Douay*, una traducción acreditada en inglés, es la Biblia autorizada para los lectores del inglés; la de Torres Amat, para lectores de habla castellana.

El valor de las versiones antiguas es doble: (1) Para la crítica textual. De vez en cuando dan fe al verdadero significado en lugares donde el texto hebreo ha sido corrompido. (2) Son una ayuda para la interpretación. Toda traducción participa de la naturaleza de un comentario, y estas antiguas versiones son ayudas para el entendimiento de la Biblia. Son los comentarios más antiguos.

LAS DIVISIONES DEL ANTIGUO TESTAMENTO

Los judíos dividían el Antiguo Testamento en tres partes:

1. La *Ley*, o los cinco libros de Moisés. Era tenida en la más alta estima y considerada como el fundamento de la Biblia hebrea.

2. Los *Profetas*. (1) Los Profetas Anteriores: Josué, Jueces, Samuel y Reyes. (2) Los Profetas Posteriores: Jeremías, Ezequiel, Isaías y los doce profetas menores.

3. Los *Escritos*. (1) Libros poéticos: Salmos, Proverbios, Job. (2) Cinco Rollos: Cantar de los Cantares, Ruth,

Lamentaciones, Ecclesiastés, Esther. (3) Daniel, Esdras, Nehemías y Crónicas.

Considerando Esdras y Nehemías como un libro y los doce profetas menores como un rollo, el canon judío se componía de veinticuatro libros. Combinando Ruth con Jueces, y Lamentaciones con Jeremías, a veces calculaban el número de libros sagrados como veintidós, exactamente el mismo número de letras que el alfabeto hebreo. El libro de Daniel, compuesto de historia y apocalipsis, era incluido en el Hagiógrafo, o sea en los Escritos.

UNA SÍNTESIS DE LA HISTORIA DEL CANON DEL ANTIGUO TESTAMENTO[6]

Cualquier examen de la evidencia para determinar la fecha de inclusión de un libro entre los considerados por los judíos como poseyendo autoridad divina, debe tener en cuenta las tres divisiones de las Escrituras hebreas. La *Ley* fue, por su historia y naturaleza, considerada primero. Es imposible determinar a partir de cuándo la Ley en su forma presente fue considerada como de institución divina. Se dice que Moisés recibió la mayor parte del material legislativo y que inmediatamente fue considerada autoritativa. Amós y Oseas en el siglo octavo parecen estar familiarizados con mucho del material histórico del Pentateuco. El libro de Deuteronomio fue considerado como divinamente inspirado cuando fue encontrado en el año 621 a. de J. C.

Podemos estar seguros de que la Ley, tal como la tenemos ahora, era aceptada por los judíos en el tiempo de

---

[6] Aunque el término "canon" no fue usado con relación a los libros del Antiguo Testamento sino hasta el siglo cuarto d. de J. C., el concepto de canonicidad era mucho más antiguo.

Esdras y Nehemías (c. 400). Tal vez había sido considerada así antes pero de esa fecha estamos ciertos por las siguientes razones:

(1) El cisma samaritano ocurrió hacia el año 400 a. de J. C. Puesto que los samaritanos consideran el Pentateuco como sus Escrituras, lo deben haber recibido antes del cisma. Dicen que su Pentateuco data del año 722 a. de J. C. pero los expertos generalmente lo niegan por la naturaleza de los manuscritos.

(2) En los días de Esdras, la Ley consumía un largo período para ser leída —desde el amanecer hasta el mediodía (Nehemías 8:3).

(3) Los escritores postexílicos, durante y después del período de Esdras, hacen referencia a la Ley con especial reverencia (Compárese Malaquías 4:4).

Los *Profetas* fue el siguiente grupo aceptado como divinamente inspirado. En el prólogo a Eclesiástico, Jesús ben Sirach (c. 132 a. de J. C.) escribe que había ya tres divisiones en las Escrituras hebreas: La Ley, los profetas y otros libros. En el mismo Eclesiástico Jesús ben Sirach, el anciano, (c. 180 a. de J. C.) menciona a Isaías, Jeremías, Ezequiel y los doce profetas menores, mostrando que el canon profético hebreo estaba ya cerrado. Naturalmente, hacía ya mucho tiempo que los profetas habían sido aceptados independientemente, pero solamente sabemos que la actual agrupación había sido fijada antes del año 180 a. de J. C. ¿Cuánto tiempo antes? No se sabe.

Los *Escritos* fue el último grupo en ser aceptado como tal. La vaga referencia de Jesús ben Sirach a esta sección, "otros libros", lo indica. La inclusión de un libro en esta sección no quiere decir que el tal libro fuese menos antiguo que los demás. Es posible que su presencia se deba al hecho de que se le añadieron algunas secciones más tarde.

como en el caso de los Salmos y Proverbios, debido al
carácter de su literatura, o debido a que hubo disputa por
algún hecho ocurrido en torno a su inclusión en el canon.

¿Cuándo se cerraron los *Escritos*? Referencias hechas
por los libros de los Macabeos, por Josefo, y por el Nuevo
Testamento indican que Jesús y los apóstoles poseían el
Antiguo Testamento virtualmente como lo poseemos hoy.[7]
Si se supiese la fecha cuándo se completó la traducción de
la Versión de los Setenta, la cuestión se resolvería; pero
la fecha es incierta porque esa traducción no se terminó
antes del año 100 a. de J. C. y probablemente más tarde.

No hay evidencia de que los libros apócrifos (que aparecen en la Vulgata Latina) jamás hayan sido incluidos
en las Escrituras hebreas por los judíos mismos. Jerónimo
niega su validez.

El estudiante notará que hasta el siglo primero d. de
J. C. no se sabe a ciencia cierta de ninguna entidad orga-
nizada que se reuniese para determinar qué libros deberían
ser incluidos o excluidos de las Escrituras. Los concilios
de Jamnia (90, 118 d. de J. C.) integrados por eruditos
judíos, no fijaron el canon; más bien discutieron el problema de dejar ciertos libros en el canon que ya estaban en
él. La opinión pública había determinado los libros del
Antiguo Testamento antes de que los expertos se juntasen
para discutirlos. Libro por Libro iba siendo aceptado por
el pueblo a medida que los seleccionaba de entre la in-
mensa cantidad de literatura disponible, tratando siempre
de que los libros estuviesen de acuerdo con la revelación
anterior de Dios y las necesidades del alma humana. Así,

---

[7] Compárese Mateo 23:25. Cronológicamente Zacarías no fue el
último mártir del Antiguo Testamento. La descripción de su muerte la encontramos en Crónicas. En el actual canon hebreo, Crónicas es el último libro. Esta referencia indica que Jesús poseía este
canon. Compárese nuestra expresión, "de Génesis a Malaquías"

pues, Dios guió la formación del canon de la misma manera que inspiró a los escritores de los libros que lo componen.

PARTE I

EL PENTATEUCO

Los cinco libros de Moisés muy pronto fueron conocidos como la Ley, o la Ley de Moisés. Contienen los mandamientos y las ordenanzas que constituían la base de la nación hebrea. Los judíos apreciaban estos libros por sobre todos los demás. El Pentateuco podría clasificarse entre los libros históricos porque los códices legislativos están fundamentalmente conectados con la historia del período mosaico. Actualmente se habla del "Hexateuco". Muchos eruditos consideran el libro de Josué como la necesaria conclusión de las narraciones históricas que se hallan en los cinco libros generalmente atribuidos a Moisés.

PATERNIDAD LITERARIA

La crítica bíblica está compuesta de dos departamentos: (1) *Baja Crítica,* que está formada por: (a) crítica textual, la búsqueda del texto más cercano al original; (b) Crítica lingüística, el examen del significado de la raíz de las palabras y de los modismos; (2) *Alta Crítica* formada por (a) crítica literaria, que trata de resolver el problema de fecha y paternidad literaria de los libros; (b) crítica histórica, que investiga su veracidad.

El término "Alta Crítica" es a menudo mal usado por controversistas como sinónimo de radicalismo. El que usa la alta crítica, sin embargo, puede ser conservadora o liberal dependiendo de su concepto de la naturaleza del Antiguo Testamento.

Es en el campo de la crítica histórica que esta controversia se ha intensificado. La negación de la veracidad de las afirmaciones del Antiguo Testamento referente a la paternidad literaria y a la inspiración divina han levantado de una forma inevitable la oposición de aquellos que creen en la autoridad de las Escrituras.

La crítica del Pentateuco es la tarea crítica más importante con que los estudiantes del Antiguo Testamento tienen que enfrentarse. Fundamental y difícil, requiere paciencia, trabajo, pericia y la habilidad para seleccionar las evidencias y valorizarlas. Requiere disciplina lógica y equilibrio mental. A veces hay hombres muy doctos que razonan muy pobremente. Algunos especialistas coleccionan una multitud de datos sin ser capaces de clasificarlos o mostrar cuál es su relación con asuntos discutidos.

La opinión de los judíos y de los cristianos fue casi unánime en favor de la paternidad literaria de Moisés durante más de dos mil años. Entre los años 1630 y 1750 (el siglo cuando comienza la crítica moderna) se presentaron algunos que estaban en desacuerdo con esta opinión, entre ellos Hobbes, Peyrerius, Spinoza, Ricardo Simon y Le Clerc.

1. La Primitiva Hipótesis Documental

Francisco Astruc, médico francés (1753), publicó una obra que indicó a la crítica moderna el camino a seguir. Creyó que había encontrado en Génesis dos principales documentos, uno empleando *Elohim* y el otro *Jehová* para designar a Dios (por esta razón los documentos recibieron el nombre de "Elohista" y "Jehovista"), y otros diez documentos menos importantes. Su libro se titulaba *Conjeturas Sobre las Memorias Originales de que Parece Haberse Servido Moisés para Componer el Libro de Génesis*. La *Introducción al Antiguo Testamento* de Eichhorn (1782) vino a apoyar la teoría de Astruc, alegando argumentos sacados de las diferencias de estilo. A pesar de que dividían el libro de Génesis en documentos, Astruc y Eichhorn mantenían que Moisés era el autor del Pentateuco. Todo esto parecía ser especulación inofensiva, pero este pequeño principio había de conducir a grandes cosas.

2. La Hipótesis Fragmentaria

Alejandro Geddes en 1800 dividió el Pentateuco en un número de fragmentos sin conexión lógica ni cronológica. Vater (1802-5) y Hartmann (1831) enseñaron que el Pentateuco consistía en un número de fragmentos cortos postmosaicos que fueron aumentando hasta llegar a ser el actual Pentateuco. Sin embargo, el orden y la unidad de las narraciones eran demasiado aparentes para permitir que semejante hipótesis ganase el campo.

3. La Hipótesis Suplementaria

De Wette abrió el camino a esta hipótesis escribiendo en 1805 un libro que hizo época sobre la fecha del libro de Deuteronomio, colocando esta importante obra poco antes de la reforma de Josías en el año 621 a. de J. C. Bleek (1830), Tuch (1838), Staehelin (1843) y Knobel (1852) pertenecieron a esta escuela. Según esta hipótesis el documento *Elohim* fue la base del Pentateuco y el escritor de *Jehová* lo compuso, añadiendo y modificando. Esta escuela también negaba que Moisés fuese el autor.

Pero el supuesto documento original, cuando se lo separaba de las adiciones llamadas Jehovistas, era incompleto, faltándole aquellas secciones asignadas al Jehovista. Además, en las secciones Elohistas había referencias a sucesos registrados en las secciones asignadas al Jehovista. Keil, Hengstenberg y otros defendieron la unidad y autenticidad del Pentateuco. El término "Hexateuco" entró entonces en uso, considerándose Josué como una parte necesaria de la historia primitiva, puesto que en él fueron encontradas evidencias de estos mismos documentos.

4. La Hipótesis Documental más Reciente

Hupfeld (1853) mantenía que, además de Deuteronomio, había tres obras históricas usadas para la composición del Pentateuco, dos Elohistas y una Jehovista. Así, pues, Hupfeld dividía el principal documento Elohista en dos. Desde 1853 hasta hoy los expertos han afirmado la existencia de cuatro principales documentos (J, E, D, P). Esta teoría fue apoyada en seguida por Schrader, Noeldeke, Dillmann y otros. Estos documentos se extendían desde el tiempo de David hasta el de Josías.

Graf (1865) trasladó toda la legislación, tal como se encuentra ahora en Exodo, Levítico y Números, a un período posterior al destierro babilónico (586 a. de J. C.). Primero sostenía que las secciones históricas esparcidas por estos libros intermedios eran más antiguas, pero más tarde las trajo de igual manera al período después de la cautividad. Wellhausen adoptó esta teoría, situando el importante documento sacerdotal hacia el año 500 a. de J. C. Hay, por lo tanto, según los modernos eruditos, cuatro partes principales que forman el "Hexateuco":

(1) J. Narraciones del siglo noveno a. de J. C. (c. 850), escritas por un profeta de Judá, en las cuales Jehová

es el nombre de la deidad. Este es llamado Jehovista o Yahvista. El autor es considerado como un individuo muy patriota y maestro del estilo narrativo. El es quien incluye los detalles de interés humano que hacen inolvidables las historias del Pentateuco. Su concepto de Dios es, sin duda, antropomórfico. (Compárese Génesis capítulos 2-4).

(2) *E.* Narraciones del siglo octavo a. de J. C. (c. 750) por un profeta de Ephraim que usa Elohim para designar la deidad hasta Exodo, capítulo 3, cuando el nombre de Jehová (Yahveh) es declarado a Moisés. A partir de entonces se usan ambos nombres para Dios. El autor se llama el Elohista (anteriormente llamado el segundo Elohista). Este documento no se descubre sino hasta Génesis, capítulo 15, porque empieza con Abraham. El Elohista tiene más interés en antigüedades que el autor del documento J. Para él Dios es sublime y majestuoso y es concebido en términos menos antropomórficos que en J. Y a pesar de esto parece más alejado de los hombres. Se hace más énfasis en lo sobrenatural. El Elohista también parece darse cuenta de las cuestiones morales que el más temprano autor de J.

Sin embargo, se observa que estos dos documentos están estrechamente relacionados por su estilo y espíritu y que a veces resulta difícil separarlos. Se sostiene que un escritor que usó Jehová (Yahveh) para designar a Dios unió los dos documentos en uno, a quien Wellhausen lo llama el Jehovista. La narración profética combinada se representa con el símbolo JE.

No se pretende que estos escritores inventaron historia sino más bien que escribieron lo que era en aquellos días la tradición de los hebreos, narraciones que habían sido transmitidas durante siglos.

(3) *D.* Autor de Deuteronomio, cuya mano parece estar presente en pasajes de Josué. Fecha: Antes del año 621 a. de J. C., durante el reinado de Manasés. Sin embargo, hay una tendencia reciente para poner fecha a las secciones básicas de Deuteronomio antes de Manasés.

(4) *P.* Escritor sacerdotal (o escuela de escritores), quien compuso las secciones legales y la historia ligada con las leyes. Fecha: c. 500 a. de J. C. El estilo del documento P es singular. (Compárese Gén. 1 y el libro de Levítico.) Es ceremonioso, redundante, preciso y abstracto en la descripción de Dios. Pero es concreto de una manera minuciosa en la descripción de objetos de interés sacerdotal, tales como el tabernáculo o los métodos de sacrificio. El autor (o autores) tenía una mente legalista, interesándose en genealogías y detalles estadísticos. Sus personajes están más distanciados de la vida que los de J. y E. Difiere tanto de J y E como el autor de Crónicas de los autores de Samuel y Reyes.

5. La Hipótesis de los Estratos

Recientemente el análisis de Graf-Wellhausen ha estado bajo violento ataque. El resultado ha sido que los eruditos opinan que el Pentateuco ha surgido de diversas tradiciones orales y escritas. Estas tradiciones, o estratos, tienen ciertas afinidades naturales de estilo y concepto que dan la impresión de documentos. Gran parte de esta tradición se remonta a época considerablemente anterior a las fechas alegadas por Wellhausen.

Cualquier punto de vista sostenible sobre la paternidad literaria del Pentateuco debe inmediatamente interrogar los puntos de vista de la crítica moderna sobre ciertos puntos:

1. La incredibilidad de la historia narrada en el Pentateuco. Es una "historia fabricada". Se afirma que el Deuteronomio fue inventado por el partido profético a fin de hacer hincapié en la centralización. El nombre de Moisés fue usado para darle autoridad aunque él nada tuvo que ver con la enseñanza característica que contiene. El documento sacerdotal, que incluye el libro de Levítico y el material legislativo en Exodo y Números, fue compuesto para asegurar la aceptación del sistema sacerdotal el cual tenía muy poca relación con Moisés.

Tal punto de vista contradice la idea bíblica de que la religión de Israel es el resultado de la revelación de Dios. Semejantes motivos para escribir son indignos de los escritores inspirados de las Escrituras. Es posible que algunos pasajes estén basados sobre una tradición antigua pero no deliberadamente falseada. Pueden existir pequeñas discrepancias pero la fidelidad de la historia en general no puede ser negada.

2. La imposibilidad de lo sobrenatural en el Antiguo Testamento. Muchos expertos modernos sienten aversión hacia lo sobrenatural. Todas las narraciones que describen milagros son, por lo tanto, desacreditadas. No es difícil aceptar la doctrina de los milagros en el Antiguo Testamento cuando se cree en la encarnación y en la resurrección.

3. Negación de una revelación especial a los autores del Antiguo Testamento. Las Escrituras hebreas no solamente están al mismo nivel que otras literaturas antiguas, sino que han de ser consideradas superiores y de

una naturaleza completamente distinta, escritas bajo la inspiración y dirección de Dios.

Los puntos de vista erróneos deben ser no solamente rechazados sino que el estudiante debe adoptar puntos de vista consistentes con las siguientes afirmaciones de la Biblia:

1. Las evidencias internas de que Moisés hace su contribución en el Pentateuco (Exodo 17:14; 24:4; 34:27; Números 33:1, 2; Deut. 31:9, 24, "Jehová habló a Moisés" aparece repetidas veces en Levítico).

2. Evidencias externas de que Moisés es el verdadero autor del Pentateuco (Josué 1:7 sig.; Jueces 3:4; 2 Crón. 25:4; Esdras 6:18; 7:6; Malaquías 4:4; Mateo 8:4; Marcos 7:10; 10:5; Lucas 20:37; Juan 5:45-47; 7:19).

La cuestión vital en el estudio del Pentateuco no es la existencia de diversas fuentes o escritores, sino su inspiración y veracidad en su forma presente. Si se considera inspirado y fidedigno, toda otra consideración es solamente de interés académico.

GENESIS

Los judíos dividieron sus libros sagrados en tres secciones: la Ley, los Profetas y los Escritos. La Ley corresponde a lo que llamamos Pentateuco, los primeros cinco
libros de la Biblia. Los rabinos llamaban al primero de
estos libros *Bereshith* ("En principio"), que es la primera
palabra hebrea en el libro. Nuestro vocablo procede del
griego a través del latín e implica la idea de "origen" o
"comienzos". Génesis es un libro de principios cuyos once
primeros capítulos forman una admirable introducción a
las Escrituras. Sin estos primeros capítulos muchos de los
problemas fundamentales en teología quedarían sin una
respuesta satisfactoria. Las doctrinas de la creación, la
caída del hombre, elección y providencia aparecen aquí en
una forma clara. Si el intérprete pudiese descifrar en su
totalidad la teología de Génesis sacaría a la luz la mayoría
de las grandes doctrinas de la Biblia. Es también interesante notar que este libro solo cubre un período más ex-
tenso que todo el resto de la Biblia.

El libro, por su arreglo, parece haber sido objeto de un
cuidadoso designio. La clave de la estructura es la palabra
hebrea *Toledhoth* ("generaciones"), palabra usada para
introducir cada sección histórica. A las diez *Toledhoth* les
precede un magnífico pasaje introductorio (1:1 a 2:3).
Las diez divisiones son las *toledhoth* de los cielos y la tie-

rra (2:4 a 4:26), de Adam (5:1 a 6:8), de Noé (6:9 a 9:29), de los hijos de Noé (10:1 a 11:9), de Sem (11: 10-26), de Thare (11:27 a 25:11), de Ismael (25:12-18), de Isaac (25:19 a 35:29), de Esaú (36:1 a 37:1), de Jacob (37:2 a 50:26).

El libro de Génesis no es un texto que narre la historia de la humanidad. Su interés se limita más bien a descubrir aquellos acontecimientos que tienen que ver en una forma directa con el plan selectivo de Dios en su obra redentora. Empieza considerando a toda la humanidad en los primeros capítulos, y termina con una detallada descripción de la familia hebrea en los pasajes finales. El libro no pretende ser la última palabra en cuestiones científicas. Guarda absoluto silencio sobre el *método* de creación, dejando que la ciencia prosiga su investigación de ese misterio. Más bien insiste en la *fuente u origen* de la creación, Dios, y su *propósito*, una humanidad que ande por sus caminos y le sirva.

Génesis es un libro de principios religiosos. Escrito mucho antes que las modernas investigaciones científicas y no llamado a tomar el lugar de éstas, usa el lenguaje y la expresión común de su época. El respeto por el libro de Génesis ha conducido a muchos hombres a escudriñar las páginas de Génesis y cada generación ha tratado de encontrar en la narración bíblica la confirmación de sus hipótesis en el campo de la ciencia y de la teología. A no ser por lo bien escrito que está el libro, posiblemente a estas horas hubiese sido ya destruido por intérpretes rivales. Y si hoy se ajustase a la ciencia en todo detalle, mañana sería anticuado. Solamente la sabiduría de Dios pudo dirigir la escritura de aquellos pasajes tan permanentes en sus verdades que pueden ser entendidos a la luz de las teorías científicas de cualquier época.

La ciencia física ha hecho mucho para ampliar nuestra visión de la inmensidad del espacio. La fotografía estelar revela innumerables mundos. El tiempo se ha alargado. Los cálculos de los científicos son muy dispares en cuanto a la existencia del universo de diez millones a seis millares de millones de años. Con tales descubrimientos la grandeza del Creador se agiganta en la mente humana. Cuando tenemos en cuenta semejantes consideraciones, el valor del libro de Génesis permanece inalterable. Es aún más aumentado. Uno de los aspectos más destacados de la narración bíblica es su concordancia con la ciencia moderna en el principio del progreso en la creación, de lo inferior a lo superior, anticipándose así miles de años a la teoría moderna. Nunca puede haber conflicto vital entre la religión y la ciencia verdaderas. Los intentos de aquellos que tratan de ver o crear conflictos entre ambos, la religión y la ciencia, ya sean de un lado o de otro, están destinados a fracasar.

En la arqueología también ha habido desarrollo. Los eruditos nos hablan de civilizaciones que datan del año 5000 a. de J. C., y aún más antiguas. La maravillosa semejanza entre el relato hebreo, o bíblico, del principio de la raza humana y el punto de vista asirio y babilónico, puede ser ahora trazado. ¿Cómo se explica esta semejanza?

1. Algunos creen que es una coincidencia casual o un desarrollo espontáneo. Ningún estudiante sensato puede admitir esta explicación.

2. El relato babilónico pudo haber sido extraído del relato hebreo pero el relato babilónico es demasiado antiguo para tener semejante origen.

3. El relato hebreo pudo haber sido derivado del babilónico. Muchos críticos sostienen esta opinión y es posible

que encierre algo de verdad. Abraham debió de haber aprendido mucho de la civilización babilónica.

4. El relato hebreo y el babilónico pueden haber sido derivados de un mismo original, escrito o transmitido por tradición oral. Esto explicaría las diferencias y las semejanzas de los dos relatos. La revelación divina, sin embargo, ha librado al relato hebreo de todo el politeísmo del relato babilónico y ha puesto la narración en el plan eterno de Dios.

Tanto la tradición judía como la cristiana sostienen que Moisés fue el autor del libro. Sin embargo, la mayoría de los eruditos del Antiguo Testamento creen que el libro está compuesto por tres principales documentos, todos ellos posteriores a Moisés: J (Jehová) y E (Elohim) en los siglos noveno y octavo a. de J. C., y S (Sacerdotal) sobre el año 500 a. de J. C. Esta opinión se fundamenta en: (1) La variación de los nombres empleados para designar a Dios; (2) una diferencia de estilo, teología y conceptos; (3) narraciones dobles del mismo acontecimiento.

Notas Sobre Genesis 1-12

1:1. "En principio" en hebreo no tiene artículo. "Dios" (en hebreo *Elohim*) es un substantivo en plural. Esto no implica politeísmo sino que es un ejemplo de la costumbre hebrea de pluralizar un nombre para indicar excelencia o trascendencia. Nótese cómo este nombre aparece a través del capítulo 1. "Creó" es una palabra usada solamente como una actividad de Dios, nunca como algo que el hombre hace. Puede, por lo tanto, tener el significado de "hacer sin el uso de materiales preexistentes".

1:2. No tiene lugar una catástrofe y una nueva creación entre los versículos 1 y 2, como algunos sostienen.

El versículo 1 sirve de introducción a todo el relato de la creación; el versículo 2 y siguientes muestran cómo fue hecha. La tierra sobre la que ahora vivimos es la primera que Dios creó. (Compárese Apocalipsis 21:1.)

1:5. La palabra para "día" (en hebreo *yom*), no es necesariamente un período de veinticuatro horas. A menudo se usa para expresar períodos más largos. (Compárese la frase profética, "en aquel día".) El sol, que es el que determina nuestro día de veinticuatro horas, no fue creado sino hasta el cuarto día (1:16).

1:26. "Hagamos al hombre" no es una frase probando la doctrina de la Trinidad en el Antiguo Testamento. Pero sí indica que la Deidad está compuesta de más de una persona.

1:27. La "imagen de Dios" significa naturaleza espiritual, aquello que hay en el hombre que le hace diferente de los animales.

1:28. "Fructificad y multiplicad". La relación sexual no fue el pecado en el jardín de Edén. El crecimiento de la raza por medio del nacimiento de los niños formaba parte del plan de Dios y era anterior a la caída.

1:29. Dios quería que todos los hombres y animales fuesen vegetarianos.

2:4. Nótese el uso de "Jehová" en los pasajes siguientes. El nombre de "Jehová" ha sido el extraño fruto de la imaginación de los eruditos. El hebreo antiguo carecía de vocales por lo que la palabra constaba solamente de cuatro consonantes, YHWH, o transcrito de otra forma, JHVH. Posteriormente en la historia judía el nombre se volvió demasiado santo para ser pronunciado por el lector, puesto que éste era el nombre del Dios que había hecho un pacto con Israel. En su lugar, cuando el lector llegaba al nom-

bre, decía Adonai (Señor). Los masoretas, cuando añadieron vocales al texto formado solamente por consonantes, insertaron las vocales de Adonai a las cuatro consonantes sagradas, puesto que Adonai era el nombre que se
tenía que leer. Cuando se pronuncia junto resulta un término un tanto extraño, incluso para los hebreos, "Jehová".
Las verdaderas vocales que pertenecen al nombre son des-
conocidas, pero aparentemente la forma original de la palabra era Yahweh o Yahveh. Este término será usado en
las secciones restantes de nuestro estudio.

2:8 sig. La situación de los ríos, tal y como la describe
el pasaje, no existe actualmente. Algunos eruditos mantienen que el diluvio cambió el curso de los ríos. La referencia al Tigris y al Eufrates indica que el jardín estaba
situado en algún valle fértil mesopotámico.

2:15. El trabajo es anterior a la caída. Después de
ésta se convierte en un fatigoso deber.

2:17. La prueba de la obediencia humana.

2:18. El propósito de la creación de la mujer. La com-
pañera y ayudante del hombre. No está destinada a ser su
sierva sino su inspiración.

2:24. La voluntad de Dios en cuanto al casamiento.
El divorcio no permitido. (Compárese Deut. 24; Marcos
10:11 sig.)

3:6. "su marido... con ella". ¿Estaba Adam presente en la tentación?

3:15. El fundamento de la promesa de redención. Algunos sostienen que los versículos describen solamente el
eterno conflicto entre el hombre y la serpiente, sin la seguridad de la victoria por ninguna de las dos partes, puesto
que es en el calcañar del hombre donde la serpiente siempre hiere, y la cabeza de la serpiente es lo más vulnerable
de ella. Aunque el versículo en sí no asegure la victoria del

hombre sobre el mal, el contexto lo asegura. Dios no será vencido en la más importante de sus empresas. El mismo proveerá un camino para el cumplimiento de sus propósitos. Los ardides de la serpiente no pueden nunca competir con la sabiduría de Dios.

3:22. La vida eterna no le fue conferida al hombre cuando fue creado. Tenía que ser adquirida. El hombre ha demostrado ahora no ser merecedor de ella y no puede probarla sino hasta que se encuentre manera de redimir su pecado.

4:3 sig. ¿Por qué fue la ofrenda de Caín desestimada y la de Abel aceptada? En Abel había fe, mientras que en Caín no la había (Hebreos 11:4). Nótese también que Abel ofreció lo mejor que poseía. El contenido de la ofrenda no estaba comprendido. Tanto las ofrendas de productos agrícolas como las de animales estaban comprendidas dentro del sistema de sacrificios a Dios. Solamente los animales se usaban como ofrendas por el pecado, pero aquí no hay referencia alguna que indique que su ofrenda tenía este propósito. Además, la legislación mosaica no había sido todavía promulgada.

4:15. El signo fue para protección, no para condenación. No se indica en qué consistía.

4:17. ¿Quién era la esposa de Caín? Se ha convertido en una pregunta proverbial. Adam y Eva tuvieron otros hijos e hijas (5:4). A fin de que la raza humana se extendiese, estos primeros hermanos se tuvieron que casar necesariamente con sus hermanas. Luego se casaron los primos y los hombres empezaron a esparcirse por toda la tierra. El incesto es un pecado terrible por las funestas consecuencias que acarrea sobre la descendencia. Estos peligros se evitaban al principio gracias a la juventud de la raza y al continuo distanciamiento de las relaciones de parentesco.

4:19. Lamech, de la línea de Caín, es el primer polígamo conocido.

Capítulo 5. La longevidad de los patriarcas ha sido una objeción destacada para la exactitud y fidelidad de Génesis. De muchas formas se ha tratado de explicar la razón de sus largas vidas: (1) Una forma distinta de calcular el tiempo. (2) Los años que se mencionan no se refieren a los años de individuos, sino de existencia de las familias. (3) La raza era joven y el pecado no había acortado la duración de la vida.

5:24. El caso de Henoch probablemente hizo pensar a los hombres en la posibilidad de la existencia de una vida mejor después de la muerte.

5:27. Mathusalam fue el patriarca que más años vivió; pero todo lo que se pudo decir de él fue que murió. Henoch vivió solamente un tercio de lo que vivió Mathusalam. No es lo más importante *cuánto* vive un hombre sino *cómo* vive. Es posible que Mathusalam muriese en el diluvio.

6:2. Dos interpretaciones: (1) Los ángeles entraron en relaciones maritales con las mujeres, que dieron como resultado una nación de gigantes. Esta es una explicación dudosa puesto que tales ángeles no estarían propensos a molestarse con las ceremonias nupciales formales. La expresión usada indica que las ceremonias fueron de carácter legal. (2) Los hijos de Seth tomaron como esposas a las hijas de Caín, hermosas pero pecadoras. La expresión hebrea "hijos de Dios" quiere decir hijos piadosos o divinos, o los hijos de Seth. Las "hijas de los hombres" son las hijas carnales, o hijas de Caín. El hebreo tiene pocos adjetivos y a menudo usa la expresión "hijo de" como su equivalente. (Compárese Isaías 5:1 "...una viña en un recuesto, lugar fértil" — en hebreo, "una colina, el hijo de la fertilidad".)

6:3. El conflicto entre el Espíritu y la carne sólo puede dar como resultado la destrucción de la carne. Su destrucción vendría al cabo de ciento veinte años. Los ciento veinte años no pueden referirse a la duración de la vida de los individuos, puesto que los patriarcas después del diluvio vivieron varios cientos de años.

6:4. Nephilim, (en hebreo, "los caídos"). Hombres poderosos, muchos de los cuales eran gigantes, quienes descendieron de los casamientos mencionados en 6:2 (Compárese 13:33).

6:9. Noé estaba completamente de parte de Dios. La palabra usada para perfección lleva la idea de acabamiento más bien que la perfección moral.

6:15 sig. El arca tenía 525 pies de longitud (160.12 m.), 87½ de ancho (26.71 m.), y 52½ (16.04 m.) de alto. Un codo oscila entre 18 y 21 pulgadas (41.4 cm. y 48.3 cm.) que es la longitud comprendida entre la punta del dedo y el codo.

9:3. Ahora al hombre le está permitido comer carne porque los animales deben su existencia a Noé que les dio entrada en el arca.

9:13. Probablemente no era esta la primera vez que el arco iris aparecía. Pero de ahora en adelante iba a tener un nuevo significado.

9:20. sig. La Biblia presenta a los hombres tal como son. Noé, el justo, encontró que aun para él la bebida fuerte era demasiado fuerte.

Capítulo 10. La familia de Noé y sus descendientes. Japhet se estableció en Asia Menor y en el sur de Europa. Cham emigró a Africa y Palestina. Algunos de sus descendientes se quedaron en Babilonia. Sem se quedó en el valle de Mesopotamia. Los semitas fueron sus descendientes, de los cuales los hebreos son una rama.

Capítulo 11. La torre de Babel fue una expresión del orgullo humano y posiblemente una tozuda determinación de resistir cualquier intento del Todopoderoso de destruir la raza humana por segunda vez con un diluvio.

11:7. Esta confusión de lenguas evitó no solamente que los hombres cooperasen entre sí para el mal, sino que también estorbó sus esfuerzos para la paz. (Compárese Sof. 3:9.)

12:1-3. Un estudio del resto de Génesis pone de manifiesto que las instrucciones y promesas contenidas en Génesis 12:1-3, son los diferentes elementos de un pacto posterior y específico con Abraham, pacto que fue confirmado por un extraño sacrificio relatado en el capítulo 15 y el cual llevaba la marca de la circuncisión. La posesión de Canaán, un nombre distinguido, una posteridad numerosa, una gran nación, el favor divino para él y para sus amigos y el juicio divino sobre sus enemigos son razones secundarias o contribuyentes. Son medios que tienden a un fin expresado en: "... y serán benditas en ti todas las familias de la tierra" (12:3, en hebreo "se bendecirán"). Este es el elemento principal y el propósito definitivo de la promesa. Aparece cinco veces, con pequeñas variaciones, en el libro de Génesis, tres veces a Abraham (12:3; 18:18; 22:18), una vez a Isaac (26:4), y una vez a Jacob (28:14). Una expresión más completa, incluyendo todos los elementos de las variantes es, "en ti y en tu simiente serán benditas todas las familias de la tierra". Esta parece ser la promesa a la cual los escritores del Nuevo Testamento se refieren muchas veces, y Pablo (Gál. 3:16) vio su total cumplimiento en Cristo. (Compárese Salmo 72:17.)

VIDA DE ABRAHAM

1. Desde Su Nacimiento Hasta la Salida Hacia Canaán. 11:27 a 12:4

   (1) Primer período de su vida en Ur, ciudad culta y muy devota a la adoración idólatra.

   (2) Viaje a Harán, al norte de Mesopotamia. Muerte de su padre.

2. Desde Su Partida Hacia Canaán Hasta el Nacimiento de Ismael. 12:5 a 16:16

   (1) Primera permanencia en Canaán.

      a. Su primer alto en Sichem. Jehová le aparece y Abram le edifica un altar.

      b. Segundo lugar de descanso cerca de Bethel; edifica un altar y adora.

      c. Pasa por el Mediodía (Negeb).

   (2) Permanencia de Abram en Egipto. Nótese su decepción, la desgracia que sigue, y también el hecho de que no edifica ningún altar allí.

   (3) Abram vuelve a Canaán.

      a. Pasa por el Mediodía hacia Bethel. Renueva su comunión con Dios. Separación de Lot seguida de la renovación de la promesa de que esta tierra pertenecería a su posteridad.

      b. Se traslada a Hebrón, donde edifica un altar.

         (a) Rescata a Lot de los invasores orientales; paga diezmos a Melchisedec.

         (b) Yahveh renueva su pacto con Abraham, revelándole la suerte de su posteridad durante los cuatrocientos años a seguir.

         (c) Sarai da Agar a Abram. Huida de Agar y nacimiento de Ismael.

3. Desde el Nacimiento de Ismael hasta el Nacimiento de Isaac. 17:1 a 20:18

(1) Renovación del pacto entre Yahveh y Abram. El nombre de Abram cambiado por el de Abraham.

(2) El pacto otra vez renovado con la promesa del nacimiento de Isaac.

(3) Destrucción de Sodoma y Gomorra; Lot salvado de la destrucción.

(4) Abraham se detiene en Gerar; repite su engaño en cuanto a Sara. Permanece en el país de los filisteos muchos días, en Gerar o en las cercanías de Beer-seba, situado a unas treinta millas (48 Kms).

(5) Nacimiento de Isaac.

4. Desde el Nacimiento de Isaac Hasta la Muerte de Sara. 21:1 a 23:20

(1) Agar e Ismael despedidos.

(2) Pacto con Abimelech en Beer-seba.

(3) Sacrificio de Isaac. Nótese la fe sublime de Abraham y su abnegación.

(3) Muerte de Sara, quien es enterrada en Hebrón, en la cueva de Macpela.

5. Desde la Muerte de Sara Hasta la Muerte de Abraham. 24:1 a 25:18

(1) Abraham busca una esposa para su hijo Isaac.

(2) Casamiento de Abraham con Cetura. Hace a Isaac heredero, pero da regalos a los hijos de Cetura.

(3) Muerte de Abraham.

VIDA DE JACOB

1. Su Vida en Canaán. 25:19 a 28:9

(1) El más joven de los mellizos. Esaú su hermano.

(2) Jacob, un muchacho quieto y mimado, se asegura la primogenitura de su hermano por un plato de potaje.

(3) Rebeca y Jacob idean con éxito conseguir la bendición de Isaac también.

(5) Jacob tiene que huir de la ira de Esaú.

2. Huida de Jacob y Permanencia en Harán. 28:10 a 31:21

(1) El sueño en Bethel. Jacob pacta con Dios.

(2) Se enamora de Rachel su prima y accede a trabajar siete años para casarse con ella. Labán, padre de Rachel y hermano de Rebeca, engaña a Jacob dándole a su hija Lea. Jacob trabaja siete años más para casarse con Rachel.

(3) Nacimiento del undécimo hijo de Jacob y su prosperidad.

3. Vuelta a Canaán. 31:22 a 35:29

(1) Huye de Harán.

(2) Violento encuentro de Labán con Jacob.

(3) Jacob lucha con el ángel. Su nombre es cambiado por Israel.

(4) Encuentro con Esaú.

(5) Permanencia cerca de Sichem. Dina deshonrada.

(6) Vuelta a Bethel. Profundo efecto en el Espíritu de Jacob.

(7) Nacimiento de Benjamín y muerte de Rachel.

(8) Jacob habita con Isaac. Jacob y Esaú entierran a su padre.
Su último encuentro. La historia de Jacob se mezcla con la de José.

VIDA DE JOSE

1. **Su Juventud en Canaán.** 37:1-36
   (1) Un soñador. Dice la verdad acerca de sus hermanos, quienes le desprecian.
   (2) Su padre le da una túnica como símbolo de que no será un trabajador como sus hermanos. Es mejor traducir "una túnica larga" que "una túnica de muchos colores". (En hebreo "una túnica de extremidades".)
   (3) Su visita a Dothán con el fin de espiar a sus hermanos. Es vendido a unos mercaderes y llevado a Egipto. Los hermanos convencen a Jacob de que José ha muerto.

2. **Período de Servidumbre y Angustia.** 39:1 a 40:23
   (1) Vendido a Potiphar, capitán de la guardia del faraón (de la dinastía de los hyksos compuesta de conquistadores semitas de Egipto). Día a día va ganando la simpatía. Pronto llega a ser el mayordomo del capitán.
   (2) Grande tentación y cómo la resiste.
   (3) A la cárcel. Nacido para gobernar. Pronto principal de la prisión.
   (4) Dos importantes presos confiados a su vigilancia. Interpreta sus sueños.
   (5) Dos años de cansadora espera. Una severa disciplina revela la naturaleza de José. La fe en Dios le mantiene cuerdo y confiado.

3. **Los Años de Abundancia y los de Hambre.** 41:1 a 47:26
   Alarmantes sueños de Faraón. José, el intérprete, elevado de repente al cargo de primer ministro.

(1) Los siete años de abundancia. La labor de José, buena administración, y fe en la voz de Dios.

(2) Los siete años de hambre.

   a. El tratamiento de los egipcios no puede considerarse duro si se compara con el espíritu y la táctica de otros primeros ministros de la antigüedad.

   b. Tratamiento de sus hermanos.

      (a) Pone a prueba el amor de los unos a los otros. Retiene a Simeón. ¿Volverán a buscarle? Más tarde Benjamín tomado como esclavo. ¿Le abandonarán? Discurso de Judá ante José, uno de los más patéticos de la historia. La aflicción había ejercido buena influencia en los hermanos de José.

      (b) Les reconoce como sus hermanos ante la corte egipcia.

      (c) Les da sabios y paternales consejos.

   c. Traslado de Jacob y su familia a Egipto. La consideración de José al enviar carros para el transporte de su padre. Sale a su encuentro. Gosén se convierte en el hogar de Jacob y goza de paz y prosperidad, incluso en los años de hambre.

4. Años Tranquilos de Poder y Servicio. 47:27 a 50:26

(1) Los últimos días de Jacob.

   a. Hace prometer a José que le enterrará en Palestina.

   b. Bendice a los dos hijos de José.

   c. Bendice a sus doce hijos. José y Judá sus favoritos.

d. Entierro de Jacob.

(2) José disipa el terror de sus hermanos después de la muerte de su padre.

(3) Al fin, José hace jurar a los hijos de Israel que llevarán su cuerpo al Exodo.

Exodo

El nombre del libro es una forma latinizada de la palabra griega *exodos*, que significa salida o partida. Ha llegado hasta nosotros por medio de la Versión de los Setenta y la Vulgata. Por otra parte, los judíos lo designaban por las primeras palabras del libro, "Y estos son los nombres". El hecho de que los hebreos no dieron a Génesis y Exodo un nombre descriptivo indica que consideraron todo el Pentateuco o Torah como una unidad. Las cinco divisiones se hicieron sólo para mayor conveniencia en el manejo. El libro del Exodo continúa la historia de Génesis. El hecho de que en el hebreo empiece con "Y" muestra claramente su relación con el primer libro de la Ley. La fecha del éxodo que se da en este libro ha sido una cuestión muy discutida. Hay dos opiniones principales:

1. Durante la decimoctava dinastía en Egipto. Esta opinión se deriva de la cronología asiria y bíblica y está apoyada principalmente por eruditos conservadores. El Primer Libro de Reyes 6:1 dice que transcurrieron cuatrocientos ochenta años desde el éxodo hasta la edificación del templo de Salomón. El templo se edificó aproximadamente hacia el año 965 (tomando como referencia la fecha de la batalla de Karkar en el año 853 a. de J. C.). La batalla de Karkar debió de haberse librado durante los tres

años de paz entre Israel y Siria (1 Reyes 22:1), puesto que Achab y Ben-hadad eran entonces aliados, según los datos asirios. Esto sería durante el vigésimo año de Achab y el decimoséptimo de Josaphat. Calculando el reinado de los reyes antes de estos dos, la fecha de la construcción del templo puede ser determinada. Si a 965 se le añade 480, tendremos como resultado 1445 a. de J. C. Hay algunas evidencias arqueológicas que sostienen este punto de vista.

2. Durante la decimonona dinastía (c. 1300 a. de J. C.), siendo Seti I el faraón de la opresión y Ramsés II el faraón del Exodo. Recientes descubrimientos arqueológicos han apoyado las evidencias en favor de esta fecha. Esta teoría, sin embargo, tiene un inconveniente y es que el período entre Moisés y David es demasiado corto. Las evidencias arqueológicas de que disponemos hasta el momento son demasiado contradictorias para poder garantizar una conclusión definitiva sobre el asunto.

El cambio de actitud hacia los hebreos después de la muerte de José se debió probablemente a la expulsión de los reyes semitas hyksos de Egipto. Estos gobernantes hyksos adoptaron una actitud benévola hacia los semitas israelitas, pero cuando los nativos egipcios tomaron el poder (c. 1550 a. de J. C.), la opresión de los hebreos comenzó.

Exodo difiere de Génesis en propósito y en contenido. Génesis presenta a Dios como el Dios del pacto de una familia patriarcal; Exodo le revela como el Dios del pacto de la nación hebrea. Ocurren muchas cosas durante el éxodo. Cuando los hebreos llegan al Sinaí, podemos ver un buen número de resultados de la experiencia adquirida en Egipto:

1. Una familia se había convertido en una nación dispuesta a establecer su propio país.

2. Los hebreos se mancharon con la idolatría. Después del éxodo los dirigentes espirituales pudieron ver la impotencia de los ídolos egipcios, pero el pueblo se aferró a sus supersticiones.

3. Los hebreos fueron a Egipto como nómadas pero salieron como pueblo agrícola y urbano.

4. En el futuro contarían con una experiencia magnífica que les capacitaría para hacer frente a situaciones difíciles.

Bosquejo del Libro

Introducción — Muerte de José y subsiguiente crecimiento de los israelitas. 1:1-7

1. La Opresión. 1:8 a 12:36
   (1) Los hijos de Israel sometidos a la opresión. 1:8-14
   (2) Sus hijos varones muertos. 1:15-22
   (3) Nacimiento, educación y huida de Moisés. 2:1-22
   (4) Llamamiento de Moisés para ser el libertador de Israel. 2:23 a 4:31
   (5) Primera entrevista con Faraón y su desalentador resultado. 5:1 a 7:7
   (6) Habiendo el faraón endurecido su corazón, las diez plagas vienen sobre el país. 7:8 a 12:36

2. El Exodo y la Partida Hacia el Sinaí. 12:37 a 19:1
   (1) El éxodo e instrucciones sobre la Pascua. 12:37 a 13:16
   (2) La salida de Succoth por el mar Rojo. 13:17 a 15:21
   (3) Del mar Rojo al Sinaí. 15:22 a 19:1

3. La Entrega de la Ley. 19:2 a 40:38
   (1) Preparación del pueblo. 19
   (2) La ley moral. 20

(3) La ley civil. 21:1 a 23:19
(4) Un pacto entre Jahveh e Israel. 23:20 a 24:18
(5) Modelo del tabernáculo. 25-31
(6) Quebrantamiento y renovación del pacto. 32-34
(7) El tabernáculo construido e instalado. 35-40

Levítico

El nombre de este libro es derivado del nombre de la tribu de Leví que tomó a su cargo las funciones ceremoniales de la religión hebrea. Sin embargo, trata más de los sacerdotes que de los levitas. No todos los levitas eran sacerdotes, aunque era necesario que cada sacerdote fuese un levita.

El ritual hebreo y las leyes ceremoniales eran medios para enseñar a un pueblo objetivamente que estaba en su infancia religiosa. En el libro de Levítico encontramos requisitos prácticos que son símbolos inolvidables de verdades espirituales más profundas. Las ilustraciones fueron dadas primero a fin de preparar el camino para el discernimiento especial a necesitarse en revelación posterior. La nota que prevalece a través de todo el sistema es la *santidad* de Dios. El hombre pecador debe encontrar un camino para acercarse y comunicarse con el Santo. El mejor comentario del libro de Levítico es la Epístola a los Hebreos en el Nuevo Testamento.

Los *sacrificios de animales* eran de cuatro clases: (1) La ofrenda por el pecado, con énfasis en la sangre, representando la donación de vida para la obtención del perdón del pecado. (2) El holocausto, cuando la carne era totalmente quemada, simbolizaba una completa consagración a Dios. (3) La ofrenda de la expiación de la culpa con su correspondiente restitución, haciendo énfasis en que hay ciertos límites divinos y humanos que no se pueden traspasar impunemente. (4) La ofrenda de paces, con su correspondiente comida al final de la misma, simbolizando la comunión entre Dios y el hombre. Estas ofrendas eran festividades religiosas en las cuales parte de la ofrenda era consumida en el altar, otra parte comida por los sacerdotes, y el resto por los oferentes y sus familiares. Estas festividades permitían al oferente expresar mejor algunos de los impulsos religiosos que no encontraban completa expresión en otros sacrificios. Eran necesarios para dar a los oferentes una más completa satisfacción religiosa, de aquí que se llamase la *ofrenda de paces*.

Uno de estos impulsos religiosos era expresar en forma satisfactoria la gratitud por los inmerecidos favores y bendiciones, la *ofrenda de acción de gracias*.

Otro impulso era expresar el sentimiento de obligación o agradecimiento, así como el gozo producido por el cumplimiento o pago de una promesa, *ofrenda de voto*.

Un tercer impulso era expresar voluntariamente y de forma especial el amor y la devoción a Dios, *ofrenda voluntaria*.

Además de los sacrificios de animales había otros dos tipos de sacrificio. *La ofrenda de flor de harina o vegetal* que simbolizaba la dedicación de los frutos del campo a Dios.

La *ofrenda de libación* es más difícil de analizar. Los patriarcas ofrecieron esta clase de ofrendas en Canaán siglos antes del período mosaico. Esta ofrenda no se hacía nunca sola sino que era parte de, o acompañaba, una ofrenda quemada o una de paces. El significado era idéntico al de la ofrenda que acompañaba. Simplemente ampliaba la ofrenda para incluir una porción de otra clase de comida.

Las leyes de pureza e impureza mantuvieron siempre delante de Israel la distinción entre santo e impuro, malo y bueno. El pueblo de Dios debe estar separado. Las fiestas religiosas de los hebreos eran también simbólicas: (1) el sábado-Dios como Creador; (2) la Pascua-Dios como Redentor; (3) Pentecostés (primavera) y Tabernáculos (otoño)-Dios como Proveedor; (4) Día de Expiación-Dios, el santo y misericordioso.

BOSQUEJO DEL LIBRO

1. Leyes Para el Sacrificio, Purificación y Expiación. Capítulos 1-16
   (1) Las principales clases de ofrendas con instrucciones suplementarias para los sacerdotes. 1-7
   (2) Consagración de los sacerdotes, seguida por el pecado de Nadab y Abiú. 8-10
   (3) Leyes para la purificación. 11-15
   (4) El Día de Expiación. 16
2. Las Leyes de Santidad. Capítulos 17-26
   Una colección miscelánea de preceptos sobre los requisitos de tipo moral y ceremonial, haciendo mucho énfasis en la santidad.
   Conclusión. Conmutación de votos y diezmos. Capítulo 27

Numeros

Este libro toma su título de una traducción del nombre dada en la Versión de los Setenta, siendo así designado por los dos censos de los hijos de Israel contenidos en él (capítulos 1 y 26) y también porque hay en este libro mucho contenido numérico. El nombre que los judíos dieron al libro es probablemente el más correcto, al menos el más apropiado (*bemidhbar*, "en el desierto"), puesto que este libro relata la historia de Israel en el desierto de Sinaí. Es una continuación natural del libro de Levítico porque la primera parte es de carácter levítico y estadístico.

El escritor de Números no fue un simple narrador de los acontecimientos que sucedieron durante los cuarenta años de peregrinación por el desierto. Fue más bien un intérprete de esa historia. Vio en cada uno de los acontecimientos la mano de Dios dirigiendo a su pueblo escogido, supliendo sus necesidades, soportando sus pecados y debilidades, manteniendo su pacto con el pueblo y diciplinándolo. Cades-barnea será siempre el símbolo de la censura para el pueblo de Dios en cualquier época en que se resista a seguir adelante por fe.

Bosquejo del Libro

1. En el Sinaí. Recuento del pueblo, dedicación del altar

con muchos mandamientos y muchas regulaciones. 1:1 a 10:10

2. Desde el Sinaí Hasta la Frontera Sur de Palestina. 10: 11 a 14:45

3. Desde el Primer Descanso en Cades-barnea Hasta la Vuelta al Mismo Lugar Después de Haber Vagado por un Largo Periodo. 15:1 a 20:21

4. Desde Cades-barnea Hasta el Campamento Frente a Jericó. 20:22 a 22:1

5. Acontecimientos y Leyes Relacionados con la Permanencia en los Llanos de Moab. 22:2 a 36:13

Deuteronomio

El quinto libro de la Ley es majestuoso, fascinador y práctico. Los judíos lo llamaban *'ellah haddevarim* ("estas son las palabras", que son las dos primeras palabras del libro en el original hebreo). El título castellano "Deuteronomio", que quiere decir segunda ley o repetición de ésta, tiene su origen en una errónea traducción griega de tres palabras hebreas en 17:18, que deberían ser traducidas "una copia de esta ley". Aunque procedente de una traducción inexacta, el título es bastante apropiado porque Deuteronomio es, en realidad, una repetición de la ley que se encuentra en los libros que le preceden, aunque aquí la legislación está más extensamente interpretada, ampliada y aplicada.

El Deuteronomio es un libro principalmente de oratoria. Contiene una serie de discursos pronunciados por Moisés a los israelitas en las llanuras de Moab durante el corto intervalo (unos cuarenta días como máximo) entre el fin de la peregrinación en el desierto y la entrada en la tierra de Canaán. En estos discursos el orador constantemente recuerda a la gente el trato benévolo que han recibido de Jahveh y les suplica correspondan a esa bondad de Dios dándole lealtad y amor incondicionales.

Hay tres principales discursos con tres cortos apéndices. El primer discurso (1:1 a 4:43) es principalmente histórico y exhortatorio. Moisés narra a grandes rasgos las experiencias desde Horeb hasta Moab y exhorta a los israelitas a unirse a Yahveh y apartarse de toda idolatría. El segundo discurso (4:44 a 26:19) es principalmente exhortatorio y legislativo. Este es el discurso más largo y constituye el núcleo del libro. Da un resumen de las leyes y estatutos civiles, morales y religiosos de Israel. El tono es el de padre. El ideal es la santidad. El tercer discurso (27:1 a 31:30) es profético y amenazador. Trata de las bendiciones que trae consigo la obediencia y las maldiciones de la desobediencia. A estos tres discursos le siguen tres apéndices: El canto de Moisés (capítulo 32), la bendición de Moisés (capítulo 33), y el relato de la muerte y entierro de éste (capítulo 34).

¿Por quién y cuándo fue el libro escrito? La tradición lo atribuye a Moisés. Muchos eruditos contemporáneos afirman que el libro apareció poco después de la reforma de Josías (621 a. de J. C.). Fue formulado por el partido profético en los intereses de centralizar el culto y luego fue guardado en el templo. Poco después de haber sido encontrado siguió el avivamiento deseado. El libro en sí no pretende haber sido escrito por Moisés. Solamente contiene sus discursos (31:9; 31:24 sig.; 1:1). Hay una evidencia fuerte de que el libro tomó su forma definitiva bastante antes del siglo séptimo a. de J. C. Así pues, no sería un "fraude piadoso" sino simplemente la forma definitiva de los discursos de Moisés editados por el partido profético bajo la inspiración de Dios. Este libro, considerado ya como autorizado, se perdió durante el reinado de Manasés y fue encontrado en el año 621 a. de J. C.

El Deuteronomio es un libro que tiene un gran valor religioso para hoy. El amor es la clave de la vida divina. A Dios se le debe toda la lealtad del corazón humano por su misericordia. El Deuteronomio fue uno de los libros preferidos de nuestro Señor. (Compárese Mateo 4:4, 7, 10; 22:37.)

VIDA DE MOISES

1. Desde Su Nacimiento Hasta Su Huida de Egipto. Ex. 1:1 a 2:15

   (1) Nacido en tiempos turbulentos. La fe le preserva (Heb. 11:23).

   (2) Adoptado por la familia de Faraón. Dios se impone sobre los planes de Faraón, convirtiéndole en el educador del libertador de Israel. Aunque nominalmente hijo de la hija del faraón, Moisés es criado por su propia madre. La infancia fue período muy importante en la educación de Moisés.

   (3) Fue educado en toda la ciencia de Egipto (Hechos 7:22), e instruido en medio de la más elevada civilización de su tiempo.

   (4) Escoge aliarse con el pueblo de Dios (Heb. 11:24-26). En un arrebato de indignación, mata a un desalmado egipcio.

   (5) Huye de Egipto al desierto de Madián.

2. Permanencia en el Desierto. Ex. 2:16 a 4:28

   (1) Por su conducta caballerosa obtiene un hogar y una esposa.

   (2) La disciplina en el desierto.
      a. Se contenta con una posición subordinada, la de pastor.
      b. La soledad desértica le conduce a la reflexión.
      c. Adquiere conocimiento del territorio a través del

cual conduciría a Israel. Estos cuarenta años fueron una preparación para su gran tarea. No fueron inútiles. Le dieron tiempo para pensar, para volverse manso y humilde, y para tener comunión con Dios.

(3) Moisés llamado a ser el libertador de Israel.
    a. En el maravilloso símbolo de la zarza ardiendo, Dios le llama y le impone la tarea de rescatar a Israel de Egipto.
    b. Las objeciones de Moisés y cómo Dios las usa:
        (a) "No estoy capacitado para esta tarea". Dios responde: "Yo seré contigo".
        (b) "¿Con qué autoridad voy a ir?" "YO SOY te envía —el que es, el que tiene existencia propia, el eterno". Un juego con la palabra YHWH.
        (c) "Los ancianos de Israel no me creerán". Las señales de la vara, la mano y el agua le son dadas como prueba de su comisión divina.
        (d) "No soy un orador elocuente", "yo seré en tu boca".
    c. Moisés trata ahora de rehuir sin excusa alguna. "¡Envía a cualquier otro pero no a mí!" Teme la ira de Faraón. Dios se irrita ante la tozudez de Moisés. Envía a Aarón como ayudante y portavoz y le notifica que el faraón que quería matarle ha muerto.

(4) Partida hacia Egipto.
    a. Moisés es acompañado por su familia. Sucede un extraño acontecimiento en el sitio donde se hospedan. Omisión de la circuncisión en la familia de Moisés. La familia regresa al hogar.

    b. Moisés se encuentra con Aarón en el monte de Dios. Hablan acerca de sus planes.

3. Moisés, Libertador, Caudillo y Dador de la Ley a Israel

  (1) El duelo con Faraón. Ex. 4:29 a 15:21

    a. Los ancianos son convencidos por las palabras y las señales. Dan su aprobación para efectuar la prueba.

    b. Faraón, como respuesta, aumenta sus cargas.

    c. Una señal dada a Faraón. La vara de Moisés se traga a las demás.

    d. La contienda en diez batallas (plagas). Fueron contiendas entre Yahveh y los dioses de Egipto. Los egipcios adoraban al Nilo, al sol, al toro sagrado Apis e insectos (el escarabajo sagrado).

       Actualmente se quiere demostrar que estas plagas en Egipto no fueron más que fenómenos; pero dos cosas prueban que las plagas provocadas por Moisés fueron milagros: (1) su crudeza (2) comienzo y fin de la plaga anunciados.

       Dios endurece el corazón de Faraón; pero sólo después que el faraón lo ha endurecido por su propia voluntad. La libertad del faraón no es destruida; pero el plan de Dios tiene en cuenta su carácter perverso.

    e. La Pascua y el Exodo. Noche de gran excitación. Los israelitas piden valiosos regalos y los reciben. Una multitud heterogénea sale con ellos. Yahveh dirige a su pueblo con una columna de humo y de fuego.

    f. Liberación en el mar Rojo. Milagroso acontecimiento, aunque Dios usa medios. Faraón debe ser más severamente castigado.

(2) El viaje al Sinaí. Ex. 15:22 a 18:27

    a. A Mara ("amargo"). Revelación en M a r a: "...yo soy Jehová tu Sanador".

    b. A Elim (doce fuentes de agua).

    c. Al desierto de Sin. Aquí reciben el maná y las codornices. (Compárese Deut. 8:2-6 para conocer el propósito.) El maná no tiene explicación. Era un pan procedente del cielo.

    d. Rephidim y las pruebas. Varios acontecimientos:

        (a) Agua para su sed. Agua de la roca.

        (b) Batalla con los amalecitas. (Compárese Deut. 25:17-19.)

        (c) Visita de Jethro. Sabiamente aconseja a Moisés que nombre jueces.

(3) En Sinaí.

(Véase Números 33 para las etapas del viaje de Israel. Las etapas en el desierto son muy difíciles de determinar.)

    a. Días de preparación antes de ser dada la Ley. Ex. 19:1-15

    b. El gran día cuando las Diez Palabras son dadas. Ex. 19:16 a 20:21

    c. El Libro del Pacto y solemne ratificación. Ex. 20:22 a 24:8

    d. Los primeros cuarenta días sobre el monte, durante los cuales Moisés recibe las instrucciones para el tabernáculo y algunas indicaciones para el culto. Ex. 24:12 a 31:18

    e. El becerro de oro. Ex. 32:1 a 34:35

(a) La conducta de Aarón digna de reprobación.

(b) Dios anuncia la caída a Moisés y éste intercede por su pueblo.

(c) Moisés, al pie del monte, en un arrebato de ira rompe las tablas.

(d) Guerra en el campamento ahora. La tribu de Leví destruye a los principales ofensores.

(e) La segunda intercesión de Moisés. Cuarenta días.

(f) Las crecientes promesas y la visión de Dios.

(g) La renovación del pacto y el rostro brillante. (Compárese 2 Cor. 3:12-18.)

f. El tabernáculo edificado. El pueblo ofrece voluntaria y libremente. Ex. 35:1 a 40:38

g. Solemne ungimiento de Aarón y sus hijos. Lev. 8:1-36

h. Muerte de Nadab y Abiú. (Se puede inferir que Nadab y Abiú estaban ebrios.) Lev. 10: 1-11

4. Viaje Desde Sinaí a Cades-barnea. Números 10:11 a 14:45

Se hace una invitación a Hobad, cuñado de Moisés, para que les acompañe. Aunque la rehusa al principio, parece ser que fue con ellos. (Compárese Jueces 1:16; 4:11.)

(1) Murmuración en Taberah.

(2) Kibroth-hattaavah, o sepulcros de codicia. Los setenta ancianos profetizan. Obsérvese el espíritu desinteresado de Moisés con respecto a Eldad y Medad.

(3) En Haseroth, Miriam y Aarón hablan contra Moisés. Yahveh defiende a Moisés.

(4) Los espías enviados desde Cades. Moisés y Aarón tienen una experiencia terrible en conexión con la gran rebelión en Cades.

5. El Período de Peregrinación (casi treinta y ocho años).

Números 16:1 a 17:13; 20:1. Deut. 1:19-46

El acontecimiento más importante en este período es la insurrección de Coré, la cual no solamente es un levantamiento contra la autoridad de Moisés sino contra el sacerdocio de Aarón. Moisés tiene grandes responsabilidades durante este período. Recibe algunas leyes nuevas para Israel. El pueblo no tiene ninguna esperanza. Al principio del año cuadragésimo están por segunda vez en Cades-barnea.

6. De Cades-barnea a los llanos de Moab. Números 20: 1 a 21:35

(1) La muerte de Miriam.

(2) El pecado de Moisés y Aarón.

(3) Edom se resiste a que Israel atraviese su territorio.

(4) Muerte de Aarón en el monte Hor.

(5) Los cananitas vencidos.

(6) Serpientes ardientes y la serpiente de metal.

(7) Derrotas de Sehón y Og y conquista de la parte oriental de Palestina.

7. Ultimos Días de Moisés

(1) Balaam y Balac no pueden maldecir a Israel, pero conducen al pueblo a la adoración de Baal-peor. Núm. 22:1 a 25:5

(2) Después de un segundo censo del pueblo, se le

anuncia a Moisés que su fin se acerca. Josué nombrado su sucesor. Núm. 26:1 a 27:23

(3) La guerra con Madián, una guerra de exterminio. Núm. 31:1-54

(4) La parte oriental de Palestina asignada a Rubén, Gad y la mitad de la tribu de Manasés. Muchas indicaciones referentes a la herencia de la parte occidental de Palestina. Núm. 32:1-42

(5) Ultimos discursos de Moisés pronunciados durante su último mes de vida. Deuteronomio.

PARTE II

Estudio de los Libros Historicos

Introduccion

Herodoto es generalmente llamado el "Padre de la historia", pero este erudito no puede continuar reconociendo su paternidad, porque siglos antes de que el venerado griego empezase su trabajo de investigación, los hebreos ya estaban escribiendo historia. El que esto no haya sido reconocido es debido en parte a los prejuicios de los historiadores hacia la Biblia y el desconocimiento de la civilización pregriega por parte de los eruditos seculares.[1] Las porciones históricas del Antiguo Testamento ocupan más de la mitad del volumen entero. No solamente tenemos los libros exclusivamente históricos, tales como Samuel y Reyes sino también mucho material histórico contenido en la Ley y en los Profetas. Los libros históricos son tan diferentes como la posición que ocupan en el canon, comprendiendo desde las sencillas y populares narraciones contenidas en Génesis hasta el punto de vista eclesiástico de la historia que el escritor sacerdotal de Crónicas presenta. Contienen las más tempranas y las más tardías enseñanzas del Antiguo Testamento. A pesar de todo

---

[1] J. P. Hyatt, *Prophetic Religion* (Nashville: Abingdon-Cokesbury Press, 1947), p. 76.

hay a través del mismo una marcada unidad. Este orden tiene su origen en el concepto hebreo de la naturaleza de la historia.

Es importante notar que los hebreos fueron el primer pueblo en el mundo antiguo en poseer un sentido de historia. Egipto y Babilonia, con civilizaciones más antiguas, no ofrecen paralelo alguno. Aunque sus crónicas abundaron desde tiempos muy antiguos, esto que podríamos llamar materia prima no fue utilizada para formar un escrito histórico unificado. La diferencia parece ser que Israel poseía un secreto —"descubrieron que los acontecimientos humanos se iban desarrollando bajo un propósito divino. Los acontecimientos históricos de la humanidad no eran, para su mente profética, como el vaivén de las olas, sino como una corriente que se dirigía a un destino determinado. Creyendo en el futuro, les interesaba el pasado, no solamente los hechos sino su significado".[2] Fueron los primeros en afirmar que Dios se manifiesta en el factor tiempo regulando el destino de los hombres y de las naciones. "Los hebreos afirmaron la realidad y la importancia del tiempo. Para ellos no eran una mera ilusión, algo de lo que el hombre debe escapar, sino algo que debe ser redimido."[3]

Los hebreos eran verdaderos genios como narradores, haciendo con su imaginación histórica una viva realidad de los hechos antiguos. Mil años parecen un día cuando leemos las hermosas narraciones de los escritos judíos. Poseen claridad y sencillez que los hacen accesibles a toda clase y tipo de hombre, y una corriente de sinceridad capaz de conmover a un corazón de piedra.

[2] C. A. Dinsmore, *The English Bible as Literature* (Boston: Houghton Mifflin Company, 1931), p. 117.
[3] J. P. Hyatt, *loc. cit.*

Es necesario que el lector moderno entienda de una vez que la historia bíblica difiere radicalmente de la historia moderna. Como P. Hyatt ha hecho notar, los escritos históricos se pueden dividir en dos clases: objetivos y subjetivos. La historia objetiva narra los acontecimientos, evitando en todo lo posible los prejuicios personales del investigador. La historia subjetiva busca descubrir los hechos e interpretar su significado para el hombre. Consiste en "acontecimientos unidos por el hilo de interpretación". La historia objetiva busca ser impersonal mientras la subjetiva es totalmente personal. El propósito principal del tipo subjetivo es despertar interés con el fin de inspirar acción; el principal interés del tipo opuesto es proveer información. El historiador subjetivo tiene su mirada puesta en sus lectores; el objetivo, en los hechos que narra.

Los historiadores modernos son objetivos, teniendo como finalidad narrar los acontecimientos, mientras que los escritores del Antiguo Testamento eran subjetivos, interesados principalmente en el efecto que los hechos pudiesen tener sobre el lector. No quiere decir esto que no tratasen de relatar los hechos tan cercanos a la realidad como les era posible sino que su mayor interés radicaba en el significado de estos hechos para el individuo y para la raza. Los historiadores contemporáneos relatan; los del Antiguo Testamento exhortaban.

JOSUE

Así como el libro de Génesis es el principio de la primera división del Antiguo Testamento hebreo conocida como el Pentateuco, el libro de Josué es el primero de la segunda división conocida como los Profetas. También señala el comienzo de la sección conocida como los Profetas Anteriores, que comprende Josué, Jueces, libros Primero y Segundo de Samuel, y Primero y Segundo de Reyes. El nombre del libro es tomado de su héroe principal, aunque en ninguna parte se observa que él pretenda ser el autor. Parece ser que el libro se escribió durante el tiempo de los reyes de Israel, aunque el material debe proceder directamente de Josué o de un testigo ocular de sus conquistas.

Josué nació durante la cautividad egipcia. Salió de allí durante el éxodo y muy pronto se convirtió en jefe de las tropas hebreas que conducía Moisés. Como un fiel subordinado del gran dador de la Ley, fue testigo de los acontecimientos del desierto. Cuando los doce espías fueron enviados a Canaán, él probablemente fue el dirigente, y fueron él y Caleb quienes volvieron proponiendo al pueblo la conquista de la tierra. Después de la muerte de Moisés, Josué dirigió al pueblo en la conquista de Canaán y en la distribución del territorio entre las tribus, y llegó a su muerte honrado y respetado por todos, legando a su pueblo una gloriosa tradición y un espíritu inconquistable. El nombre Josué es equivalente al nombre Jesús, y significa "Yahveh es Salvador", o "Salvación de Jahveh". De la misma manera que el primer Josué conquistó al enemigo de Canaán, el segundo Josué efectuó la conquista del pecado.

El problema moral de por qué Dios ordenó a Josué la exterminación de los habitantes de Canaán puede hallar la respuesta en las siguientes consideraciones: (1) No se puede exigir a estos antiguos guerreros que tuviesen este concepto cristiano de amor fraternal y universal que tan pocos de nosotros hemos alcanzado hoy en día. (2) La destrucción fue un acto de juicio sobre las naciones por su pecado. Los hebreos eran considerados los verdugos de Dios.

Conquista de Palestina

1. Conquista del este de Palestina. Realizada por Moisés en el último año de su vida

    (1) Conquista de Galaad, región de Sehón.
    (2) Conquista de Basán, región de Og.
    (3) Conquista de Madián. (Una guerra santa, pero la tierra no es ocupada.)

2. Conquista del oeste de Palestina. El país es arrasado por Josué pero muchos paganos quedaron en ciudades y pueblos. Su estrategia era dividir y conquistar

    (1) Conquista del centro de Palestina.

        a. Jericó.
        b. Hai.
        c. Gabaón.
        d. Beth-oron.

(2) Conquista del sur de Palestina. A la batalla de Beth-oron siguió el sitio de Hebrón y otras ciudades del sur. (Libna, Lachis, Eglón, Hebrón, Debir).

(3) Conquista del norte de Palestina. La poderosa liga de Jabín fue derrotada en el lago Merom. A continuación se conquistaron varias ciudades y pueblos. Estos, con la excepción de Hasor, se dejaron intactos a fin de que los israelitas pudiesen ocuparlos.

Bosquejo del Libro

1. Conquista de Canaán. Capítulos 1-12

   (1) Preparación para invadir la parte oeste de Palestina. 1, 2
   (2) El milagroso paso del Jordán. 3-4
   (3) La conquista en tres campañas. 5-12
       a. Centro de Canaán. 5:1 a 10:15
       b. Sur de Canaán. 10:16 - 43
       c. Norte de Canaán. 11
       Resumen. 12

2. División de Canaán Entre las Tribus de Israel. 13-22 (Estudiar la posición de las doce tribus.)

Conclusión—Dos discursos finales de Josué. 23, 24

JUECES

La palabra hebrea traducida por "jueces" significa más bien "libertadores" o "salvadores", puesto que el carácter de los hombres descritos en este libro se ajusta más a los dos últimos términos mencionados. Tenemos en este interesante libro algunas de las más dramáticas historias del Antiguo Testamento y uno de los más antiguos cantos populares, el canto de Débora. Los dos primeros capítulos son introductorios, formando un puente de unión entre este libro y el libro que le precede, Josué. Aquí encontramos la filosofía de la historia del escritor. Una y otra vez aparece su tema a través de todo el libro. La gente peca y se aparta de Dios (apostasía); como resultado, la gente recibe el castigo (opresión); en el castigo se arrepiente y pide la ayuda de Dios (penitencia); Dios oye y salva (liberación). El mismo ciclo vuelve a empezar.

La principal parte del libro empieza con el capítulo 3 y continúa hasta el capítulo 17. Nos encontramos con trece libertadores, los más importantes de los cuales son Aod, que mató al grueso rey de Moab, Eglón; Débora, que derrotó a Sísara; Gedeón, el sojuzgador de los madianitas; Jephté, el impulsivo; y el forzudo Samsón. Los capítulos restantes (17-21) no siguen cronológicamente al capítulo 16. Los capítulos 17, 18 cuentan la migración de la tribu de Dan y la historia de Michas y su imagen, mientras que los capítulos 19-21 cuentan la casi total destrucción de la tribu de Benjamín por los mismos israelitas y la tentativa de encontrar esposas para los seiscientos de la tribu de Benjamín que quedaron.

Probablemente los diferentes jueces no gobernaron consecutivamente. Si sumamos los diferentes períodos en que gobernaron obtendremos un total de cuatrocientos diez años. Sin embargo, 1 de Reyes 6:1 dice que hubo solamente un período de cuatrocientos ochenta años desde el éxodo hasta el cuarto año del reinado de Salomón (c. 965 a. de J. C.). Esto dejaría solamente un margen de setenta años donde habrían que incluirse los cuarenta años de peregrinación en el desierto, conquista de Canaán por Josué, y el período de Elí, Samuel, Saúl y David. Evidentemente es necesario un reajuste en la cronología. Aparentemente varios de los jueces ejercieron su autoridad solamente sobre una parte de Israel y gobernaron simultáneamente con otros. Si esto es así, el período puede ser fácilmente reducido a trescientos años, que es un período más razonable. Si el éxodo tuvo lugar sobre el año 1300 a. de J. C., el período debe ser reducido todavía más.

El autor del libro de los Jueces no es conocido. Tomando 18:30 como base, se ha querido demostrar que el libro fue escrito después de la cautividad babilónica (después del año 586 a. de J. C.) o al menos después del año 722 a. de J. C.; pero 18:31 parece mostrar que la cita se refiere más bien a la cautividad del arca sagrada en los días de Elí. El autor vivió durante los días del reino unido o muy poco después.

BOSQUEJO DEL LIBRO

1. Desde la Conquista de Canaán al Período de los Jueces. 1:1 a 3:6

(Parte de esta sección repite lo ya dicho por el libro de Josué.)

2. Esbozo Biográfico de los Trece Jueces, Seis Mayores y Siete Menores. 3:7 a 16:31

(1) Othoniel derrota al rey de Mesopotamia.

(2) Aod mata al rey de Moab y Samgar vence a los filisteos.

(3) Débora y Barac destruyen el poder de Jabín y Sísara.

(4) Gedeón destruye a los madianitas. Abimelech, Tola y Jair actúan como jueces en un área más reducida.

(5) Jephté expulsa a los ammonitas. Le suceden tres jueces menores, Ibzán, Elón y Abdón.

(6) Samsón derrota a los filisteos en varias ocasiones.

3. Dos Incidentes que Ilustran el Período que Antecede al de los Jueces. 17-21

Ruth

Este libro es uno de los breves relatos maestros de todos los tiempos y es reconocido como tal por eminentes estudiantes de este tipo de literatura. Hay en la narración interés humano, tragedia, humor, amor y un desenlace feliz e inesperado. La escena se sitúa durante el período de los jueces. En cuanto a la fecha en que se escribió hay discrepancias. Muchos eruditos consideran que el punto de vista del autor es postexílico. Como evidencias presentan los siguientes argumentos:

1. En el canon hebreo del libro de Ruth no se encuentra entre los Profetas Anteriores donde encontramos el libro de los Jueces, sino que se incluye en los Escritos, que fue el último grupo en ser canonizado.

2. El arameo aparece en el estilo del autor.

3. En 4:7 el autor menciona una costumbre que sitúa en los días de Ruth pero que en realidad hacía mucho tiempo que la gente a la que se dirigía la había olvidado.

4. La vida idílica del libro, caracterizada por su sencillez y hermosura pastoral, sugiere que tenemos ante nosotros una posterior idealización del período de los jueces, puesto que en el libro anterior la vida no es idílica.

Si el libro es posterior, fue escrito con el propósito de encontrar la solución a un problema de actualidad en el período postexílico. Noemí es la desterrada que regresa,

Ruth representa a los extranjeros que regresan en ese mismo tiempo, y Booz representa a aquéllos del pueblo que quedaron cuando los demás fueron tomados cautivos. Como en Obed los tres se unieron para traer a David, en la misma forma estos tres grupos unidos producirán un reino grande y permanente.

A pesar de lo atractiva que es esta teoría, está expuesta a la crítica. Es posible que Ruth se halle entre los Escritos porque la aprobación de los matrimonios con extranjeros aplazó, por algún tiempo, su canonización. Puede notarse que el estilo de Ruth es más semejante al de 1 y 2 de Samuel que al de Esdras y Nehemías del período postexílico. La alusión en 4:7 es posiblemente la introducción posterior de algún escriba y es muy posible que durante el período de los jueces existiesen comunidades pastorales idílicas. El que existiese una vida agitada en las grandes ciudades no descarta la posibilidad de que la vida transcurriese tranquilamente en Beth-lehem.

Bosquejo del Libro

1. Permanencia de Diez Años en Moab, Durante la Cual el Esposo de Noemí y Sus Dos Hijos Mueren. 1:1-5

2. Vuelta de Noemí con Ruth a Beth-lehem. 1:6-22

3. Pugna Con la Pobreza. Rescatadas por la Bondad de Booz. Capítulo 2

4. Atrevida Acción de Ruth. Capítulo 3

5. Rescate de la Propiedad de Noemí y Casamiento de Ruth. Capítulo 4

Libros de Samuel

Los dos libros de Samuel, así como los dos de Reyes, al principio tomaron una unidad indivisa. Actualmente están divididos en dos por razones de conveniencia. Aunque los libros tratan sobre sucesos algo posteriores a la muerte de Samuel, estos sucesos no son sino una sombra que se prolonga de ese gran hombre; por eso es justo que ese material lleve su nombre. El Libro Primero de Samuel empieza con el nacimiento de éste y el Segundo termina con los últimos días de David.

El autor de los libros no pudo haber sido Samuel porque hay unidad de estilo y de propósito a través de los dos libros, incluso después de la muerte de Samuel. ¿Cuándo fueron escritas estas historias? La pureza del hebreo empleado parece indicar un período temprano. Sin embargo, había transcurrido algún tiempo desde que habían ocurrido los acontecimientos que se narran. La explicación de términos arcaicos (1 Sam. 9:9) y las referencias a anticuadas costumbres (2 Sam. 13:18), así como el uso de la fórmula "hasta hoy" (1 Sam. 5:5; 6:18; 27:6; 30:25; 2 Sam. 4:3; 6:8; 18:18) lo demuestran. El escritor vivió sin duda en un período posterior a David puesto que todo su reinado es mencionado en 2 Sam. 5:5. El hecho de que se mencionen los "reyes de Judá" en 1 Sam. 27:6, demuestra que el reino está ya dividido, como también lo demuestran varias referencias a una distinción entre Judá e Israel. Por lo tanto, la posición del escritor parece ser la de alguien que vive inmediatamente después de la división del reino, después de la muerte de Salomón.

El escritor, sin embargo, debe haber usado diferentes fuentes para la composición de su historia. Algunas de ellas fueron posiblemente: (1) Historias proféticas contemporáneas. Primer Libro de Crónicas 29:29 afirma que Samuel, Nathán y Gad poseían reseñas de sus diferentes períodos. (2) Las crónicas del rey David (1 Crón. 27:24) que eran probablemente crónicas estadísticas de la corte. (3) El carácter del reino, escrito por Samuel, (1 Sam. 10: 25). (4) La literatura poética nacional, entre la que se hallaba el libro de Jaser (2 Sam. 1:18). (5) Tradición oral.

Los libros de Samuel nos presentan un cuadro interesante de aquellos tiempos. Hay un buen número de pasajes que nos demuestran los defectos de la religión de la época. Los enemigos eran torturados, la poligamia era corriente entre las clases más privilegiadas. Muchos consideraron la partida de David de la tierra de Israel como exclusión de la presencia y servicio de Yahveh (1 Sam. 26: 19). Sin embargo, había también muchos indicios alentadores. La centralización del gobierno ejerció una fuerte influencia unificadora en el pensamiento y la práctica religiosa. Los pobres tenían derecho a la justicia, el adulterio fue reconocido como un gran crimen, y se hizo más énfasis en los derechos del individuo.

Bosquejo del Libro Primero

1. Fin del Período de los Jueces. Capítulos 1-7

   (1) Primera parte de la vida de Samuel. 1:1 a 4:1a

(2) Castigo sobre Elí y pérdida del arca. 4:1b-7:1

(3) Vida judicial de Samuel. 7:2-17

2. Fundación de la Monarquía. 8-31

(1) Nombramiento del primer rey. 8-10

(2) Reinado de Saúl hasta su repudiación. 11-15

(3) Decadencia de Saúl y ascenso de David. 16-31

Bosquejo del Libro Segundo

1. Reinado de David en Hebrón Sobre Judá. Capítulos 1-4

2. Próspero Reinado de David Sobre Todo Israel Hasta Su Gran Pecado. 5-11

3. Castigo de David por Su Horrendo Pecado. 12-20

(1) Muerte del hijo de Bath-sheba. 12

(2) Pecado y Muerte de Amnón. 13

(3) Rebelión de Absalón. 14-19

(4) Rebelión de Seba. 20

4. Grupo de Acontecimientos y Dichos de Diversas Fechas. 21-24

Vida de Samuel

Dirigidas por Samuel, las tribus divididas de Israel se convierten en una nación unida.

1. Desde Su Nacimiento Hasta la Captura del Arca. 1 Samuel 1:1 a 4:22

(1) Es dado como respuesta a las oraciones de su madre. Samuel es dedicado a Dios como un nazareo (nazareno).

(2) Su educación en el hogar dirigida por una madre piadosa.

(3) Se convierte en el ayudante del anciano sumo sacerdote Elí durante todo el tiempo que éste vive. ¿Qué influencias rodean a Samuel en el Tabernáculo?

   a. Los vergonzosos pecados de Ophni y Phinees. El garfio de tres ganchos revela el carácter de ellos. Peor que glotones, eran también adúlteros. El joven Samuel se enfrenta con dos posibilidades: Seguir a Elí o imitar a sus perversos hijos.

   b. La compañía del anciano y piadoso Elí. Samuel es fiel a Elí y éste simpatiza en gran manera con él, confía enteramente en él; imparte la bendición sobre el padre y la madre de Samuel.

   c. La visita anual de sus padres.

(4) Elí recibe una amonestación de un hombre de Dios.

(5) El niño Samuel recibe una revelación de Yahveh, seguida de otros mensajes de Dios. El muchacho continúa creciendo en gracia delante de Dios y de los hombres.

(6) La desastrosa batalla de Aphec y la captura del arca. Elí y sus dos hijos perecen en un día. Los filisteos acampan cerca de Aphec y matan a cuatro mil hombres. Los israelitas deliberan y deciden tomar el arca y los dos sacerdotes, Ophni y Phinees. Los filisteos se asustan y se desesperan. Al día siguiente los filisteos ganan y capturan el arca. (Buen ejemplo de religión supersticiosa. Israel puso su fe en el arca y no en Dios. Los hombres hoy esperan ser salvados por la iglesia o por el bautis-

mo.) Samuel no es mencionado en los incidentes del día.

2. **Desde la Captura del Arca Hasta la Batalla de Ebenezer. 1 Sam. 5:1 a 7:17**

Hay un silencio de veinte años en lo que se refiere a Samuel. El arca es llevada a Asdod y ofrecida a Dagón. Las plagas sobrevienen a los poseedores del arca. La envían a Gath y luego a Ecrón. Al fin los señores de los filisteos la envían a Beth-semes, donde es recibida por los israelitas. Setenta hombres mueren por su irreverente curiosidad. (El número en 1 Sam. 6:19 es probablemente un error de escriba.) ¿Qué hace Samuel durante este período de veinte años?

(1) Probablemente empieza a reclutar jóvenes en escuelas y a enseñarles la ley de Dios y música sacra con el propósito de organizar un avivamiento en toda aquella tierra.

(2) Está enseñando a la gente y enajenando su afecto de la idolatría. (1 Sam. 7:2-4). Al cabo de veinte años Samuel celebra una gran asamblea en Mizpa. Allí derraman agua delante de Dios. Mientras están adorando a Yahveh, los filisteos aparecen para luchar y el Señor los derrota. Los filisteos son sojuzgados por un largo período. Las ciudades que los filisteos habían capturado son devueltas a Israel.

3. **Relaciones de Samuel con Saúl y David.**

(1) Samuel recibe amablemente a Saúl y le unge secretamente, seguido esto por el beso de homenaje. Después del ungimiento Saúl es otro hombre. La bendición del Señor está sobre él. " . . . mudóle

Dios su corazón". Saúl también es poseído de entusiasmo profético. 1 Sam. 8:1 a 10:16

(2) La elección formal de Saúl por suerte, efectuada en la gran asamblea en Mizpa. Nótese el entusiasmo de Samuel por el agradable aspecto de Saúl. Samuel escribe la ley que ha de regir el reino. (Compárese Deut. 17:14-20) 1 Sam. 10:17-27

(3) Después de la gran victoria de Saúl en Jabes de Galaad, Samuel va a Gilgal a renovar el reino. Saúl ha conquistado su corona con su valor y pericia militar. El undécimo capítulo de 1 Samuel nos da una opinión favorable de Saúl. Saúl ha vuelto al arado en Gabaa, hasta que recibe las noticias de Jabes de Galaad. Junta unos trescientos mil hombres y arrolla a los ammonitas como si fueran paja.

Nótese el discurso de despedida de Samuel como juez de Israel. Promete orar por el pueblo e instruirle, reteniendo así sus funciones proféticas y sacerdotales. Reta a que encuentren una falta en su vida judicial. 1 Sam. 11:1 a 12:25

(4) Habiendo los filisteos invadido la tierra, Saúl se impacienta y usurpa las funciones sacerdotales en Gilgal. (Treinta mil carros es casi seguro un error. La Versión de los Setenta, según el texto revisado de Luciano, y la Peshitta, tienen tres mil.) Samuel reprende a Saúl. 1 Sam. 13:1-15

(5) Samuel dirige a Saúl para que extermine a los amalecitas y a su ganado. Saúl deja con vida a Agag y a lo mejor del ganado. Samuel dice: "el obedecer es mejor que los sacrificios". Aquí tiene lugar la separación final entre Samuel y Saúl. 1 Sam. 15:1-35

(6) Samuel unge a David en Beth-lehem. Samuel, por

temor a Saúl, no revela al mundo cuál es su propósito. 1 Sam. 16:1-13

(7) Varios años después de este primer ungimiento, cuando fue obligado a salir de la corte de Saúl, David se refugia con Samuel en Rama. Allí Samuel está al frente de una compañía de profetas. Saúl, en su visita para arrestar a David, es otra vez poseído por el espíritu profético. 1 Sam. 19:18-24

(8) Durante el período de la peregrinación de David, Samuel muere y es enterrado en presencia de una gran multitud. 1 Sam. 25:1

(9) El incidente con la pithonisa de Endor. 1 Sam. 28. Un buen ejemplo de espiritismo antiguo, que difiere poco del espiritismo moderno. Saúl, en su desesperación, es fácilmente engañado. Nótese que nunca vio a Samuel.

VIDA DE DAVID

1. Desde Su Nacimiento Hasta Su Ungimiento

   Sus antepasados fueron ilustres (Ruth y Booz, etc.). David era el más joven de ocho hermanos; era atractivo, músico y poeta. Sirviendo como pastor durante su juventud, fue valiente al hacer frente al peligro. Probablemente contaba de dieciséis a dieciocho años cuando fue ungido. 1 Sam. 16.

2. Desde Su Ungimiento Hasta Su Huida de la Corte de Saúl

   (1) Es llevado a la corte de Saúl para deleitarle con música. 1 Sam. 16:14-23. Si David ya ha sido ungido, Saúl no lo sabe. (Compárese "Saúl" de Browning.)

(2) Mata al gigante Goliath. 1 Sam. 17. Saúl probablemente no reconoció a David. Sin embargo Abner debió de haberlo reconocido. Saúl pudo haber estado enloquecido cuando David tocó en su presencia; además, David era ahora mayor y probablemente había cambiado en apariencia y forma de vestir. La Versión de los Setenta omite 17:12-31, 41, 48 (en parte), 50, 55-58; 18:1-5, y gran parte de 6, 9-11, 17-19, 29b, 30, etc . Posiblemente en esta parte es preferible el texto griego.

(3) David se gana el aprecio de Jonathán y es elevado por Saúl al cargo de capitán de gente de guerra; pero su prestigio y reputación provocan los celos de Saúl. 1 Sam. 18:1-9

(4) Los celos de Saúl se manifiestan de varias formas. 1 Sam. 18:10-30

   a. Saúl trata de clavar a David a la pared con una lanza.

   b. Su mando queda reducido a mil hombres.

   c. Habiéndole prometido a David la mano de Merab, Saúl le insulta, dando ésta a Adriel.

   d. Trata de engañar a David pidiéndole una extraña dote por la mano de su hija Michal.

   e. Trata de convencer a Jonathán y a otros para que maten a David.

(5) Jonathán persuade a Saúl para que se reconcilie con David. 1 Sam. 19:1-7

(6) Nuevos éxitos de David en la guerra reavivan los celos de Saúl. 1 Sam. 19:8 a 20:23

   a. Trata de nuevo de clavarle a una pared con una lanza.

   b. Trata de aprehenderle en su casa, pero David es salvado por Michal.

    c. Trata en vano de arrestar a David en Rama. David vuelve en busca de Jonathán.

(7) Jonathán, después de tratar en vano de lograr una segunda reconciliación, renueva su pacto con David y se despiden. 1 Sam. 20:24-42

3. Vida Errante de David

(1) Desde su huida hasta que Saúl entra en campaña contra él. 1 Sam. 21:1 a 23:13

    a. David huye vía Nob y va a Achis, rey de Gath.

    b. Después de escapar de Gath por una afortunada estratagema, se retira a la cueva de Adullam, donde recibe a su familia y recluta a un grupo de hombres. Estos hombres eran deudores y vagabundos. David tiene una voluntad lo suficientemente fuerte como para dominar a cuatrocientos hombres como ésos.

    c. Después de un breve viaje a Moab vuelve a su fortaleza. El profeta Gad recomienda a David que vuelva a la tierra de Judá; David se introduce en el bosque de Hareth.

    d. Da la bienvenida al fugitivo Abiathar.

    e. Libra a Keila de una invasión filistea. Saúl estudia su captura.

(2) Período en que Saúl persigue a David. 1 Sam. 23:14 a 26:25

    a. Saúl persigue a David en el desierto de Ziph. Jonathán tiene su última entrevista con David.

    b. Invitado por los ziphitas, Saúl vuelve a la persecución en el desierto de Maón, sudeste de Ziph, y casi prende a David.

    c. Mientras Saúl sale al encuentro de una incursión filistea, David huye a Engaddi. Aquí deja con vida a Saúl que está en la cueva. David tiene un período breve de reposo, durante el cual se gana una nueva esposa, Abigail. Empieza la poligamia en la vida de David.

d. Los ziphitas tratan de traicionar a David en el collado de Hachila, pero de nuevo es Saúl quien es sorprendido en la trampa. (Los ziphitas parecen odiar a David y son espías de Saúl.) Ultima entrevista entre Saúl y David. Saúl se retira y deja de perseguir a David. Sin embargo, David ahora se desanima y pierde toda esperanza.

(3) El período del destierro en la tierra de los filisteos. 1 Sam. 27 a 2 Sam. 1

a. Desesperado, David huye a Achis, rey de Gath, en busca de refugio. Recibe a Siclag como su ciudad y reside allí durante dieciséis meses, saqueando a sus vecinos paganos. (Compárese 1 Crón. 12:1-7 para refuerzo de la tribu de Benjamín.)

b. David es comisionado para salir con los filisteos contra Saúl. Obedece, pero se le manda que se retire antes de la batalla. Imaginémonos el efecto de la conducta de David en el corazón de los hombres de Israel. David tuvo que esperar siete años para ocupar su trono sobre Israel. (Compárese 1 Crón. 12:19-22 para el refuerzo de David de la tribu de Manasés.)

c. Entretanto Siclag había sido saqueada pero muy pronto fue recobrada.

d. Preciosa elegía de David sobre Saúl y Jonathán.

4. Reinado de David en Hebrón. 2 Sam. 2-4

(1) Por dirección divina David va a Hebrón, donde los hombres de Judá lo ungen como rey. (Compárese 1 Sam. 30:26-31.) Abner pone a Is-boseth (Esbaal, I Crón. 8:33) en el trono de Israel, en Mahanaim, al este del Jordán. ¿Por qué no se puso todo Israel de parte de David? Su presencia con los invasores filisteos era conocida. Los partidarios de Saúl aprovechan este hecho para crear división entre las tribus del norte y David.

(2) La prueba en Gabaón entre los soldados de Is-boseth, conducidos por Abner, y los hombres de David, a las órdenes de tres de sus sobrinos. La guerra civil así inaugurada continúa por largo período.

(3) Abner, encolerizado, trata de conseguir que el reino de Is-boseth se ponga de parte de David. Joab mata a traición a Abner en Hebrón.

(4) David da muerte a los dos asesinos de Is-boseth. Paulatinamente David va ganando el favor de todo Israel.

(5) David es ungido rey sobre todo Israel y decide establecer su nueva capital en Jerusalem. (Compárese 1 Crón. 12:23-40.)

5. Reinado de David Sobre Todo Israel en Jerusalem Hasta el Período de Su Gran Pecado. 2 Sam. 5-10

Es imposible arreglar todos los acontecimientos del reinado de David en orden cronológico porque la narración es temática.

(1) Toma de Jebus y traslado a la capital.

(2) Dos invasiones filisteas rechazadas. (Valerosa ac-

ción de tres grandes hombres mientras David estaba en la fortaleza de Adulam.) 2 Sam. 23:13-17

(3) Traslado del arca a Jerusalem. Muerte de Uzza seguida de tres meses de espera para el traslado del arca. Preparación de los levitas, alegría de David y orgullo de Michal. El arca puesta en una carpa.

(4) David, cabalmente establecido en su trono, desea edificar un templo para el arca. Recibe la promesa de un reino eterno.

(5) David se muestra afable con Mephi-boseth, hijo de Jonathán. (Posiblemente después de muchas campañas contra naciones vecinas. Compárese 2 Sam. 4:4; 9:12.)

(6) El hambre ocurrió probablemente durante la primera mitad del reinado de David. 2 Sam. 21:1-14. Durante este período de prosperidad, David comienza sus preparativos para la construcción del templo.

(7) Guerras de David contra:

    a. Filisteos. Además de las dos campañas defensivas al principio del reinado de David, 2 Sam. 21:15-22 habla de cuatro campañas ofensivas.

    b. Moab. Dos tercios de los prisioneros condenados a muerte.

    c. Soba y Damasco.

    d. Amalec.

    e. Edom. Casi extermina a los edomitas. 1 Reyes 11:14-17

    f. Ammón. (Compárese 2 Sam. 8 para las guerras de David. La cronología no puede ser reconstruida.) La guerra contra Ammón se desencadena poco antes de que David cometa su gran pecado. El punto crítico en la vida de David es alrededor del año quincuagésimo de su vida. La insensatez de Hanún ocasiona la guerra con David. Los ammonitas obtienen la ayuda de los sirios; pero Joab y Abisai derrotan a los aliados. David se enfrenta personalmente con las fuerzas armadas sirias y las derrota. Joab dirige el sitio de Rabba, mientras David goza de las comodidades de su palacio.

6. El Período del Pecado de David y Su Castigo

(1) Su pecado con Bath-sheba. La Biblia no exime a David. 2 Sam. 11

   a. Codicia.
   b. Adulterio.
   c. Crimen. La destreza de David no puede ocultar su pecado y, a fin de librarse, trata de matar a Uría. (Joab, pues, conocía todos los detalles de la vida privada de David y se asegura con este hecho un mayor dominio sobre su persona.)
   d. Bath-sheba es tomada por David como mujer. Crueldad en la toma de Rabba.

   Nótense los diferentes pasos en el pecado de David. No amontonó sus pecados en un día. Su condición es deplorable, hundido en el fango de su codicia.

(2) Arrepentimiento de David. 2 Sam. 12

   a. Visita de Nathán.
   b. David se arrepiente. Fue un arrepentimiento genuino, contrición de pecado y un decidido apartamiento de éste.
   c. El hijo de Bath-sheba muere. La conducta de David asombra a sus siervos.

(3) El pecado de Ammón. 2 Sam. 13:1-19

(4) Venganza de Absalom. 2 Sam. 13:20-39. Absalom huye por tres años a Gessur, casa de su madre. (David ve al fin el fruto de su pecado.)

(5) Joab consigue permiso para que Absalom vuelva. Durante dos años Absalom vive en Jerusalem, pero no ve el rostro de David. 2 Sam. 14:1-27

(6) Absalom obliga a Joab a que le lleve ante el rey. 2 Sam. 14:28-33

(7) Rebelión de Absalom.

   a. Preparativos. 2 Sam. 15:1-12

     (a) Gana la voluntad del pueblo. Un político astuto.

     (b) Organiza una rebelión en Hebrón con el pretexto de cumplir un voto.

   b. Acontecimientos hasta la muerte de Absalom. 2 Sam. 15:13 a 19:8

     (a) Huida de David de Jerusalem. Devuelve el arca y los sacerdotes. Husai vuelve también para servirle.

     (b) Siba sale al encuentro de David con provisiones.

     (c) Maldecido por Semei.

     (d) Absalom muestra su firme determinación de suplantar a David entrando públicamente en su harén.

     (e) El sabio consejo de Achitophel de perseguir rápidamente a David es rechazado por la pericia de Husai, pero unos mensajeros previenen a David que se marche más lejos.

     (f) El suicidio de Achitophel.

     (g) David llega a Mahanaim. Es ayudado por

Sobi (Amnón), Machir y Barzillai (galaaditas).

(h) La gran batalla termina con la muerte de Absalom y la completa derrota de su ejército. El excesivo dolor de David reprendido por Joab.

c. Acontecimientos relacionados con la vuelta de David a Jerusalem. 2 Sam. 19:9 a 20:2

(a) David es recibido por hombres de Judá. Promete dar el cargo de Joab a Amasa.

(b) Entrevista con Semei y Mephi-boseth y despedida de Barzillai.

(c) La rebelión de Seba. Los celos de las diez tribus provocan una rebelión abierta. Muerte de Seba en el extremo norte.

7. Ultimos Años de la Vida de David.

El recuento de Israel puede haber ocurrido aquí, poco después de la rebelión de Absalom, o puede haberse efectuado al principio del reinado de David. 2 Sam. 24; 1 Crón. 21

(1) David junta grandes cantidades de material para la construcción del templo. Poco a poco se acentúa la fragilidad de su vejez. 1 Crón. 22:2-5; 1 Reyes 1:1-4

(2) David organiza a los sacerdotes y levitas, cantores y porteros. 1 Crón. 23-26

(3) Ordena a Salomón que construya el templo. 1 Crón. 22:6-19

(4) Adonía trata de usurpar el trono. Salomón es ungido de prisa. 1 Reyes 1:5-53

(5) David da a Salomón y a los príncipes de Israel nombramiento oficial de sus cargos, recomendando

a los príncipes que ofrenden generosamente; adora a Dios en presencia de la asamblea. 1 Crón. 28:1 a 29:22

(6) Salomón es ungido rey por segunda vez y de manera más formal y deliberada. 1 Crón. 29:22-25

(7) El rey David muere a la edad de setenta años. 1 Reyes 2:1-12

Libros Primero y Segundo de los Reyes

Lo que actualmente llamamos Primero y Segundo de Reyes era antiguamente un solo libro, llamado por los judíos "El Libro de los Reyes". Esto es evidente por el hecho de que la división entre Primero y Segundo de Reyes ocurre a mediados del corto reinado de Ochozías, rey de Israel; división que ningún compilador hubiese hecho, pero que apareció en la Versión de los Setenta y fue seguida por Jerónimo en la Vulgata. Los judíos no hicieron la división sino hasta que las controversias con los cristianos lo hicieron necesario por razones de conveniencia para la referencia.

Estos dos libros son compilaciones. El editor usó fuentes que tejió en una narración ininterrumpida. Es seguro que vivió después del año 561 a. de J. C., puesto que menciona a Evil-merodach, quien no empezó a reinar sino hasta entonces. Desconoce el regreso en tiempo de Ciro pudiéndosele, por lo tanto, situar entre los años 561 y 539 a. de J. C., en el destierro, en Babilonia. Las fuentes de donde sacó el material fueron: (1) El Libro de los Hechos de Salomón, (2) el Libro de las Crónicas de los Reyes de Judá, (3) el Libro de las Crónicas de los Reyes de Israel. Estos eran a la vez compilaciones de muchas fuentes, especialmente los acontecimientos que tuvieron testigos oculares de tales profetas como Nathán, Ahías, Iddo, Semeías,

Jehú e Isaías (2 Crón. 9:29; 12:15; 13:22; 20:34; 26:22). El editor de los Libros de los Reyes tiene un sistema rígido para sus informes. Presenta a cada rey dando su edad, duración de su reinado, madre, etc. Entonces da su propia opinión sobre su reinado, y a continuación discute los diferentes acontecimientos. Al final dice de dónde ha obtenido el material, dónde fue enterrado el rey, y quién le sucedió en el trono. El propósito del compilador fue definitivamente didáctico: (1) Juzgó a cada rey según éste se ajustase a la ley de Dios o no, especialmente a la ley deuteronómica de culto centralizado. (2) Enseñó que el pecado inevitablemente trae castigo, y que la fe y la justicia al fin triunfan. (3) Se dio cuenta de la necesidad de una reforma social, especialmente cuando habla de Roboam y Elías.

Bosquejo del Libro Primero

1. Reinado de Salomón. 1-11

2. Acontecimientos en Israel y Judá Hasta la Muerte de Achab y Josaphat. 12-22

Bosquejo del Libro Segundo

1. Acontecimientos en Israel y Judá hasta la Caída de Samaria. 1-17

2. Historia de Judá Hasta la Destrucción de Jerusalem. 18-25

Libros Primero y Segundo de las Cronicas

En la Biblia hebrea estos libros reciben el nombre de "los acontecimientos de los días" (acontecimientos diarios) y aparecen al final de la tercera división de las Escrituras. Quizá se encuentran allí debido a lo avanzado de su composición o al hecho de que fueron los últimos libros admitidos en el canon. La Versión de los Setenta da una mejor descripción de la naturaleza de los mismos — "las cosas omitidas referentes a los reyes de Judá".

El libro de las Crónicas fue escrito mucho después que el libro de los Reyes. El editor menciona a un miembro de la dinastía de David de la sexta generación después de Zorobabel (1 Crón. 3:19-24), y usa términos persas. Su estilo, teología, interés religioso y punto de vista ético, indican un período persa tardío, probablemente alrededor del año 300 a. de J. C. Hacía mucho tiempo que Samuel y Reyes se habían escrito. La historia judía necesitaba volver a ser escrita a la luz de los conceptos de la época en que vivió el editor (Compárese 2 Sam. 24:1 con 1 Crón. 21:1). Puesto que el reino de Israel hacía mucho tiempo que había desaparecido del escenario de la historia, el editor no se molestó en trazar su historia sino que limitó su atención exclusivamente al aún entonces existente Reino de Judá, mencionando a Israel solamente cuando estaba relacionado con el Reino del Sur.

Las ideas del compilador de este libro se revelan más claramente que las del editor de Reyes y son mucho más avanzadas.[1] Hace énfasis en el monoteísmo (1 Crón. 29: 10-19) y el error de la idolatría (1 Crón. 14:12; 2 Crón. 14:3). Hace énfasis también en la omnisciencia de Yahveh (2 Crón. 16:9) y su omnipotencia (1 Crón. 29:10 sig.). Son dignas de detenido estudio sus enseñanzas sobre las condiciones que hacen que la guerra sea justificada o desastrosa (2 Crón. 13:4-20; 14:9-15; 20:1-30), sobre la falacia de la sabiduría mundana (2 Crón. 16:12-14) y la eficacia, el deber y la consolación de la oración (1 Crón. 17:16-27; 29:10-19; 2 Crón. 6:1-42; 7:1-3).

BOSQUEJO DEL LIBRO PRIMERO

1. Genealogías de las Tribus de Israel. 1-9

2. Reinado de David. 10-29

BOSQUEJO DEL LIBRO SEGUNDO

1. Reinado de Salomón. 1-9

2. Historia de los Reyes de Judá Hasta la Destrucción de Jerusalem. 10-36

---

[1] *The Abingdon Bible Commentary* (Nueva York: The Abingdon Press, 1929), p. 440.

ESDRAS Y NEHEMÍAS

No cabe la menor duda de que los libros que hoy conocemos como Esdras y Nehemías fueron originalmente un libro porque aparecen en la Versión de los Setenta como I Esdras. Aparentemente el mismo autor (o autores) es responsable por éstos y por los libros de las Crónicas, porque el enfoque y el estilo, así como su perspectiva histórica, son los mismos en todos estos libros. El material contenido en Esdras y Nehemías es inestimable porque nos proporciona la única información histórica sagrada que poseemos del período que sigue al regreso del destierro. Aunque los libros fueron completados entre los años 350-300 a. de J. C. contienen material auténtico de los diarios privados tanto de Esdras como de Nehemías, de manera especial del segundo.

El libro de Esdras comienza con el decreto de Ciro para el retorno de los judíos, luego describe el regreso bajo Zorobabel y el primer intento de reedificar el templo. La subsecuente terminación del templo en el año 516 a. de J. C. es presentada y seguida de una descripción del retorno de Esdras con un pequeño grupo de judíos. Sus conatos de reforma aparentemente fracasaron porque al principio del libro de Nehemías las condiciones en Judea son verdaderamente desesperantes. Nehemías, copero de Artajerjes, obtiene permiso para marchar a Judea, ser allí

gobernador y reedificar Jerusalem y sus murallas. A pesar
de encontrar mucha oposición, realiza esta empresa en un
lapso sorprendentemente corto. Después de terminadas
las murallas se le pide a Esdras que lea la Ley al pueblo
y se efectúa una reforma general. Sin embargo, cuando
Nehemías vuelve a Persia a dar cuenta de sus actividades,
el pueblo se aparta del camino tomado. Cuando vuelve a
Jerusalem se le obliga a renovar sus esfuerzos de reforma,
especialmente para disolver los matrimonios mixtos.

Esdras es un hombre difícil de caracterizar. La suya
es una figura fría, austera, inflexible en la aplicación de
la ley divina. Aparentemente no gozó de muchas simpatías entre los antiguos judíos. Cuando Ben Sirach pasa
revista a los héroes (Eclesiásticos 49:11-13), menciona a
Zorobabel, Jeshua y Nehemías, pero no a Esdras. En un
libro posterior (2 Macabeos 1:18-36), Nehemías es muy
ensalzado pero no se hace mención de Esdras. Una tradición posterior, sin embargo, empezó a engrandecer a
Esdras. Se convirtió en el fundador de la Gran Sinagoga
y Padre de los Escribas. En el cuarto libro apócrifo de
Esdras, se le considera como el restaurador de la Ley y
como el que volvió a escribir todas las obras sagradas que
habían sido destruidas. Para otros fue el que cerró el
canon sagrado. Referente a todo cuanto se dice y supone
que hizo Esdras, las Escrituras no dicen nada.

Nehemías era muy humano y, a pesar de todos sus defectos, poseía mucha nobleza de carácter. Generoso, fiel,
con un espléndido patriotismo, despierta inmediatamente
nuestro interés. Nehemías era un hombre de negocios con
amor a Dios en el corazón. Su corazón le mantuvo fiel y
su inteligencia le prosperó. Su modestia no era fingida;
conocía su valor y sin temor se lo hizo presente a Dios.

Concluyó su tarea con las palabras "Acuérdate de mí, Dios mío, para bien" (Nehemías 13:31).

BOSQUEJO DE ESDRAS

1. Retorno de Zorobabel. Con Grandes Dificultades, el Templo Reedificado. 1-6

2. Retorno de Esdras. Esfuerzo por Terminar con los Matrimonios con los Paganos. 7-10

BOSQUEJO DE NEHEMIAS

1. Nehemías Vuelve a Jerusalem y a Pesar de Mucha Oposición Reedifica las Murallas de la Ciudad. 1-6

2. El Gran Avivamiento. 7:1 a 13:3
   Lectura de la ley, fiesta de las cabañas, renovación del pacto, arreglos necesarios para los levitas y para la defensa de Jerusalem, dedicación de las murallas de la ciudad, separación de los paganos.

3. Reformas Forjadas por Nehemías a Su Vuelta de Persia. 13:4-31

ESTHER

La viveza de descripción y veracidad de las alusiones históricas requieren que el libro se sitúe en el período persa, no más tarde que el año 300 a. de J. C. Esther 1:1 muestra que el reinado de Assuero hacía tiempo que había terminado. Una explicación acerca de él tiene que ser dada al lector. Algunos tratan de demostrar equivocadamente, por 9:20, que Mardocheo escribió el libro. Debió de ser alguien posterior a él.

Assuero no puede ser Artajerjes porque se usa otra palabra hebrea para mencionarle en Esdras 4:7. La forma hebrea es *Ashashverosh,* del persa *Khashayarsha* (ojo poderoso, u hombre poderoso) de donde se deriva la forma griega *Xerxes.* Varios factores hacen todavía más cierta esta identificación: (1) Herodoto describe a Xerxes como hombre caprichoso y sensual como en el libro de Esther. (2) La extensión de su imperio se ajusta a la descripción dada en el libro de Esther. (3) Hay alusiones en Herodoto a fiestas como las descritas en Esther inmediatamente después de la conquista de Egipto.

Los problemas del libro son dos: (1) La fiereza de la venganza judía. Todavía no hemos alcanzado el ideal cristiano del perdón. (2) El hombre divino totalmente ausente en el libro. En otros lugares los escritores bíblicos explícitamente mencionan la relación entre Dios y el pueblo. Aquí la mención del nombre de Dios parece haber sido censurada. ¿Por qué no aparece? (1) El tiempo cuando se escribe es entre el período profético y el entusiasmo de los Macabeos, cuando un velo se corrió entre la majestuosidad de Dios y el hombre mortal. Existía cierta aversión para hablar de cosas fuera del alcance humano. (2) El escritor tenía presente la ocasión cuando el libro iba a ser leído, una fiesta profana acompañada de excesiva alegría. El escritor no quiso que el santo nombre de Dios se tratase a la ligera en aquella ocasión.

Aunque el libro carece del nombre divino, no sería correcto afirmar que carece totalmente de elementos religiosos. (1) El providencial cuidado de Dios para su pueblo está claramente enseñado. (2) Los consejos de Mardocheo a Esther revelan una confianza total en la mano regidora de Dios, aunque con una reserva distinta a la de los profetas, quienes valientemente usan el nombre de Dios. (3) Enseña la ley del pecado y la recompensa —Amán fue ahorcado en su propia horca.

A pesar de todo esto, debemos admitir que la nación judía es ensalzada en este escrito, sacrificando de esta manera la exaltación de Dios. No hay ninguna acción de sentimiento de pecado nacional. Cuando la liberación llega, el pueblo se alegra en forma salvaje, en vez de dar gracias a Dios. A Esther y Mardocheo se les considera los autores del feliz desenlace de estos acontecimientos. El libro en general revela una decadencia en cuanto a la comprensión de las cuestiones morales tan características de la última parte del período postexílico de la historia de Israel.

Los judíos de la era cristiana llegaron a valorizar el libro de Esther cada vez más, y durante la Edad Media fue considerado de más importancia que el resto de los Escritos, los Profetas e incluso que la Ley misma. Su espíritu patriota fue el responsable de esto porque fortaleció las esperanzas materiales de los judíos durante la persecución. Fue llamado "el Rollo". Maimónides, el más famoso erudito judío de la Edad Media, declaró que en los días del Mesías la única Escritura que permanacería sería la Ley y el Rollo.

BOSQUEJO DEL LIBRO

1. Cómo Llegó a Ser Esther la Reina de Persia. 1, 2

2. Cómo Cayeron los Judíos Bajo el Decreto de la Exterminación. 3-5

3. Cómo Fue Transformado el Peligro en Liberación. 6-10

Resumen de la Historia de Israel: 931 - 722 a. de J. C.

Cuando Salomón murió alrededor del año 931 a. de J. C. dejó muchas valiosas contribuciones a la historia de Israel. (1) El templo había sido establecido. (2) Fue considerablemente acelerado el proceso de transición de un pueblo agrícola a un pueblo comercial. (3) Israel había sido colocado en medio de los asuntos internacionales. (4) El ideal de justicia en las cortes fue ejemplificado. (5) Sus proverbios abogaron por el sentido común en la religión.

Sin embargo, el reino fácilmente se desmoronó cuando Salomón bajó del escenario. Varios elementos contribuyeron a esta desintegración:

1. Un joven impetuoso (Roboam).
2. Un astuto dirigente (Jeroboam).
3. Excesivos impuestos para el programa de edificación y expansión de Salomón.
4. Celos entre las tribus del Norte y Judá.
5. Diferencias de situación geográfica. Israel del Norte estaba situado sobre las grandes carreteras que conducían a Egipto y Babilonia. Judá, en cambio, estaba aislado del resto del mundo.
6. Las tribus no estuvieron nunca realmente unidas. Se

unieron en tiempos de Saúl y de David pero solamente como una débil federación.

7. El miedo a la dictadura después de la experiencia
tenida con Salomón y las observaciones de Roboam.

8. La apostasía de Salomón. El pecado se demostraba
en la desunión.

A la muerte de Salomón, Roboam (17)[1] se convirtió
en el rey de Judá, Jeroboam (22) en rey de Israel. Las
hostilidades eran continuas entre ambos. Jeroboam, todavía bajo las influencias del culto de los egipcios, puso toros
de oro en Dan y Bethel para rivalizar con el culto en Jerusalem. Sisac, rey de Egipto, invadió Palestina y saqueó
el templo (926). Abías (3), hijo de Roboam que le sucedió como rey, derrotó a Jeroboam. Asa (41), su hijo,
instituyó reformas religiosas en Judá, destruyó ídolos,
depuso a su madre idólatra, puso nuevos vasos en el templo, y derrotó a Zera etíope y a su poderoso ejército. En
el segundo año de Asa, Nadab (2), hijo de Jeroboam, empezó a reinar en Israel y fue asesinado al cabo de muy
poco tiempo por Baasa (24). Baasa se preparó para atacar
a Judá, pero Asa envió oro y plata del templo y palacio a
Ben-hadad I de Siria para persuadirle de que atacase a
Baasa y de esta manera desviarlo de Judá. Ben-hadad
accedió, y Baasa abandonó su plan. Ela (2), hijo de
Baasa, empezó a reinar en el año vigésimosexto de Asa.
Fue asesinado por Zimri (7 días) quien quemó el palacio
muriendo en él cuando se vio cercado por Omri. Omri
(12) tomó a Israel y constituyó a Samaria capital del
reino. Dejó una impresión duradera en Asiria; después de
su reinado, cuando tenían que referirse a Israel, la llamaban "la tierra de Omri". Consciente de los sucesos internacionales, casó a su hijo Achab con Jezabel, hija del rey

---

[1] Duración del reinado, generalmente indicado en años.

de Sidón. En el trigésimoctavo año de Asa, *Achab* (22) se convirtió en el rey de Samaria. Mesa era entonces rey de Moab, el gobernante hecho famoso por su inscripción en la Piedra Moabita, un testimonio que es de incalculable ayuda para autentizar los informes bíblicos, escrita en una escritura muy parecida al hebreo.

En los últimos años de su vida, Asa sufrió de gota; pero recurrió a los médicos en vez de recurrir a Dios. *Josaphat* (25), su hijo, le sucedió en el gobierno de Judá, empezando a reinar durante el cuarto año de Achab. Fue un rey popular y un reformador político y religioso. Dio órdenes para que se enseñase la Ley en todo el territorio de Judá. Achab y Josaphat mantuvieron siempre muy buenas relaciones. Parece ser que Josaphat fue vasallo de Achab.

Cuando Jezabel vino a Samaria, trajo consigo el culto a su dios, Baal, convirtiéndose este culto en la religión del Estado. Esto trajo como consecuencia la persecución de los profetas de Yahveh. Elías aparece ante Achab y siguen los tres años de sequía. Luego la prueba de fuego en el monte Carmelo y la huida de Elías al monte Sinaí. Más tarde Achab derrotó a los sirios en las *montañas* de Samaria y luego demostró que Yahveh era también un Dios de los llanos, derrotándoles en Aphec. Habiendo hecho prisionero al rey, Ben-hadad, le dejó en libertad para asegurarse la protección de Asiria.

La batalla de Karkar (853 a. de J. C.) fue prácticamente el primer contacto de Asiria con los hebreos, con una posible excepción durante el reinado de Omri. Esta fue una gran batalla que se libró entre una alianza de países occidentales, incluyendo Israel y Siria, y Salmanasar III (859-824), rey de Asiria. Probablemente terminó en tablas. Esta es una fecha clave para la historia del Antiguo Testamento.

Después del casamiento de Joram, hijo de Josaphat, con Athalía, hija de Achab y Jezabel, Josaphat y Achab hicieron alianza para ir contra Ramoth de Galaad y Siria. El profeta Micheas condenó esta alianza, y el negligente Achab murió en la batalla. *Ochozías* (2), hijo de Achab, quedó malamente herido a consecuencia de una caída accidental, y su hermano *Joram* (12) tomó a su cargo el gobierno de Israel. Elías profetizó durante este período. *Joram* (8), hijo de Josaphat, sucedió a su padre en el quinto año de Joram de Israel. Fue inmediatamente después que Ben-hadad sitió a Samaria, y los cuatro leprosos descubrieron su repentina partida en loca huida. Posteriormente Ben-hadad fue muerto por Hazael con una manta húmeda.

En el año 845 los filisteos y los árabes derrotaron a Judá y saquearon la casa del rey, llevándose sus esposas y sus hijos. Solamente dejaron a su hijo Ochozías. Posiblemente fue durante este tiempo que Abdías profetizó. Más tarde *Ochozías* (1), hijo de Joram y Athalía, fue muerto, juntamente con Joram de Israel, por *Jehú* (28), quien destruyó el culto a Baal y la casa de Omri, incluyendo a Jezabel. En el año 842, Jehú pagó tributo a Salmanasar III. El "Obelisco Negro" contiene esta memoria asiria. Se refiere a Jehú como "hijo de Omri".

Cuando Ochozías fue muerto, Athalía, su madre, trató de matar a todos sus hijos, pero no pudo descubrir al que era entonces un pequeñuelo, Joas. Esta gobernó durante seis años en Jerusalem, pero fue muerta cuando Joiada, el sacerdote, coronó rey al muchacho *Joas* (40). Joas, bajo la sabia dirección de Joiada, introdujo algunas reformas y restauró el templo. Pero cuando Joiada murió, Joas cayó en la idolatría e incluso mató a Zacharías, el hijo del sacerdote, cuando le criticó. Posiblemente el profeta Joel profetizó durante la primera parte del reinado de Joas.

El débil rey que sucedió a Salmanasar III en el trono de Asiria no pudo evitar la opresión que Siria ejercía sobre Israel. Al mismo tiempo *Joachaz* (17), hijo de Jehú, era entonces un vasallo de Hazael de Siria. Hazael llegó a acercarse a Jerusalem, pero Joas le compró con los tesoros del templo y del palacio. Sin embargo cuando Adad-nirari III (805-782) fue rey de Asiria, sojuzgó Damasco e impuso tan pesadas indemnizaciones sobre Siria que ésta dejó de molestar a Israel. La debilidad de Siria ayudó a *Joas* (16), hijo de Joachaz, a derrotar a aquel país en varias batallas, ganando de esta manera los territorios que le habían sido quitados.

En el segundo año de Joas de Israel, Joas de Judá fue asesinado por conspiradores. Su hijo *Amasías* (29) tomó el trono y pudo vencer a los edomitas. Alentado por la victoria, atacó a Joas y fue derrotado. El rey de Israel saqueó a Jerusalem y destruyó parte de la muralla. A Adad-nirari de Asiria le sucedieron otros reyes débiles. Por lo tanto, siendo nulo el poder de Asiria y Siria, Israel y Judá gozaron de paz y prosperidad, Israel bajo el reinado de *Jeroboam* II (41), hijo de Joas, y Judá bajo *Uzzías* (52), hijo de Amasías. Jeroboam restauró las antiguas fronteras de Israel desde el mar Muerto hasta Hamath. El profeta Jonás vivió durante su reinado.

Entretanto Uzzías reorganizaba su gobierno, organizando un departamento de agricultura, consolidando sus fortificaciones y conquistando a los pueblos vecinos. Durante la última parte del reinado de Jeroboam, Amós y Oseas empezaron a profetizar contra la corrupción, fruto de la prosperidad de aquel tiempo. Más tarde Uzzías cometió sacrilegio en el templo y fue azotado por la lepra.

En este tiempo el hijo de Jeroboam, *Zacharías* (6 meses) empezó a reinar. Muy pronto fue muerto por *Sallum* (1 mes) y el período de anarquía empezó en el Reino del Norte. Fue *Manahem* (10) quien mató a Sallum.

En el año 745 Tiglath-pilesser IV (Pul, también mencionado como Tiglath-pileser III), un usurpador, tomó el trono de Asiria y gobernó hasta el año 727. Instituyó una nueva y agresiva política de organización, unificación y deportación. Su política era deportar a los vencidos y substituirles por cautivos de otros países lejanos, destruyendo de esta manera el espíritu nacionalista. En los años 743-740 subyugó el norte de Siria y las costas de Fenicia. En el año 739 ganó a los hititas, y en el año 738 recibió tributo de Manahem de Israel. Poco después el hijo de Manahem, *Pekaía* (2), que le sucedió en el Reino del Norte, fue muerto por *Peka* (20). Entretanto el hijo de Uzzías, *Jotham* (16), fue sucedido en el trono por su hijo, el idólatra *Achaz* (16).

Peka de Israel y Resín de Siria se pusieron de acuerdo para invadir a Judá en el año 734 y trataron de obligarle a formar parte de una alianza para hacer frente a la amenazadora Asiria. El rey Achaz hizo caso omiso de las palabras de Isaías, solicitando con temor y temblor la ayuda de Tiglath-pileser. El rey de Asiria aprovechó la oportunidad y atacó a los invasores, llevándose cautivos a la mayoría de los habitantes de las regiones norte y este de Israel. Probablemente durante este período empezó a predicar Miqueas. En el año 732, cayó Damasco y Resín fue muerto. *Oseas* (9), muñeco en las manos de Tiglath-pilesser, mató a Peka. Cuando *Ezechías* (29) llegó a ser rey de Judá, llevó a cabo importantes reformas religiosas. Salmanasar V (727-722), rey de Asiria, cercó a Samaria después de la rebelión de Oseas y después de tres años de sitio, en el año 722, cayó bajo Sargón II (722-705). Veintisiete mil doscientos noventa cautivos fueron deportados y otros pueblos fueron puestos en su lugar. Esta y la anterior deportación de Tiglath-pileser marcaron el principio de la raza samaritana, en parte judía, en parte gentil. Las diez "tribus perdidas" fueron asimiladas entre los pueblos con los que vivieron por el proceso de matrimonios mixtos. Israel del Norte, como tal, desapareció para siempre. Varias causas contribuyeron a la desaparición de Israel del Norte: (1) La división en el año 922 dejó a Israel demasiado débil para defenderse a sí misma. (2) Sus alianzas con otras naciones disiparon su poder. Sus reyes fueron todos malos. Ninguno de ellos mereció la aprobación escrituraria. (3) El trono era inestable. En un período de aproximadamente doscientos años hubo nueve dinastías y diecinueve reyes, diez de los cuales murieron en forma violenta. (4) Amós y Oseas ponen de manifiesto la atrevida inmoralidad de las gentes y su olvido de Dios.

Resumen de la Historia Hebrea: 722-330 a. de J. C.

A Sargón le sucedió en Asiria Sennacherib (705-681). Cuando Judá y otros estados occidentales se rebelaron contra él, marchó al oeste. Sidón y otras ciudades de la llanura filistea pronto sucumbieron ante él y cuando llegó ante Lachis, en el año 701, Ezechías se dio cuenta de que su rebelión había sido una gran equivocación. Envió tributo a Sennacherib, pero esto no le hizo cambiar de actitud. Las burlas del asirio, que dudaba del poder de Yahveh, hizo ver a Isaías que Dios nunca permitiría que Sennacherib tomase la ciudad. Como había profetizado, ciento ochenta y cinco mil soldados asirios murieron en una terrible noche de plaga, y Sennacherib se marchó para no volver más. Naturalmente Senacherib no menciona esta catástrofe. Dice solamente que encerró a Ezechías como "a un pájaro en una jaula", llevándose doscientos mil cautivos. Sin embargo la realidad es que nunca volvió, a pesar de que gobernó durante veinte años más, y el hecho de que nunca dijese que había ocupado Jerusalem es una demostración de que alguna calamidad tal le sobrevino.

A Ezechías le sucedió su hijo *Manasés* (55), cuyo reinado se caracterizó por baalismo, crasa idolatría, y derramamiento de sangre inocente. En el año 681, Sennacherib fue asesinado y su hijo Esarhadón gobernó hasta el año

669. En este tiempo Asurbanipal (669-626) fue constituido rey de Asiria. Fue famoso por su gran biblioteca con sus inapreciables archivos asirios. Asurbanipal destruyó las ciudades egipcias de Menfis y Tebas en el año 663. En el año 647 llevó al perverso Manasés a Babilonia pero más tarde le permitió que regresase. En el año 640 el hijo de Manasés, *Amón* (2), fue muerto. *Josías* (31), su hijo de ocho años, fue puesto en el trono. Josías fue un buen rey y reformó totalmente su gobierno. Hizo desaparecer la idolatría y reparó el templo.

En el año 626 Cyaxares, rey de Media, y Nabopolasar, rey de Babilonia, hicieron una alianza para ir contra Asiria. Asurbanipal había muerto y los reyes que le sucedieron se caracterizaron por su debilidad. Fue durante este año que Jeremías fue llamado a profetizar. Nahum y Sofonías también profetizaron durante este período. En el año 621 la Ley fue descubierta mientras se reparaba el templo por orden de Josías. Este libro era probablemente el Deuteronomio. Aunque la caída de Nínive tuvo lugar en el año 612 a. de J. C., el ejército asirio estaba todavía intacto. En el año 609 Josías atacó a Faraón-Nechao, quien iba a luchar en representación de Asiria. Josías se ponía de parte de la entonces nueva gran potencia mundial, esperando ser partícipe del botín. Sin embargo, el imprudente rey fue muerto en la batalla con los egipcios. El pueblo hizo rey a su hijo *Joachaz* (3 meses), pero Nechao le llevó a Egipto y puso a *Joacim* (11), su hermano, en el trono. Habacuc profetizó durante este período.

La batalla de Carchemis, 605 a. de J. C., fue un momento decisivo en la historia del mundo. Egipto y Asiria fueron derrotados, Asiria para no levantarse más. Nabucodonosor (604-561), más correctamente llamado, Nabucodorosor, hijo de Nabopolasar, se convirtió en rey de

Babilonia. Por el libro de Daniel sabemos que inmediatamente después de la batalla, Nabucodonosor fue en busca
del rebelde Joacim, llevándose algunos nobles y tesoros.
Daniel se encontraba entre los que fueron llevados en esta
ocasión. Pocos años después (597), Joachín (3 meses),
hijo de Joacim, se rebeló contra Babilonia y fue tomado
cautivo juntamente con diez mil habitantes de Judea, todos
de sangre real, incluyendo a Ezequiel. Sedecías (11),
hermano de Joacim, fue hecho rey. Cuando Sedecías cons-
piró con Egipto contra él, Nabucodonosor destruyó a Jerusalem. Los habitantes fueron llevados cautivos incluyendo a Sedecías, a quien arrancaron los ojos. Gedalías fue
constituido gobernador de Judá pero fue muerto por Ismael. Ismael fue derrotado por Johanán, quien condujo a
Egipto a la mayoría de los judíos que quedaban, en busca
de refugio.

Evil-merodach (561-559) sucedió a Nabucodonosor y
trató amigablemente a Joachín. Después fue hecho rey
Neriglisar (559-556). Este estuvo presente en el sitio de
Jerusalem en el año 586. (Compárese Jer. 39:3 Nergal-
sarezer.) Su hijo, un niño, reinó solamente nueve meses y
el partido sacerdotal puso en el trono a Nabonido. Este
reinó desde el año 555 hasta el año 539, gozando de muy
pocas simpatías, gastando tanto tiempo desenterrando re-
liquias y reconstruyendo templos deteriorados que des-
cuidó la defensa del Imperio. El gobierno de la ciudad de
Babilonia fue confiado al cuidado de su hijo Belsasar,
puesto que el rey estaba demasiado ocupado con cuestiones religiosas para poder interesarse en la política.

Entretanto el oriente estaba en efervescencia. Ciro,
rey de Anshan, estaba extendiendo su poder en Persia y
en el año 549 conquistó Ecbatana, la capital de la contigua
Media. Luego se dirigió al occidente contra Lidia, en Asia

Menor, deseando adquirir las riquezas de su fabuloso rey Croesus. Atacó a Croesus con camellos en primera línea, asustando de tal forma a la famosa caballería de Lidia que el ejército se dio a la fuga, y sitió a la capital, Sardis, en el año 546. En el año 539 las puertas de Babilonia se abrieron ante Gobryas, general de Ciro, sin batalla. Tanto Nabonido como Belsasar fueron muertos más tarde. En el año 529 Ciro fue muerto en una refriega fronteriza. Invencible en sus ataques, brillante en sus tácticas, sabio en su trato de los pueblos conquistados fue con razón llamado "el Grande." Por su tolerancia religiosa ha sido conocido como "el Bautista del Antiguo Testamento". El retorno bajo Zorobabel (Sesbassar) tuvo lugar sobre el año 537. Al segundo año del retorno (probablemente en el año 535) fue comenzada la construcción del templo pero fue interrumpida por la oposición de los pueblos circunvecinos. En el año 529 Cambises, hijo de Ciro, llegó a ser rey de Persia. Después de matar a su hermano Smerdis invadió Egipto, sufrió de epilepsia, se trastornó y al final se suicidó. Un hombre que pretendió ser el asesinado Smerdis (Pseudo-Smerdis) reinó durante unos pocos meses pero fue sustituido por Darío el Grande (Hystaspis), quien gobernó desde el año 521 hasta el año 485. Fue un eficiente organizador y estabilizó el recientemente ganado Imperio de Ciro, que había empezado a desmoronarse durante el reinado de Cambises. La efectividad de su labor queda demostrada por el hecho de que su reino perduró dos siglos más. Sus hazañas están registradas en la "Roca Behistun", en escritura cuneiforme babilónica, persa y elamita. En el segundo año de su reinado (520) la reedificación del templo fue reemprendida bajo la inspirada predicación de Hageo y Zacarías. Cuatro años más tarde se completó el santuario.

Darío atacó a Grecia en el año 490 a. de J. C.; pero los griegos, excedidos en número por los persas, le derrotaron en la batalla de Maratón. Fue obligado a retirarse pero empleó sus últimos años preparándose para volver. Obligó a su hijo, Jerjes, a prometerle que continuaría sus esfuerzos. Jerjes (485-465) es mencionado en la Biblia como Assuero. En el año 480 libró la famosa batalla del Paso de las Termópilas donde los espartanos resistieron heroicamente hasta caer el último de ellos. La flota persa, doble en número a la de los griegos, zozobró en Salamis. El intento persa por dominar a Grecia cesó. Artajerjes Longimanus (465-424) sucedió a Jerjes y completó la conquista de Egipto.

En el año 458 Esdras volvió con un grupo de cautivos a Judá para enseñarles la Ley y alentar al pueblo. Le siguió Nehemías (c. 444 a. de J. C.). En el año 433 Nehemías regresó a Persia, y después de un año volvió a Jerusalem. Malaquías profetizó probablemente en este tiempo.

Los reyes de Persia que sucedieron a Artajerjes Longimanus fueron Jerjes II (424), Sogdianus (424-423), Darío II (Nothus 423-404), Artajerjes II (Mnemon, 404-358), Artajerjes III (Ochus, 358-337), Arses (337-335) y Darío III (Codomanus, 335-330). Darío Codomanus fue derrotado por Alejandro Magno, después del cual empieza el período de dominación griega.

PARTE III

Estudio de los Profetas

Introduccion

La lista de los profetas de Israel comprende a los más ilustres héroes de su historia, desde Abraham (Gén. 20:7) hasta Jesús (Mat. 16:14; 21:11; Luc. 4:24; 13:33). Moisés, aunque más conocido como legislador, fue también un profeta (Deut. 18:15; 34:10). Miriam (Ex. 15:20) y Débora (Jue. 4:4) demuestran que la inspiración no está limitada por el sexo. Sin embargo, el movimiento que dio origen al genio especial de los profetas del canon parece haber surgido durante los días de Samuel, después del oscuro período descrito en el libro de los Jueces. Hasta entonces los hombres de Dios habían sido llamados por sus contemporáneos "videntes" (en hebreo, *ro'eh*) (1 Sam. 9:9). El término "profeta" (en hebreo *nabhi'*) llegó a usarse en forma general como resultado de un rápido extendimiento de ese movimiento espontáneo que era a la vez religioso y político. La supremacía filistea sobre Israel dio como resultado el resurgimiento de un grupo leal de entusiastas que creían que si seguían a Yahveh fielmente, su pueblo podría de nuevo ser liberado. Estos grupos de profetas fueron de un lugar a otro esparciendo su fervorosa fe en el Dios de sus padres. El término *"nabhi"* procede evidentemente de una raíz que significa "hablar"; estos hombres eran, por lo tanto, "oradores en nombre de Dios". Sin embargo, la misma raíz se usaba de otra manera, arrojando considerable luz sobre este movimiento. El verbo en una de sus formas (Hithpa'el significa "delirar") (1 Sam. 18:10). Evidentemente estos profetas antiguos eran extáticos, perdiendo a menudo el conocimiento en sus momentos de culto. (1 Sam. 19:18-24). Evidentemente no gozaban de muy buena reputación en la comunidad, como ocurre actualmente con grupos de semejantes características (1 Sam. 10:1-12). La gente se sorprendía de que un hombre de la talla de Saúl se asociase con entusiastas religiosos tan desestimados. Ni los nombres de sus padres eran conocidos.

Samuel, sin embargo, vio que este entusiasmo, una vez bien encaminado, podría ser de un valor infinito para los propósitos de Yahveh. En seguida quiso llevar a cabo sus planes constructivos y muy pronto juntó alrededor suyo a un buen número de profetas (1 Sam. 19:20). Eliseo, muchos años más tarde, dedicó su vida al servicio de estos "hijos de los profetas" (2 Reyes 4:38-41; 6:1-7).

Muchos de los antiguos profetas, a causa de su intenso patriotismo, se asociaron con la corte del rey y fueron sostenidos con fondos reales. Esto con el tiempo tendió a hacer callar toda la crítica de la política nacional. Otros profetas, nacidos en el mismo movimiento, mantuvieron su independencia y lealtad a la voz de Yahveh (Nathán, Miqueas y Elías). Aunque Amós negó que fuese un profesional "hijo de profeta" en la corte de Jeroboam, su mensaje tenía su raíz en el entusiasmo profético del período de Samuel. Ahora, sin embargo, el sueño de Samuel se había convertido en realidad. El entusiasmo había sido canalizado en predicación constructiva en vez de malgastarse en un estéril emocionalismo.

Los profetas comprendidos en el canon estuvieron sometidos a la influencia del Espíritu de Dios. Su mensaje procedía de Yahveh. Sus procesos mentales eran estimulados y guiados por el Espíritu que les revestía de poder. La imaginación, la memoria y la razón fueron sin duda engrandecidas, así como la intuición y la comprensión espiritual. El Espíritu de Dios escogió a hombres para su propósito y luego aprovechó todos los poderes de ellos. La mente del profeta oscilaba entre el más extremado éxtasis y la más quieta y reposada quietud, dominada por el Espíritu Santo.

Los profetas no fueron lo que generalmente se entiende por el término, es decir, vaticinadores del futuro. Eran "anunciadores" más que adivinadores. Vaticinar el futuro era solamente parte de su ministerio y muy raramente lo hicieron en detalle. El principio fundamental encarnado en el mensaje de los profetas del Antiguo Testamento era la necesidad de una obediencia moral a un Dios ético. Para ellos el futuro estaba en las manos de Dios pero era en parte determinado por la libre voluntad de los individuos. Por lo tanto, muchos de los detalles de las profecías son condicionales y otros nunca se realizaron, aunque los principios de lo profetizado se verán al fin cumplidos. Muchas de las profecías del Antiguo Testamento son condicionales, incluso cuando las condiciones no son expuestas. (Compárese Jonás 3:4). Otras predicciones fueron puestas en el lenguaje poético y nunca tuvieron la intención de ser cumplidas literalmente. Hay todavía otras, sin embargo, que son incondicionales y que ya se han cumplido o se cumplirán en el futuro. Estas predicciones son principalmente los grandes propósitos de Dios referentes al

Mesías y a su pueblo, cuyo cumplimiento puede ser aplazado por el pecado humano pero que no dejará de cumplirse.

Los profetas hebreos no se preocuparon tanto por lo que ocurriría en el futuro, como por lo que tiene que ocurrir como resultado del pecado y de la naturaleza de Dios. Las profecías en su sentido más puro fueron sermones contemporáneos que mantienen su valor para todas las edades porque contienen los eternos propósitos de Dios que siempre se cumplen. Los profetas tenían más interés en la vida que en la lógica, por lo que sus mensajes a menudo adolecen de falta de la ilación lógica de nuestro sermón moderno. Sin embargo, frecuentemente ganaron con eso en eficacia.

Ningún verdadero profeta habló jamás por su propia autoridad. Eran los representantes de Yahveh, siempre predicando con la autoridad que les daba su espíritu. "Así dice Yahveh" es su repetida expresión. El mensaje que resultaba era sempiterno en su aplicación. La mano de Dios regula la rueda de la historia. El individuo o la nación que se oponga a su voluntad, tendrá que enfrentarse con la destrucción final; aquellos que le son fieles le encontrarán veraz a cada una de sus promesas.

Cada profeta es un individuo. Como tal, su mensaje llevará el sello de su personalidad así como la inscripción del Rey. A cada uno Dios reveló esa parte de su verdad que consideró más necesaria para su generación. Cuando se compilan los énfasis de los diferentes libros proféticos, se facilita la tarea de entender más cabalmente el propósito y plan de Dios para el mundo. Entonces se puede apreciar la sabiduría divina al escoger tal método.

ABDIAS

EL LIBRO. Abdías, el libro más corto del Antiguo Testamento, ha sido descrito como "la Indignada Oración de Abdías" y un "Himno de Odio". No se hace referencia directa de este libro en ninguna parte del Nuevo Testamento. Lo que motivó la escritura de esta corta profecía fue un desastre que sobrevino a Jerusalem en el que los edomitas mostraron un espíritu poco fraternal hacia los judíos y participaron en el saqueo de la ciudad, reteniendo a los fugitivos y vendiéndolos como esclavos. Con santa indignación ardiendo en su pecho. Abdías predice la retribución sobre Edom y la exaltación del pueblo de Yahveh.

EL PROFETA. No se sabe nada acerca del profeta. Su nombre significa "Siervo de Yahveh", y era ciertamente un hombre de profundas convicciones, austero, piadoso y patriota, convencido de que Dios regía los destinos del hombre. No debe ser confundido por el Abdías contemporáneo de Elías (1 Reyes 18).

LA FECHA. Para determinar la fecha del libro hemos de encontrar, en primer lugar, una ocasión cuando Jerusalem fue devastada. Son cuatro las ocasiones registradas por la historia del Antiguo Testamento. La primera es la invasión de Sisac, rey de Egipto. No es muy probable que ésta sea la ocasión porque los edomitas continuaron sujetos a los hebreos en esta ocasión. Tampoco es la invasión de Joas de Israel una ocasión probable, puesto que los israelitas no serían mencionados como extranjeros (v. 11). Hay que decidir entre la devastación de los filisteos y árabes en el reinado de Joram (c. 845 a. de J. C.) y la destrucción de Jerusalem por Nabucodonosor en el año 586 a. de J. C. En favor de la primera fecha está el hecho de que no se hace referencia alguna a la destrucción del templo, la inferencia de que la ciudad puede ser capturada otra vez, la ausencia de expresiones arameas, la cita que de Abdías 1-6 hace Jeremías en su capítulo 49, y el hecho de que el profeta está todavía dentro de los estrechos límites de la Palestina preexílica. Las naciones descritas no son las vecinas del destierro de Israel sino las enemigas anteriores. Amós hace referencia a Edom por sus pecados, muy parecidos a los que describe Abdías (Amós 1:6, 9, 11), aunque hay algunos que no atribuyen estos versículos al profeta. Además, cuando se describe la reocupación de Palestina, no se hace mención alguna del país montañoso de Judá, implicando que ya está ocupado por los judíos, haciendo improbable una fecha del destierro. En favor de la segunda fecha, sin embargo, está el hecho de que las referencias a un día de angustia y calamidad se aplican naturalmente a la total destrucción de Jerusalén en el año 586. Hay evidencia adicional de que la hostilidad áspera hacia los edomitas tiene su origen en el destierro, puesto que la mayoría de los pasajes paralelos contra Edom se encuentran en esta fecha (Lam. 4:21; Ezeq. 25:12-14; 35:1-15; Sal. 137:7). Además, la invasión en el año 845 a. de J. C. no se menciona en el libro de los Reyes; solamente en 2 Crón. 21:16. Eso hace dudar de la importancia del acontecimiento. La referencia en Crónicas puede haber sido simplemente a una leve refriega. No se dice nada acerca de una invasión de Jerusalem. Finalmente, Abdías y Jeremías, capítulo 49, pueden haber citado a un profeta más antiguo. Aunque las evidencias están casi repartidas por igual, la inseguridad de las referencias históricas en el libro de las Crónicas hace probable la fecha tardía para el libro.

MARCO HISTORICO. Los edomitas eran descendientes de Esaú, un pueblo orgulloso que vivía en la fortaleza montañosa de Petra, labrada de piedra sólida, en la ruta de caravana que se extendía desde el norte hasta el mar rojo, lo que les facilitó a los edomitas ser importantes comerciantes y bandidos. La ciudad estaba rodeada de macizas rocas, algunas de ellas de una altura de 700 pies (214 m.), y accesible sólo por un estrecho cañón que terminaba en un desfiladero donde apenas podían cabalgar dos jinetes juntos. Es natural que los edomitas se sintiesen seguros tras semejante fortaleza. Esta situación explica el vívido lenguaje con que Abdías empieza su profecía. Sin embargo, para entender de una manera completa sus afirmaciones, debemos familiarizarnos también con la historia de estos dos pueblos.

Jacob y Esaú fueron rivales desde su nacimiento. Ni aun después de su muerte disminuyó la contienda. Cuando Moisés pidió permiso para pasar por el territorio edomita, se lo negaron y tuvo que conducir a los israelitas bordeando su territorio. Saúl luchó contra ellos y finalmente David los subyugó. Ellos continuaron, sin embargo, rebelándose cuando tenían una oportunidad para hacerlo. No sabemos exactamente cuándo ocurrió pero hacia el año 312 a. de J. C., los árabes habían arrojado a los edomitas de su fortaleza, como profetizara Abdías. Los descendientes de Esaú se establecieron en el Negeb, llegando a ser, por casamientos mixtos, los idumeos del período del Nuevo Testamento. Herodes descendía de esta raza, viéndose por lo tanto otra vez en él y en Jesús al edomita y al israelita y el contraste entre ambos. En el año 70 d. de J. C. Tito destruyó completamente el poder idumeo y éstos desaparecieron de la historia.

LAS ENSEÑANZAS. Abdías deja en la mente del lector tres inolvidables lecciones. Su inmortal, "Si te encaramares como águila, y si entre las estrellas pusieres tu nido, de ahí te derribaré ..." (v. 4) es una perpetua amonestación para el mal atrincherado dondequiera que esté. Las palabras "como tú hiciste se hará contigo: tu galardón volverá sobre tu cabeza" (v. 15) son sin duda mensajes dirigidos a los pecadores de hoy como lo fueron a los pecadores del antiguo Edom. El grito de esperanza y fe, "el reino será de Jehová" (v. 21), le sitúa junto a los más grandes profetas soñadores de Israel.

BOSQUEJO DEL LIBRO

1. La Destrucción de Edom Inevitable. 1-9, 15b

    (1) El embajador de Yahveh anuncia castigo para el orgullo egoísta de Edom. 1-4

    (2) Los aliados de Edom serán los medios usados para su derrota. 5-7

    (3) Yahveh continuará el castigo hasta que la destrucción sea completa. 8, 9, 15b

2. Las Razones para la Destrucción. 10-14

    (1) Indiferencia en el día de tribulación de Jacob. 10, 11

    (2) Regocijo por la calamidad de Judá. 12

    (3) Activamente ocupados en la rapiña y en el trato de esclavos. 13, 14

3. El Día de Yahveh Cercano. 15a, 16-21

(1) La destrucción de todos los enemigos de Dios juntamente con la de Edom. 15a, 16

(2) Israel poseerá sus antiguas fronteras y Dios reinará supremo en el reino. 17-21

JOEL

EL LIBRO. El primer problema con que nos enfrentamos es el de determinar cuándo se escribió este libro. Se sugieren dos fechas principales, la primera durante el reinado de Joas en Judá (c. 837 a. de J. C.), la segunda una fecha más tardía, posterior al destierro (c. 400 a. de J. C.). La segunda fecha es la más probable por las siguientes razones: (1) En el versículo primero del primer capítulo no se menciona, como lo hacen todos los profetas preexílicos, el nombre del rey que está en el poder. (2) No se menciona el Reino del Norte; aparentemente hace tiempo que ha dejado de existir. El profeta usa el término Israel para designar a Judá, cosa que un profeta preexílico no haría, puesto que Israel era el nombre usado por las tribus del Norte. (3) Se hace más hincapié en el ritual que en la ética. (4) Los sacerdotes son los dirigentes, como en la sociedad postexílica. (5) La referencia que se hace de los griegos en 3:6 indica un período cuando los judíos estaban en contacto con ellos. (6) El capítulo 3:1, 2, 17 indica que la cautividad ya ha ocurrido.

En favor de la primera fecha hay, sin embargo, los siguientes argumentos: (1) La importancia de los sacerdotes y la ausencia de mención alguna del rey son debidas al hecho de que Joiada, el sumo sacerdote, es en realidad el que gobierna en nombre del entonces niño Joas. (2) El argumento por silencio tiene muy poco peso; el escritor no tiene interés en lo que está ocurriendo en el Reino del Norte. El término Israel podía muy bien aplicarse a Judá cuando se considera a éste como el verdadero heredero de las bendiciones espirituales de Jacob. (3) "Y lacerad vuestro corazón, y no vuestros vestidos" es sin duda ético. (4) Es muy posible que existiesen ya desde tiempos muy antiguos tratos comerciales entre Grecia y Tiro. Además, no se habla de Grecia como nación sino al contrario, se hace referencia a grupos aislados que se dedican al comercio de esclavos de un lugar lejano. (5) "Haré tornar la cautividad" simplemente significa, "Restaurar los bienes" (Job 42:10). Hay descripciones en el capítulo 3 que se ajustan al período preexílico. (6) Joel 3:4-6 se refiere al mismo acontecimiento descrito en Abdías. Los enemigos que se mencionan no son las naciones del destierro y postexílicas (Asiria, Babilonia, Samaria), sino las preexílicas, Fenicia y Filistea.

El estilo de Joel es clásico, muy parecido al de Amós y Miqueas. O Joel copió en gran parte de profetas anteriores a él o fue la fuente de ellos porque las afinidades literarias son innegables. Compárese Joel 3:18 con Amós 9:13; Joel 1:4 con Amós 4:9; Joel 2:11 con Sofonías 1:14 sig.; Joel 2:3 con Ezequiel 36:35 e Isaías 51:3; Joel 2:11 con Malaquías 3:2; Joel 3:10 con Isaías 2:4.

El libro de Joel fue escrito con motivo de una devastadora plaga de langostas y una sequía descritas en el capítulo 1. Otro gran problema se presenta en el capítulo 2. ¿Es esa plaga de langostas literal o apocalíptica, refiriéndose a la invasión de un ejército al que se identifica con langostas? ¿Hizo pensar a Joel la plaga de langostas del capítulo 1 en los ejércitos invasores del día del Señor? En favor de la naturaleza apocalíptica se sugiere: (1) La descripción de las langostas es exagerada y se aparta de la realidad. (2) Se habla del enemigo como procedente del "norte", y las langostas no entraban en Palestina por el norte. (3) Capítulo 2:17 afirma que el resultado de las invasiones es que las naciones gobiernan sobre Judá, descartando la posibilidad de que Joel hable de langostas.

Sin embargo existen mayores evidencias que apoyan la idea de que se haya de interpretar la plaga de langostas literalmente. (1) La descripción puede ser algo exagerada, pero eso es propio de poesía gráfica. Además, es posible que sea poco exagerada, porque las langostas del Oriente son lo suficientemente terribles como para desafiar toda descripción. (2) Se sabe que una plaga de langostas vino del norte. El término "morador del norte" puede ser idiomático y sinónimo de "calamidad", debido al hecho de que tantas invasiones habían venido de esa dirección. (3) En el capítulo 2:17 debería leerse, "que las naciones no usen proverbios contra ellos". (4) En 2:2 sig. la plaga de langostas es comparada a un ejército. No es posible que tengamos aquí un símbolo comparado con la realidad de lo que quiere ser un símbolo: Un caballo seguramente no sería comparado a un caballo, pero es plausible que una langosta sea comparada a un caballo, porque su cabeza se parece a la de un caballo. (5) Cuando Dios promete restaurar el daño hecho por la invasión, se refiere exclusivamente a los productos de la tierra (2:21 sig.).

EL PROFETA. No hay información referente al profeta excepto la que encontramos en el libro mismo. Su nombre significa, "Yahveh es Dios". Se presenta como nativo de Jerusalem. Aunque poseía un detallado conocimiento de los servicios y del personal del templo, aparentemente no era sacerdote. Sus conocimientos de agricultura y el contacto íntimo con la vida del pueblo no parecen indicar que desempeñase funciones sacerdotales. Su clarividencia espiritual es asombrosa porque continuamente veía lo eterno reflejado en lo temporal. En la venida de la plaga de langostas vio el signo del inevitable Día de Yahveh. La lluvia sobre la tierra seca la comparó al derramamiento del Espíritu de Dios sobre el alma sedienta del hombre. La liberación de las langostas le hizo ver que un día Yahveh liberaría a su pueblo de todos sus enemigos. Esta habilidad es siempre la señal de un verdadero profeta de Dios. Ver a Dios trabajando en los acontecimientos diarios es el precioso don que posee aquél cuyos ojos han sido abiertos al universo espiritual.

LAS ENSEÑANZAS. Joel ha legado a la humanidad la lección de incalculable valor: Que el desastre físico acompaña la desintegración moral. La relación que tiene un hombre con su Dios afecta vitalmente las alegrías y las aflicciones de éste en la tierra. Un verdadero arrepentimiento ("lacerad vuestro corazón, y no vuestros vestidos") no solamente traerá una mejor comprensión entre el hombre y Dios, sino que mejorará las relaciones del hombre con el ambiente donde se desenvuelva. El mismo Dios que gobierna nuestra alma, gobierna el mundo en que vivimos.

¡Qué consuelo es para el pecador la promesa, "Y os restituiré los años que comió... la langosta..." (2:25)! Para el alma arrepentida, Dios promete abundantes bendiciones que compensarán con creces los años de sufrimiento.

A Joel le fue revelada la venida del Espíritu sobre toda carne (2:28 sig.), cuando todo el pueblo de Dios sería profeta y tendría los ojos abiertos a los secretos de Dios. En Pentecostés Pedro fue inspirado a decir, "Mas esto es lo que fue dicho por el profeta Joel" (Hechos 2:16).

Bosquejo del Libro
Sobrescrito: 1:1

1. Plagas Sucesivas de Langostas y Sequía. 1:2-20
   (1) La devastación es incomparable y sin precedentes.
       1:2-4
   (2) Es descrito el efecto sobre varias clases. 1:5-12
   (3) Todos son llamados a una asamblea penitencial.
       1:13, 14
   (4) Todo esto presagia el Día del Señor. Una oración
       en favor de la liberación de todas las criaturas.
       1:15-20
2. El Día del Señor Es Inminente. Anunciado por una
   Plaga de Langostas Más Terrible que la Presente. 2:
   1-11
3. Un Llamamiento al Arrepentimiento. 2:12-17
   (1) Todavía no es demasiado tarde para evitar el de-
       sastre. Un sincero arrepentimiento puede todavía
       traer bendición. 2:12-14
   (2) Se suplica la proclamación de un ayuno; los diri-
       gentes religiosos han de asumir la responsabilidad.
       2:15-17
4. El Pueblo Se Arrepiente y Yahveh Promete Rescate y
   Restauración. 2:18-3:21
   (1) Bendiciones materiales. 2:18-27
   (2) Bendiciones espirituales. 2:28-3:21
       a. Derramamiento del Espíritu de Dios sobre todas
          las clases en Israel. 2:28-32
       b. Juicio en todo el mundo. 3:1-21
          (a) Las naciones destruidas por la opresión de
              Israel. 3:1-16a
          (b) Judá purificada de su iniquidad y bendita
              para siempre. 3:16b-21

Jonas

El Profeta. La única referencia al profeta Jonás que tenemos en el Antiguo Testamento se encuentra en 2 Reyes 14:25, donde se afirma que era nativo de Gath-hepher, un pueblo de la baja Galilea, y que profetizó sobre los éxitos de Jeroboam II.

El Libro. No se dice en ninguna parte que el profeta mismo escribió el libro que lleva su nombre. A decir verdad, la evidencia es abundante de que el libro fue escrito bastante después de su tiempo. El estilo está cargado de influencia aramea. El nombre del rey de Asiria no se menciona, como sería de esperar en un documento contemporáneo. Se dice en 3:3 que Nínive *era* una ciudad grande. Parece ser que no es así en la época cuando el autor escribe su libro. En sus enseñanzas el libro es uno de los más avanzados de la historia del Antiguo Testamento. Jonás es siempre mencionado en tercera persona. Parece, pues, claro que el autor vivió bastante después de los acontecimientos descritos en su libro. ¿Por qué escribió el libro? Es seguro que escribió después del año 612 a. de J. C., puesto que Nínive, la capital de Asiria, no fue destruida sino hasta entonces. El espíritu misionero del pueblo estaba muy decaído; el pueblo no sentía el deseo ni la necesidad de bendecir al mundo según la gran comisión que tenía. Las condiciones que mejor se ajustan a los hechos son las del período inmediatamente posterior al de Nehemías (c. 400).

El libro de Jonás fue puesto en el corazón del escritor por Dios para enseñar una lección inolvidable a su pueblo. ¿Cómo fue enseñada esta lección? Hay dos opiniones. Un grupo dice que tenemos en el libro un acontecimiento literal de las experiencias de Jonás, tomadas de relatos contemporáneos. La historia es contada con el fin de impresionar al pueblo con su responsabilidad misionera ante el mundo. El otro grupo afirma que Jonás es una alegoría inigualable y no ha de ser tomada literalmente, como tampoco la parábola del Buen Samaritano. Jonás representa a Israel. Israel ha recibido el mandato de dar a conocer a Yahveh entre los gentiles. Israel rehusa realizar esa comisión y es por lo tanto tragada en el destierro (de lo que Jonás y el pez no son sino figuras). De la misma manera en que Jonás fue librado del pez, así ha sido Israel librada del destierro. Jonás aprovechó la segunda oportunidad y sacó el máximo provecho de ella. ¿Qué hará Israel ahora que ha sido librada?

A favor de la interpretación alegórica está la historia del pez (Dios *pudo* haber preservado a Jonás allí, pero no es su manera usual de efectuar sus transacciones con los hombres), la repentina conversión de Nínive por la predicación de un hombre que hablaba posiblemente una lengua extranjera, y el instantáneo crecimiento de la calabacera. Era de esperar que una conversión tan rápida y completa dejase efectos permanentes en Asiria, cosa que no ocurrió. En favor de la interpretación literal, sin embargo, están las referencias que Jesús hace de las experiencias de Jonás (Mat. 12:38 sig.; 16:4; Luc. 11:29). La forma del libro es una simple narración histórica, no una complicada alegoría. Ninguna otra alegoría en el Antiguo Testamento tiene como su héroe a un personaje histórico. Si el libro es una alegoría, comete una injusticia al histórico Jonás, quien, según toda otra indicación, era un verdadero profeta de Dios. Además, si Dios es lo suficientemente poderoso, los elementos milagrosos no son motivo de escándalo, incluso para la mente moderna.

LAS ENSEÑANZAS. Es una lástima que las preciosas enseñanzas del libro de Jonás se hayan perdido por causa de las discusiones y polémicas que encuentran su centro en la historia del pez grande, que no es sino uno de los detalles que se mencionan. Los valores permanentes del libro son mucho más importantes.

Aparentemente Jonás se negó a ir a Nínive por dos razones. La primera era su estrecho nacionalismo. No quería que los crueles asirios sobreviviesen porque representarían un constante peligro para Israel. Expresó sus sentimientos en 4:2. No quería soportar la penosa experiencia de profetizar la destrucción de Nínive para luego ver cómo un Dios misericordioso perdonaba a esas gentes. Ambos motivos son indignos de un siervo de Dios. Debemos tratar de ver el mundo desde el punto de vista de nuestro Señor, no desde nuestro punto de vista egoísta y trastornado. El cumplimiento de los propósitos divinos es mucho más importante que cualquier gloria personal.

La acción más difícil de entender de Jonás es su intento de escapar de su Dios, cambiando de dirección. Y sin embargo la mayor parte de los movimientos inquietos de la sociedad moderna pueden ser atribuidos a motivos parecidos. Tales esfuerzos terminarán en experiencias similares. Nadie puede huir de Dios. El que corre no hace sino hacer su encuentro más terrible. Uno no puede menos que preguntarse si Jonás había leído el Salmo 139: 7-12.

Los fenomenales resultados de la predicación de Jonás en Nínive pueden entenderse a la luz de varias consideraciones: (1) Jonás acaba de tener una notable experiencia con Dios. Era un hombre que había vuelto de los muertos. (2) Su sermón fue breve pero concreto "De aquí a cuarenta días Nínive será destruida" (3) El avivamiento empezó entre los dirigentes de la comunidad. (3:5-7)

El omnímodo amor de Dios para con su creación es vívidamente recalcado por su última palabra a Jonás. Y aquí podemos ver que Dios siempre tiene la última palabra en los negocios del hombre. Y "muchos animales" es una exclamación compasiva que asegura el interés de nuestro Dios por el hombre, hecho a su propia imagen.

BOSQUEJO DEL LIBRO

1. El Llamamiento de Jonás y Su Vano Intento de Huir de su Deber. Capítulo 1

2. Un Salmo de Liberación seguido del Lanzamiento de Jonás Sobre la Costa. Capítulo 2

3. El Milagroso Exito de la Predicación de Jonás. Capítulo 3

4. Reprensión de Dios por la Nueva Rebelión de Jonás. Capítulo 4

Amos

El Profeta. El nombre Amós significa "sostenido".
El profeta vivió en Tecoa o en sus cercanías. Su ocupación
era la de pastor, uno que era dueño o que atendía a las
ovejas. La clase de ovejas que Amós cuidó es todavía conocida entre los árabes. Son pequeñas de tamaño pero
muy apreciadas por su lana. El trabajo de Amós lo obliga-
ba a viajar a menudo a los mercados de Jerusalem y Bethel
y a transitar constantemente por el desierto de Tecoa, que
más tarde había de ser el hogar de Juan el Bautista y también el escenario de las tentaciones de Jesús. Tecoa estaba
situada a doce millas (19 Km.) al sur de Jerusalem y a
3.800 pies (1.250 metros) sobre el nivel del mar Muerto.
Estaba cercada por todos lados excepto por el este, donde
había un descenso de dieciocho millas (30 Km.) que terminaba en el mar Muerto. Se dice que Amós era un "co-
gedor de cabrahigos" (7:14). Estos árboles tenían un
fruto semejante al higo, pero de un tamaño más pequeño
y este fruto era comido por los pobres. La expresión "co-
gedor" puede significar que él podaba los árboles o bien
que provocaba el maduramiento de los mismos, apretándo-
los o golpeándolos. Algunos eruditos sugieren que el fruto
era pellizcado para permitir que un pequeño insecto saliese
de él. Los cabrahigos no crecían a una altura mayor de
1.000 pies (320 metros) sobre el nivel del mar; por lo tan-

to, Amós debió de haber tenido sus árboles en la parte
oriental.

EL LLAMAMIENTO DE AMOS. Amós había visitado muchas veces a Bethel para vender sus mercancías. Allí se
enfrentó con los pecados de Israel del Norte, especialmente
con el culto al becerro de oro en Bethel. Al fin no pudo
quedarse callado por más tiempo. En medio del mercado
empezó a profetizar, condenando los pecados de Israel,
especialmente los de los dirigentes, llegando a predecir la
muerte del rey Jeroboam II. Amasías, sacerdote en Bethel,
trató de hacer callar al montañés, pero lo único que consiguió fue provocar una mayor condenación. Amós contestó que no era profeta ni hijo de profeta (no era un predicador profesional, ni el hijo de uno de ellos), sino un
hombre del campo a quien Dios había llamado para hablar
en contra del mal dominante. La destrucción se ceñiría
sobre Israel y ni aun Amasías sería perdonado. Por tratar
de hacer callar la palabra de Yahveh, su familia sería destruida y él llevado cautivo.

FECHA DEL LIBRO. El lenguaje del libro es el más puro
y el más clásico de todo el Antiguo Testamento. No pone
de manifiesto al rústico pastor descrito en algunos comentarios. No es difícil situar cronológicamente al profeta
dentro de la historia del Antiguo Testamento. Los eruditos están casi unánimemente de acuerdo en situarle alrededor de la mitad del siglo octavo a. de J. C. Los límites
exactos del período de su ministerio son algo más difíciles
de definir. El título del libro dice que las profecías empezaron durante el período de Uzzía de Judá y Jeroboam en
Israel, dos años antes del terremoto. Según indican Amós
6:14 y 2 Reyes 14:25, podemos concluir que debe haber
desarrollado su ministerio inmediatamente después de las
victorias de Jeroboam. Esto se ajusta a la descripción de

prosperidad y consiguiente corrupción que hace Amós. No sabemos exactamente cuándo ocurrió el terremoto, pero según se desprende de Zacarías 14:5 sig., y Amós 5:8; 8:9 parece ser que un eclipse total de sol pudo haberlo acompañado. Tal eclipse tuvo lugar el 15 de junio del año 763 a. de J. C. Toda esta información concuerda en situar el comienzo del ministerio de Amós sobre el año 760 a. de J. C. En cuanto al tiempo que abarca el libro, nótese que Amós ciertamente no profetizó después de la muerte de Jeroboam (c. 750), porque ignoraba la época de anarquía que empezó a la muerte de este gran monarca.

EL MENSAJE DE AMOS. Jeroboam II fue el rey que más éxito tuvo de todos los reyes de Israel del Norte. Asiria había debilitado de tal manera a Siria que Jeroboam pudo volver a tomar el territorio que le había quitado el rey de Damasco. Una sucesión de reyes débiles en Asiria le permitió moverse libremente. El triunfo militar fue acompañado de gran prosperidad. Los ricos se iban haciendo más ricos y los pobres más pobres. Las cortes estaban corrompidas, los profetas dormidos. Una vergonzosa inmoralidad reinaba por todas partes. Amós, acostumbrado a una vida sencilla, se disgustó al ver la regalada vida de los nobles ricos y sus esposas (3:12; 4:1; 6:4). Según el doctor Juan R. Sampey, Amós "resoplaba cada vez que veía un palacio". Pedía justicia para el pobre y el oprimido. El tema del libro se encuentra en 5:24: "Antes corra el juicio como las aguas, y la justicia como impetuoso arroyo". Mientras Sión descansaba en placer, Amós divisaba la tormenta que se acercaba y que iba a destruir a Israel del Norte — Asiria (6:14).

En estos últimos años ha habido bastante discusión en torno al tipo de ministerio que Amós desarrolló. La mayoría de los eruditos sostienen que el libro solamente contiene un discurso de Amós, pronunciado en Bethel. Sin embargo, las palabras de Amasías a Jeroboam, "Amós se ha conjurado contra tí en medio de la casa de Israel: la tierra no puede sufrir todas sus palabras," indican un ministerio más amplio. Sus palabras a diferentes grupos hubiesen tenido más significado si hubiesen sido pronunciadas en diferentes ocasiones. Imagínese la consternación que se hubiese producido entre un grupo de "primeras damas" de Samaria si el profeta hubiese pronunciado las palabras que se encuentran en 4:1-13, en una de sus reuniones, o el efecto de las palabras de 8:4-7 pronunciadas en el mercado en una de las horas de más agitación comercial. Si este profeta desarrolló este ministerio, sus diferentes discursos fueron escritos más tarde y compilados según el arreglo lógico del libro.

Notas Sobre Pasajes Importantes en Amos

1:2 a 2:16. Aquí tenemos un pasaje notable. El profeta usa el milenario método de tomar por sorpresa a sus oyentes. La multitud se agrupa para oir cómo arengó a las naciones vecinas por sus pecados. Se oyen fervorosos "amenes" de todas partes de la congregación. De repente el orador llega al punto culminante de su discurso y se dirige a sus oyentes "Por tres pecados de Israel y por el cuarto..." (2:6):

3:2. A mayores privilegios, mayores responsabilidades. El fracaso requiere mayor castigo.

3:4-8. Todo efecto tiene su causa. Amós profetiza porque el Señor habla a su corazón y no puede callar. El testimonio de todo verdadero predicador de la Palabra.

4:1. El problema de las mujeres y del alcohol no es nuevo.

4:12a. Se sugiere una amenaza aquí pero se interrumpe repentinamente. ¿Fue Amós interrumpido, o eran las palabras demasiado duras para ser recordadas?

4:12b. "... aparéjate para venir al encuentro a tu Dios" en una batalla definitiva. No es un llamamiento al arrepentimiento.

5:21. Se podría transcribir: "Aborrezco, abomino vuestras solemnidades de Pascua, y no me darán buen olor vuestras asambleas dominicales." El rito que carece de religión sincera es una burla ante Dios.

5:25. Este discutido versículo implica una respuesta negativa. Los padres no hicieron así. Ellos sabían, por su rebelión contra Dios, que el mero sacrificio no haría ningún bien. Al menos fueron más inteligentes que los contemporáneos de Amós. No malgastaron los animales. Esto no implica que no hubiera legislación levítica en el desierto; solamente declara que no había sacrificios, porque Dios había rechazado a su pueblo, un rechazamiento que ahora se veía obligado a practicar otra vez.

7:2, 5. Amós no era frío ni duro de corazón y sin amor para Israel. Oró fervientemente por su pueblo.

Dos Problemas Referentes a las Enseñanzas de Amos

1. ¿Era Amós un estricto monoteísta, o defendía la adoración de sólo uno de varios dioses, o el culto a un Dios, al mismo tiempo que creía en la existencia de otros? Por lo que se desprende de la lectura de los capítulos 1, 2; 5: 27; 6:14; 9:1-4; no se pude menos que llegar a la conclusión de que no hay lugar para otro Dios en el cielo ni en la tierra o Sheol que Yahveh.

2. ¿Aprobaba Amós el culto al becerro? (Véase 3:14;

4:4 sig.; 5:4-6; 5:21-23; 7:9; 8:14-9:1.) Oseas no fue el primer profeta en oponerse al culto del becerro en Bethel y Dan.

Bosquejo del Libro

Título 1:1. Texto en 1:2 — ¡Juicio!

1. Una Serie de Profecías Contra las Naciones, Culminando en la Condenación de Israel. Capítulos 1, 2

2. Tres Discursos Sobre la Perversidad de Israel. Cada Uno Introducido por "Oid esta palabra". Capítulos 3-6

3. Cinco Visiones Sobre Israel. 7:1 a 9:10
   (1) Langostas 7:1-3
   (2) Fuego. 7:4-6
   (3) La prueba de la plomada. 7:7-9
   (4) Canastillo de fruta de verano. La inquietud pronta para ser castigada. 8:1-14
   (5) Destrucción del templo y de sus adoradores. 9:1-10

Conclusión — Promesa de Restauración. 9:11-15

Oseas

El Libro. Oseas presenta uno de los textos más con-
fusos del Antiguo Testamento. La diferencia de texto
entre la Versión de los Setenta y el hebreo es considerable
y es casi imposible de bosquejar, siendo tanto incoherente
como desconectado en muchos sitios. Esta falta de arreglo
lógico, sin embargo, es seguramente debido a la intensa
emoción del profeta. El libro ha sido llamado "una sucesión de sollozos" (A. B. Davidson), y no es muy corriente
sollozar en ordenado bosquejo. Puede ser comparado al
diario de un soldado en el frente de batalla, escrito entre
las granadas; o a un barco en la tempestad, aparentemente
agitándose sin rumbo, pero sin embargo abriéndose paso
hacia un punto determinado.[1] El libro es verdaderamente
grandioso y se va apoderando del lector a medida que lo
va leyendo. Contiene algunos de los pasajes más nobles
de la Biblia y es frecuentemente citado en el Nuevo Testamento. En cuanto al arreglo, podemos describirlo: (1) la
trágica historia doméstica del profeta y su moral (1-3);
(2) pronunciamientos proféticos de Oseas. Todos los pecados del pueblo son descubiertos; exhorta usando todo
medio posible de persuasión para volverles a Dios (4-14).
Algunos eruditos niegan que los pasajes de esperanza y

---

[1] Compárese. Rollin H. Walker, *Men Unafraid* (Nueva York:
Abingdon-Cokesbury Press, 1923), p. 51.

restauración que se encuentran en el libro pertenezcan a
Oseas. Es difícil, sin embargo, comprender un mensaje
de amor a menos que vaya acompañado de una palabra de
esperanza. Un amor de Dios semejante al descrito por
Oseas no puede fracasar en sus propósitos.

EL PROFETA. Oseas era del norte, ciudadano de Israel.
Probablemente vivió en una ciudad (Bethel o Samaria).
Su nombre significa "salvación" y equivale a Josué o Jesús.
Era el primer profeta de la gracia y también el primer
evangelista de Israel.[2] Su ministerio profético probablemente se extendió desde c. 750 a 735 a. de J. C., un poco
posterior a Amós, porque las condiciones descritas en el
libro se ajustan a los últimos días de Jeroboam. No puede
ser posterior al año 735 porque Galaad es todavía territorio
israelita y Asiria su aliado. En el año 732 Asiria tomó
cautivo a Galaad.

Amós y Oseas tenían diferentes características y su
predicación era también distinta. Amós vino de Judá para
predicar en Israel; era, por lo tanto, menos personal en su
predicación. Oseas predicaba con todo su corazón puesto
que predicaba a su propio pueblo. Amós habló de justicia,
a la conciencia; Oseas habló de amor, al corazón. Este
profeta era un poeta de primera clase, veía las cosas en
una forma clara y puso en palabras llenas de poder lo que
vio. De temperamento cariñoso, era hombre de amor inextinguible y de sensibilidad intensa. Era una personalidad
de contrastes. Cuando pensaba en Dios, era el más feliz
de los hombres; pero cuando pensaba en el pecador, era el
más infeliz. Pensando en Yahveh, su espíritu era tierno y
manso como el de una paloma; cuando consideraba el ingrato amor humano, se volvía fiero como un león. Cuando

---

[2] Compárese G. A. Smith, *The Book of the Twelve Prophets* (Nueva
York: Harper & Bros., 1928), I, 239.

miraba el pecado, era pesimista; cuando miraba a Dios, era un hombre de fe. Oseas ha sido llamado el Jeremías de Israel y el apóstol Juan del Antiguo Testamento. La nota central de su mensaje era que el pecado no es tanto contra la ley de Dios como contra su amor. Que se sepa, Oseas no tuvo ningún convertido. La tradición dice que murió de aflicción o martirio en la región occidental del Jordán, en el monte Oseas, donde los judíos aseguran que puede verse su tumba.

MARCO HISTORICO. Era una época inquieta y caótica (2 Reyes 14:3 a 17:6). Los males que Oseas condenó se iban agravando y rápidamente. La opresión asiria iba progresando. Interiormente era un período de anarquía, dentro de una diplomacia engañosa de los gobernantes. Sin embargo, fue una tragedia personal que dio a Oseas el ímpetu que lo convirtió en un gran predicador. ¿Cuál era la naturaleza de esa tragedia? Hay varias interpretaciones, todas basadas en la narración del capítulo 1 y el significado de "una mujer fornicaria" en el versículo 2.

1. Dios ordenó al profeta que se casase con una mujer que vivía entonces una vida mala. En contra de esta opinión está el hecho de que es difícil concebir que Dios le ordenara a un profeta que se casase con una mujer de esa índole. Además, la palabra hebrea para describirla tendría que ser singular y no plural como aparece en el texto.

2. Ese casamiento no se verificó sino que toda la historia es una alegoría que Oseas usó para ilustrar la relación entre Israel y Yahveh. Sin embargo, esto no excluye la dificultad moral. No es probable que un hombre inventase una historia que reflejase a su verdadera esposa. La teoría también implica que Oseas primero despertó a la verdad de que Dios es amor, y luego escribió la historia para ilustrarlo. Pero el versículo 2 debidamente traducido

debería decir: "el principio de lo que Yahveh habló a Oseas..." Esto implica que la primera palabra que Yahveh le dijo a Oseas fue referente al casamiento. Dios le habló por medio de la lección objetiva de un hogar destruido moralmente. Entonces él pudo ver cómo Israel había tratado a Yahveh de la misma manera. Además, el estilo es semejante al de una narración y no al de una alegoría. Ningún simbolismo puede ser asociado con "Gomer", como sería lo lógico si fuese una alegoría.

3. La mujer en el capítulo 3 no es Gomer. Gomer permaneció fiel aunque idólatra. Oseas trajo una mujer mala a su hogar, apartándola de sus amantes, para mostrar cómo Dios haría separación entre Israel y sus pecados. Hay algo que objetar a esta teoría y se encuentra en 3:1: A Oseas le es ordenado que ame a una mujer pecadora como Yahveh ha amado a Israel, aunque se han vuelto a otros dioses. El paralelo sólo puede ser Gomer que ha dejado a Oseas para marcharse con otros amantes.

4. El casamiento fue una realidad y Gomer era pura cuando se casó. El plural "fornicaciones" significa que era una idólatra; había dejado a Dios para adorar a los ídolos y era por lo tanto una adúltera espiritual. Después del casamiento su adulterio espiritual la condujo al pecado físico y abandonó a Oseas y a sus hijos. Esta teoría reconoce la historia como una simple descripción de los hechos pero evita la dificultad moral. Da un fundamento razonable para justificar el amor de Oseas hacia su esposa y explica más satisfactoriamente la conexión entre la experiencia de Oseas y su concepto de la relación entre Yahveh e Israel. Es también más consistente con los acontecimientos del capítulo 3.

Pasajes Importantes en Oseas

2:15. Achor significaba turbación. Este fue el valle donde Achán pecó tomando los despojos sagrados de Jericó. Este hermoso versículo promete que el valle de turbación de Israel se convertirá en una puerta a nuevas experiencias de felicidad. Esta siempre ha sido la manera en que Dios ha tratado al hombre.

4:2. En hebreo una serie de infinitivos absolutos: "Perjurar, mentir, y matar".

4:6, 9. El pueblo perece porque sus dirigentes no han enseñado la verdad.

4:14. No existe una norma moral doble.

4:16. A los corderos no les gusta mucho espacio. Buscan la compañía de otros corderos.

5:13. Rey Jareb es aparentemente un apodo. Quizás "el rey gallero" o "el rey de riña" sería la mejor traducción. Evidentemente se refiere a Tiglath-pileser.

6:4. Una condenación de religión de temporada que no puede resistir la prueba del tiempo.

6:6. Un llamamiento a la religión de corazón que Jesús cordialmente apoyó (Mat. 9:13; 12:7).

7:8 sig. Tres procesos se estaban desarrollando en Israel, de los cuales se debe guardar hoy: (1) Compromiso con el mundo; (2) desarrollo unilateral (una tortilla sin dar vuelta); (3) decaimiento inconsciente.

9:10b. Una ley de naturaleza humana. Nuestros verdaderos intereses determinan nuestro carácter.

11:8 sig. El asombroso amor de Dios hacia el pecador.

12:9. Dios cambiará a Israel y le volverá a su antiguo estado nómada.

13:14. Un decreto de destrucción efectivamente combatido por Pablo en el Nuevo Testamento (1 Cor. 15:55).

El contexto exige que el versículo 14a se lea con un signo de interrogación. "¿De la mano del sepulcro los redimiré, librarélos de la muerte?" La respuesta es negativa, puesto que Dios invoca las plagas de muerte y Sheol para castigar su pecado. Aquí tenemos un interesante ejemplo de "eiségesis" por el que un pasaje del Nuevo Testamento influyó en los traductores del Antiguo Testamento.

14:5. El rocío es la única fuente de humedad durante el período de sequía en Palestina.

BOSQUEJO DEL LIBRO

1. Infidelidad de Israel Ilustrada por la Amarga Experiencia del Profeta. 1-3

2. Selecciones de las Profecías de Oseas. 4-14

   (1) La decadencia moral. 4:1-7:7
   (2) La decadencia política. 7:8 a 10:15
   (3) La compasión de Dios Padre. 11:1-11
   (4) Un último y vano llamado al arrepentimiento. La destrucción inevitable. 11:12 a 13:16
   (5) La restauración final que seguirá el verdadero arrepentimiento. 14

MIQUEAS

EL PROFETA. Su nombre es bastante corriente en el
Antiguo Testamento. Aparece en una forma u otra como
el nombre de más de una docena de personas y significa:
"¿Quién es como Yahveh?" Su hogar estaba en Morasti,
un pueblo cerca de Gath, cuya situación no se conoce con
exactitud. Estaba cerca de Shephelah, próximo al paso a
Egipto, donde convergían caminos de todas partes. Aparentemente, Miqueas era un simple campesino, "del pueblo... y para el pueblo". Ha sido llamado "Miqueas el
Demócrata". Era un cuidadoso observador de la naturaleza y manifestó poseer una capacidad extraordinaria para
juzgar los hechos tal cual eran. Poco tenía de poeta; generalmente era sencillo y hablaba con claridad. Tenía,
como muchos campesinos, poca simpatía por las ciudades.
Estaba convencido de que el vicio y la maldad se concen-
traban allí. Era un campesino predicador que sentía las
injusticias y los sufrimientos que se infligían sobre la gente
humilde. Estaba poseído de una ardiente pasión por la
justicia, la rectitud en los tratos, y la santidad de vida.
Creía que todos los pecados del pueblo tenían su origen
en una cosa — el amor al dinero.

Miqueas fue un contemporáneo de Isaías, pero podemos apreciar en estos dos hombres considerables diferencias. Isaías pertenecía a la clase alta. Era natural de Je-

rusalem y estuvo en contacto con los asuntos nacionales
e internacionales. Era amigo y consejero de reyes, y tomó
parte activa en los movimientos políticos de su tiempo. Sus
mensajes fueron dirigidos principalmente a gobernantes y
a grupos selectos de discípulos. Miqueas era un tipo de
predicador totalmente distinto. Era sencillo campesino,
alejado del ruido y de la confusión de la ciudad. Mientras
que Isaías recibió su llamamiento en medio de la pompa
del templo, Miqueas oyó su llamamiento en el gemir de
sus vecinos oprimidos. No era un político como Isaías. Sus
sermones trataban principalmente de la moral social y del
deber religioso y no de cuestiones de estado y política
exterior. Ambos profetas describen los pecados de la nación pero Miqueas usa más colorido y mayor detalle. A
veces Miqueas muestra un espíritu vengativo rayando en
lo salvaje, cosa que no encontramos en las sublimes descripciones y afirmaciones de Isaías.

A pesar de ser tan distintos, su predicación tenía un
mismo fin y un mismo contenido. Los dos pedían justicia
y moralidad y predicaron las inevitables consecuencias del
pecado. Es raro que ninguno de los dos mencione al otro.
La única referencia a la vida e influencias de Miqueas que
se encuentra fuera de su libro, se halla en el libro de Jeremías capítulo 26. Jeremías fue procesado por predecir la
derrota de Jerusalem. En defensa de él algunos de los ancianos de la ciudad recordaron que Miqueas había predicho
una derrota y que no fue muerto, sino que la gente se
arrepintió de sus pecados, evitando de esta forma la ruina.
Como resultado Jeremías fue también perdonado.

Ningún profeta en el Antiguo Testamento pudo ver el
futuro de una forma tan clara como lo vio Miqueas. Entre
sus predicciones estaba la caída de Samaria (cumplida en
722 a. de J. C.); la destrucción de Jerusalem (cumplida

en 586 a. de J. C.); la cautividad babilónica de Judá y el retorno (605-537) y el nacimiento del Rey mesiánico en Bethlehem.

EL LIBRO. Hay poca disputa en cuanto a la fecha de los capítulos 1-3, que describen la ruina de Samaria y Jerusalem. Es casi universalmente aceptado que Miqueas escribió estos capítulos entre los años 724 y 701 a. de J. C. Muchos eruditos, sin embargo, dudan que Miqueas escribiese lo que sigue al capítulo 3, puesto que dicen que escribió solamente palabras de ruina y condenación, y que el momento histórico de los capítulos 4-7 no es del siglo octavo sino el de una época posterior.

Un bosquejo psicológico del libro, juntamente con otras muchas indicaciones, ayuda a rechazar la posición de que Miqueas escribió solamente palabras de condenación.

(1) El juicio venidero (capítulos 1-3). (2) La fidelidad de Dios. El hombre puede mentir o engañar, pero a pesar de esto Dios llevará a cabo su propósito. Salvará, por medio de su Mesías, al Santo "remanente de Jacob". La "Y" en 4:1 claramente presenta el contraste de las dos secciones (4, 5). (3) Un llamamiento final. El predicador de juicio se dice a sí mismo. "Tal vez la herida no es del todo incurable. Haré un último llamamiento" (capítulo 6). (4) El pueblo no responde, pero el profeta sueña que no siempre será así. Vendrán días mejores, porque Yahveh será fiel a las promesas que hizo a sus padres (capítulo 7).

PASAJES IMPORTANTES EN MIQUEAS

1:10, 11. En hebreo hay un juego de palabras con el nombre de estas ciudades.

2:1. Las condiciones son tan malas que los hombres

pueden hacer sus maldades y practicar sus iniquidades a la luz del día.

2:3. Mientras los perversos de 2:1 están tramando el mal, Yahveh está ocupado en preparar mal contra ellos.

2:10. Un llamamiento para ir a la cautividad.

3:2 sig. Miqueas compara a los crueles opresores de los pobres con caníbales.

3:5-7. Profetas cuyo dios es su estómago, que se preocupan más de lo que entra en su boca que de lo que sale de ella. La calidad de su ministerio está determinada por el salario que perciben. Su castigo será una resultante carencia de visión espiritual y un ensordecimiento de Dios a sus ruegos.

3:8. Comparado con el verdadero profeta que habla según el Espíritu le guía a hacerlo.

3:11. El peligro de una falsa seguridad.

4:1-4. Esta predicción del futuro se halla casi con las mismas palabras en Isaías, capítulo 2. El problema de determinar cuál profeta fue el que copió o si ambos la derivaron de un tercero, es imposible de resolver. Aquí tenemos un programa práctico para obtener la paz mundial.

Está condicionado a la libertad de culto por medio de la cual las gentes pueden voluntariamente buscar a Dios y tratar de que otros hagan lo mismo (2a.). Esta búsqueda tiene como consecuencia llegar a conocer la voluntad de Dios y hacerla. (2b). Cuando las decisiones de Yahveh son obedecidas, las disputas internacionales cesan, (3a) de manera tal que los instrumentos de guerra son usados para la paz. Como consecuencia, este incremento de producción elimina la necesidad. Los hombres no viven ya en temor porque cada uno tiene lo que su corazón apetece (4).

5:2-5. Uno de los pasajes más extraordinarios del Antiguo Testamento. Fue el versículo 2 que informó a los sabios el lugar del nacimiento del niño Jesús. Miqueas enseña en 5:5 que la paz mundial que se prevé en el capítulo 4 solamente puede ser alcanzada por el Mesías, nunca por un desarrollo natural. "Y éste será *nuestra* paz".

5:7, 8. El pueblo de Dios será tanto bendición como maldición. Para aquellos que creen, una bendición; para aquellos que le rechazan, condenación.

6:8. No hay otro versículo más magnífico en todo el Antiguo Testamento. En inmortal fraseología Miqueas resume el mensaje de los otros tres profetas del siglo octavo. Amós había hecho énfasis en la justicia; Oseas había predicado el amor; Isaías había instado a una humilde comunión con un Dios santo. (Compárese Deut. 10:12).

7:1. El profeta anhela aunque más no fuera, un convertido.

7:18, 19. La frase introductoria es un juego de palabras sobre el nombre de Miqueas. La descripción de la gracia de Dios es de una hermosura incomparable.

ISAIAS

EL PROFETA. Su nombre significa "salvación de
Yahveh". Isaías nació hacia el año 760 a. de J. C., aproximadamente en la época cuando Amós apareció en Bethel.
Su padre se llamaba Amoz (no Amós). Cuando Oseas
empezó a profetizar, Isaías era un joven. Miqueas fue
contemporáneo de Isaías. Su ambiente era uno de nobleza
y fue siempre un predicador de ciudad. Se casó en el año
734 y su esposa era profetisa (8:3). Su ministerio público
empezó "En el año que murió el rey Uzzías" (c. 740) y
continuó durante los reinados de Jotham, Achaz y Ezechías hasta el año 698 a. de J. C. En su intervención en
asuntos políticos hubo tres grandes crisis: (1) En el año
735 a. de J. C. Resín, rey de Siria, y Peka, rey de Israel,
se aliaron para oponerse a Tiglath-pileser, rey de Asiria.
Trataron de ganar el apoyo y alianza de Judá, pero ésta
rehusó colaborar. Los dos reyes se levantaron en contra
de Judá para conquistarla y establecer un rey títere en el
trono. Achaz, asustado, pidió ayuda a Asiria. Isaías lo
encontró junto al conducto de las aguas y le dijo que con-
fiase en Dios y no en Asiria porque los "dos cabos de tizón
que humean" pronto serían destruidos. Achaz se negó a
escucharlo y buscó el apoyo de Asiria. Poco pudo hacer
Isaías. Damasco cayó, y en 722 a. de J. C. Israel fue destruida. Achaz se imaginó que su política exterior había
logrado derrotar a sus enemigos. Aun bajo el poder y

dominio de Asiria empezó a hacer tratos con Egipto en contra de Asira. Finalmente Isaías consiguió que se diera cuenta de su locura, empezando Isaías, a partir de entonces, a gozar de su favor. (2) Ezechías, sin embargo, cambió la política de Achaz. Se unió a Filistea, Edom, Moab y Egipto para conspirar contra Asiria y apenas evitó la destrucción. Por ese mismo tiempo estableció amigables relaciones con el rey de Babilonia. Isaías previó en todo esto una total destrucción a manos de Asiria y trató por todos los medios de evitarlo. (3) A la muerte de Sargón, Judá, juntamente con otras naciones vecinas, se rebeló contra Asiria. Isaías continuó protestando. Sin embargo, cuando Sennacherib pidió la rendición de la ciudad, desafiando a Yahveh a que lo evitase, Isaías sabía que el asirio fracasaría en su intento. Cuando así ocurrió, una vez más el mensaje del profeta fue vindicado.

En cuanto al carácter de Isaías, Valeton[1] lo describe diciendo: "Tal vez nunca ha habido otro profeta como Isaías. Se mantuvo con la cabeza en las nubes y los pies pisando un suelo sólido, con el corazón en las cosas eternas y con la boca y la mano en las cosas temporales, con el espíritu en el eterno consejo de Dios y el cuerpo en un momento histórico."

Isaías era un miembro de esa clase selecta de hombres que pueden soñar y no olvidar el mundo que les rodea. Podía hablar de paz y de un reinado mesiánico y repentinamente irrumpir en una fogosa arenga contra la perversidad, inmoralidad e infidelidad prevalecientes. Era una personalidad integral, capaz de enfrentarse con las tormentas de una agitada época y permanecer imparcial y tolerante frente a un mezquino provincialismo y una cultu-

---

[1] Citado por G. L. Robinson, *The Book of Isaiah* (Nueva York: Y.M.C.A. Press, 1910), p. 22.

ra nacionalista encerrada en estrechos moldes. Tiene una visión espiritual que no encuentra paralelo en el Antiguo Testamento. Aunque era un visionario, era al mismo tiempo un hombre práctico. Los nombres de sus hijos son lecciones objetivas, y su propia vida fue un testimonio de lo que él enseñó. Una vez escribió un mensaje en un cartel público; en otra ocasión, anduvo descalzo y descubierto durante tres años por las calles de Jerusalem como un vivo ejemplo de lo que los asirios harían con aquellos que capturasen. Como reformador se opuso a toda injusticia social.

Tal vez James[2], en su análisis de las características del estilo de Isaías, presenta el aspecto más significativo de la personalidad del profeta cuando describe sus escritos y los presenta como teniendo una impetuosidad majestuosa y una penetrante belleza de dicción, brillante por sus figuras de lenguaje, ejemplos de fe, atrevidos desafíos, inexorables demandas, pureza sublime, desprecio de bajezas, defensa de los pobres, y tiernas promesas. En cada uno de los otros grandes profetas aparece alguna de estas excelencias como nota peculiar, pero como Ewald dice, en Isaías "toda clase de estilo y toda variación de exposición está a su servicio para suplir las exigencias del tema."[3]

No se sabe nada cierto acerca de su muerte, ni cómo ni cuándo ocurrió. La tradición afirma que fue aserrado durante el reinado del perverso Manasés, de lo cual Hebreos 11:37 es probablemente un testimonio.

MARCO HISTORICO. La prosperidad económica que caracterizó la primera parte de este período fue acompañada de toda clase de vicios sociales. Las diferencias entre el

---

[2] Fleming James, *Personalities of the Old Testament* (Nueva York: Charles Scribner's Sons, 1939), pp. 268-269.
[3] Heinrich Ewald, *Commentary on the Prophets of the Old Testament* (Londres: Williams and Norgate, 1876), II, 10.

rico y el pobre se acentuaron todavía más. El enloqueci-
miento y la embriaguez prevalecieron por todas partes. La
falta de honradez dominaba la vida pública. Al final de
este período la condición desesperada del pobre fue em-
peorada todavía más a causa de los estragos de la guerra.
El hambre caminaba por las calles de Jerusalem y los niños
pedían a gritos un mendrugo de pan. La deshonra y la inmoralidad no mostraban ninguna tendencia a decaer. Los
impíos, adoptaron la actitud desesperada de quienes están
condenados a perecer por sus crímenes y que, sin embargo,
están apurando vorazmente la copa amarga. Fue una hora
oscura que veía solamente un rayo de luz a través de las
palabras de aquel profeta que vio a su Dios "alto y sublime". Remolcando a su infiel generación y tratando de
hacer que elevara su mirada a los cielos, al final persuadió
a un desesperado rey que probase la última y única alter-
nativa segura de salvación, la fidelidad de Dios.

La situación religiosa era desalentadora. Había un trágico sincretismo de baalismo y culto a Yahveh que no era
más que paganismo. Las supersticiones y los cultos procedentes de Oriente se iban estableciendo. En su atrevi-
miento, Achaz edificó un altar pagano en lugar del altar
al Señor. El culto a Yahveh era un ceremonialismo vacío
y elaborado aun durante el reinado de Ezechías; de no ser
así, ¿cómo hubiese sido posible que el pueblo cayera tan
pronto en los mismos pecados que Manasés? Los profetas
estaban bajo la influencia de bebidas alcohólicas y eran
aduladores y lisonjeros.

EL LIBRO. El libro de Isaías es justamente considerado
el más grande de los libros proféticos del Antiguo Testamento. En él la profecía mesiánica llega a su apogeo, siendo ésta la razón por la que se convirtió en el favorito de los
escritores del Nuevo Testamento. El tema de Isaías es la

santidad de Dios. Empero la santidad no es meramente justicia y pureza estrictas, sino que tiene que rebajarse para buscar al perdido. Hay por una parte gracia redentora y por la otra, pureza consumidora.[4] En cuanto al estilo, los escritos demuestran una elevada cultura, visión y habilidad poética. Podemos describir la poesía del libro con las palabras que Isaías usó para describir a Dios — "alto y sublime". Su exquisita belleza sobrepasa cualquier otro pasaje del Antiguo Testamento.

La mayoría de los eruditos modernos, sin embargo, afirman que las profecías de este libro no son todas del mismo autor. Los capítulos más debatidos son 13-14, 24-27, 36-39 y 40-66. El problema más importante en el análisis del libro es el de la paternidad literaria de los capítulos 40-66. En ningún pasaje a lo largo de estos capítulos se afirma que fueron escritos por Isaías. Todo parece indicar un autor diferente. La primera parte, capítulos 1-39, se caracteriza por severos reproches, mientras que la segunda parte es un sostenido tema de palabras de aliento y ánimo. En los primeros capítulos el Mesías es presentado siempre como rey; en los capítulos 40-66 es presentado como *Salvador* sufriente. El estilo de Isaías es directo; la segunda parte es de un estilo sinfónico-literario.

La destrucción de Jerusalem en el año 586 no se profetiza en estos capítulos. Se presupone. Es la época del destierro (64:10; 61:4; 49:19; 52:9; 58:12; 42:22). Sion está en el destierro (49:14-21). El lugar del destierro es Babilonia (47:1-5; 48:14, 20). El mismo profeta es un desterrado (42:24). La carrera de Ciro no es predicha como lo hubiese hecho Isaías, quien vivió ciento cincuenta años antes. El ya está en escena (41:2; 41:25; 44:26; 45:1 sig.).

---

[4] Compárese A. R. Gordon, *The Prophets of the Old Testament* (Nueva York: Harper & Bros., 1916), pp. 88-91.

Varias referencias en otras partes del Antiguo Testamento indican que estas profecías fueron escritas en el destierro por un autor desconocido.

1. **Referencias al decreto de Ciro.**[5] En estos dos pasajes idénticos el cronista, aparentemente refiriéndose a Isaías 44:28, dice que Ciro dio su decreto a fin de que las palabras de Jeremías tuviesen cumplimiento. Duhm dice que esto significa que en aquel tiempo existía la creencia de que Jeremías era el autor de Isaías, capítulos 40-66, pero no hay nada en ninguna otra parte que apoye esta suposición. El significado evidente de este pasaje es que el decreto de Ciro es el cumplimiento de la profecía de Jeremías de que al cabo de setenta años la supremacía de Babilonia se terminaría. Ciro mismo cita Isaías 44:28, un pasaje con el que seguramente estaba familiarizado, como la razón y motivo de su acción. La ausencia del nombre de Isaías en estas referencias parece demostrar que ni Ciro ni el cronista creían que Isaías era el autor de estas palabras. Sin duda que si el cronista hubiese sabido que Isaías había predicho el nombre de Ciro y el retorno con ciento cincuenta años de antelación, hubiese usado el nombre de Isaías con preferencia al de Jeremías y sus setenta años. No se puede disputar de que el cronista no estaba pensando en Isaías en ese momento porque estaba citando su libro.

2. **La actitud hacia Jerusalem y el templo en los días de Jeremías.** Cuando Jeremías estaba profetizando, las gentes de Jerusalem creían que su ciudad era inconquistable porque el templo de Yahveh estaba allí. Incluso este profeta fue detenido por predicar que el templo sería destruido. Si, menos de cien años antes, Isaías hubiese escrito los capítulos 40-66 con la evidente suposición de que el

---

[5] 2 Crón. 36:22, 23; Esdras 1:1-4.

templo sería quemado y la gente deportada, ¿no hubiese vivido el pueblo hebreo en un constante temor de ese destierro en vez de creer que Jerusalem nunca podía caer? ¿Es posible que rehusaran creer a Isaías? Tal vez, pero su actitud se explica mejor por el hecho de que habían adquirido la idea de inviolabilidad de Jerusalem de las profecías de Isaías contra Sennacherib, profecías que fueron las últimas que pronunció, dejando con ello la idea de la eternidad de la ciudad de Dios.

Hay otros pasajes en Jeremías que arrojan luz sobre este problema. Cuando el profeta fue recluido por proclamar la futura derrota de Jerusalem, la mejor defensa que el anciano pudo hacer en su favor fue mencionar el hecho de que Miqueas había profetizado algo semejante. ¿Por qué no serían más grande testimonio las profecías del destierro del Isaías mayor — el mismo Isaías a quien estaban sin duda citando para apoyar su idea de la inviolabilidad de Jerusalem?

Sin embargo, las objeciones en contra de esta posición son dignas de consideración. Una larga e inquebrantada tradición afirma que los capítulos 40-66 fueron escritos por Isaías. Los escritores del Nuevo Testamento atribuyen estos pasajes a él, aunque Jesús nunca lo hizo (Mat. 3:3; 8:17; 12:17; Luc. 3:4; 4:17; Juan 1:23; 12:38; Hechos 8:28; Rom. 10:16-20). La parte bajo consideración ha sido siempre asociada con Isaías. No hay ningún indicio de que en algún tiempo haya existido por separado. Si el autor no es Isaías, es muy extraño que se haya perdido la identidad del autor cuando muchos otros autores de menor importancia y rango escribieron al mismo tiempo y sus nombres han sido preservados.

La mayoría de los eruditos que sostienen la posición tradicional mantienen que los capítulos 40-66 fueron escritos desde el punto de vista de un desterrado, pero por Isaías ciento cincuenta años antes. Un milagro de inspiración le trasladó a través del tiempo para que pudiese hablar como un contemporáneo de los desterrados babilónicos. Así la cuestión se reduce en pequeñeces teológicas. Ambos grupos están de acuerdo en que la voz profética de los capítulos 40-66 habla desde el punto de vista del destierro. ¿Procede esta voz de un profeta de carne y hueso que personalmente ha experimentado la tragedia de la deportación, o del Isaías del siglo octavo y fruto de su imaginación? La analogía de otras profecías indicaría que es un profeta el que está hablando a un auditorio de contemporáneos. Sin embargo, nadie puede sensatamente negar la posibilidad de que Dios hubiese inspirado una forma especial de ministerio para Isaías. Cualquiera que sea la posición que se adopte, debe reconocerse el hecho de que el autor humano de un libro no es tan importante como el Dios que lo inspiró.

Bosquejo del Libro

1. Libro de Reproches y Promesas Mezclados. Capítulos 1-6 (la mayor parte pronunciados durante los reinados de Jotham y Achaz)

   (1) "La Gran Acusación". Capítulo 1. (Las expresiones en cuanto a la desolación de la tierra se ajustan al tiempo de la invasión de Judá por Peka y Resín, o a la invasión de Sennacherib).

   (2) La exaltación de Sión se logrará solamente a través de terribles juicios contra los orgullosos y los pecadores. Capítulos 2-4

   (3) La viña y sus lecciones. Capítulo 5

(4) La visión inaugural. Capítulo 6
(Esta visión la tuvo el año que Uzzías murió. No sabemos por qué el relato del llamamiento del profeta no fue puesto al principio de su libro, como ocurre en los escritos de Jeremías y Ezequiel. El libro está exclusivamente arreglado a base del orden cronológico; pero no carecen de orden.)

2. El Libro de Emmanuel. Capítulos 7-12. (pronunciados durante los reinados de Achaz y Ezechías)

(1) Importantes mensajes en relación con dos entrevistas con Achaz durante la invasión siria. Capítulo 7. (735 a. de J. C.)

(2) Nuevo anuncio de juicios desoladores, seguidos por una gran salvación. 8:1 a 9:7. (734 a. de J. C.)

(3) La mano del Señor extendida para ejecutar severos castigos contra la perversa Samaria. 9:8 a 10:4. (anterior a 724 a. de J. C.)

(4) El orgullo asirio será humillado, pero el pueblo de Yahveh será salvado. 10:5 a 12:6. (701 a. de J. C.)

3. El Libro de Profecías Contra Otros Países. Capítulos 13-23 (varias fechas)

(1) Contra Babilonia. 13:1 a 14:23
(La autenticidad de esta sección ha sido puesta en duda, por cuanto refleja la condición de Babilonia mucho después del tiempo de Isaías. A menos que uno crea de todo corazón en la revelación sobrenatural, esta conclusión sería inevitable; e incluso algunos de los que creen en lo sobrenatural la atribuyen al siglo sexto más bien que al octavo. El poder poético y la fuerza moral de la parábola o

el himno de vituperio en 14:3-20, son dignos del gran Isaías.)

(2) Contra Asiria. 14:24-27. Yahveh derrotará a los asirios en la tierra de Judá. (Fecha desconocida)

(3) Contra Filistea. 14:28-32 (727 a. de J. C.) No se regocije Filistea por la muerte de Tiglath-pileser IV; porque sus sucesores la tratarán peor.

(4) Carga de Moab. Capítulos 15, 16. (Por 16:13 sabemos que la mayor parte de esta profecía fue pronunciada antes de la última predicción. Lo más probable es que todo sea de la pluma de Isaías, y no meramente una larga cita de algún profeta más antiguo.)

(5) Carga de Damasco, con dos profecías referentes a Israel y Judá. Capítulo 17. (Versículos 1-11 fueron pronunciados antes del año 732 a. de J. C.)

(6) Referente a Etiopía. Capítulo 18. (probablemente entre los años 705 y 701 a. de J. C.)

(7) La alianza de Judá con Etiopía no va a servir de nada. En un día futuro Etiopía mandará un presente a Yahveh. (Compárese 2 Crón. 32:23)

(8) Carga de Egipto. Capítulo 19.

(9) El rey de Asiria tomará cautivos a Egipto y a Etiopía. Capítulo 20. (profecía pronunciada en el año 711 a. de J. C.). Para amonestaciones adicionales contra la confianza en Egipto, véanse capítulos 30, 31.)

(10) Segunda profecía referente a Babilonia. 21:1-10. Su caída anunciada en un estilo dramático; el profeta grandemente se aflige por la visión. (¿Fue cumplida por Sargón o por Ciro en el año 539 a. de J. C.?)

(11) Carga de Duma. 21:11 sig. No hay una libertad duradera para Edom.

(12) Referente a Arabia. 21:13-17. Dentro de un año sus caravanas serán esparcidas por una invasión.

(13) Carga de Jerusalem. 22:1-14 (¿701 a. de J. C.?)

(14) Sebna (probablemente un extranjero) será expulsado de su alto cargo. Eliacim tomará su lugar. 22:15-25 (compárese 37:2).

(15) Carga de Tiro. Capítulo 23

4. El Primer Libro de Castigo General. Capítulos 24-27. (El vasto alcance nos recuerda a Joel. Intima relación con los capítulos 13-23. Fecha desconocida.)

(1) Descripción de los terribles castigos que vendrán. Capítulo 24

(2) Triunfo para el pueblo de Dios. Capítulo 25

(3) Cantos de alabanza que serán cantados en la tierra de Judá. Capítulo 26

(4) Juicio contra el opresor en nombre de Israel. Capítulo 27

5. El Libro de Sión (Libro de los ¡Ayes!). Capítulos 28-33. (pronunciados durante el reinado de Ezechías)

(1) La caída de Samaria predicha; también, juicios sobre los pecadores en Judá. Capítulo 28. (28:1-6 son anteriores a 722 a. de J. C.; 28:7-29 parecen haber sido escritos c. 702.)

(2) Sitio y liberación de Ariel (Jerusalem). Capítulo 29. (702 a. de J. C.)

(3) Contra la alianza egipcia. Capítulo 30

(4) "La Falsa Ayuda y la Verdadera". Capítulos 31, 32

(5) ¡Ay de los crueles invasores asirios! Capítulo 33

(después del regreso de los embajadores a Ezechías desde Lachis. (Compárese 2 Reyes 18:13-
35; Isaías 33:1, 7, 8.)

6. La Segunda Descripción del Castigo General. Capítulos 34, 35. (fecha desconocida)

(1) El juicio. Capítulo 34
(2) Gloriosa contraparte del juicio sobre Edom. Dios
obrará maravillas para su pueblo afligido, sacán-
dolo del destierro y llevándolo a la patria. Capítulo 35

7. El Libro de Ezechías. Intervalo Histórico. Capítulos
36-39

(1) Invasión de Sennacherib. Capítulos 36, 37. (Compárese 2 Reyes 18:13 a 19:37)
(2) Enfermedad de Ezechías y la embajada de Babilonia. Capítulos 38, 39

8. El Libro del Consuelo. Capítulos 40-66

(1) El Dios Todopoderoso se prepara para liberar a
su pueblo de Babilonia. Capítulos 40-48. (La doctrina de Dios es revelada con gran amplitud y raro
encanto en los nueve primeros capítulos del Libro
del Consuelo) Tema del libro, 40:1 sig.
(2) La salvación viene a través del Siervo de Yahveh.
Capítulos 49-55
(3) Promesas y amonestaciones. La tierra y los cielos
nuevos. Capítulos 56-66. (Duhm atribuye estos
capítulos a un autor contemporáneo de Esdras y
Malaquías, a quien da el nombre de Trito-Isaías.
Esta teoría ha perdido seguidores en los últimos
años.)

Notas Sobre Pasajes Importantes en Isaias

1:3. Israel, artificial en sus afectos. Incluso el buey y el asno muestran más inteligencia. Imagínese el efecto de estas palabras.

1:6. No hay lugar para corrección.

1:8. Una existencia temporal.

1:16b, 17a. Una verdadera reforma tiene dos partes.

1:18b. Promesa condicional. "... como la nieve *serán* emblanquecidos..." (Compárese 1:16, 19). La salvación siempre está condicionada a la aceptación, por parte del hombre, del camino de Dios. Quizá, "¿Pueden ser...?"

1:31. El pecado es suicidio. El universo moral de Dios arde contra toda injusticia.

4:1. La guerra destruirá la mayor parte de los hombres.

5:1. Nótese la astucia del profeta ganando la atención de la gente por medio de un canto de amor, y luego deslizándose en un fogoso mensaje dirigido a un pueblo pecador.

5:7. En hebreo hay un juego de palabras, "buscaba *mishpat,* pero he aquí, *mispach;* buscaba *zedakah,* pero, he aquí, *zeakah*".

5:8. Isaías se opone al monopolio de la tierra.

5:10 Un homer igual a diez ephas. El monopolio con el tiempo conduce a la ruina.

5:11. Compárese Hechos 2:15.

5:18. Enjaezados al pecado.

5:20. Distinciones morales totalmente ausentes.

5:25. Su brazo extendido para castigar.

6:2. Probablemente simbolizando reverencia, pureza y servicio.

6:5. Existía la creencia de que la visión de Dios significaba la muerte para el pecador. (Compárese Jueces 13: 22; Exodo 22:20.)

6:8. Isaías, un voluntario pero no presuntuoso.

6:10. No que el profeta tenga que hacer esto adrede. Sus respectivos corazones duros llegarían a esa condición al recibir su palabra.

6:11-13. Un desalentador ministerio para un joven. A pesar de todo, el nuevo Israel brotaría de ese tocón.

7:3. En Jerusalem no había fuentes naturales de agua; solamente había la que podía ser guardada. Achaz estaba inspeccionando los abastecimientos de agua para preparar el sitio.

7:4. Una gran cantidad de humo pero no procedente del fuego sino del tizón. El tizón humea más cuando se está apagando. "...del hijo de Remalías" lo repite Isaías como sinónimo de "el hijo de nadie".

7:8, 9. Los gobiernos siempre dependen de sus dirigentes. No hay hombre en la tierra a quien Dios no pueda gobernar.

7:14-16. Hay varias opiniones acerca del significado de este pasaje: (1) Isaías espera que el Mesías venga en conjunción con la guerra siria. (Compárese 8:8, 10; 7:16.) (2) Había de nacer un niño en los días de Isaías quien había de ser un símbolo del mayor Emmanuel. Tal persona no ha sido localizada. (3) La cita se refiere únicamente al nacimiento de Jesucristo. Los dos reyes fueron derrotados antes de su mayoría de edad. El espacio de tiempo entre esa destrucción y su venida no es sino otra indicación de la ausencia del tiempo en el plan de Dios. De una cosa podemos estar seguros: La profecía nunca tuvo *cumplimiento* hasta que Jesús nació de la virgen María.

8:16. La verdadera religión nunca es popular. El núcleo piadoso. El principio de la idea de una iglesia dentro de Israel.

8:19, 20. No es necesario consultar espiritistas y adivinadores cuando la Palabra de Dios tiene la respuesta.

9:6. Omítase la coma después de "Admirable".

10:5-7a. Dios puede usar a los hombres para sus propósitos, aunque las intenciones de éstos sean totalmente opuestas.

10:19. "...que un niño los pueda *contar*".

10:27. El animal de carga llega a ser tan robusto que el yugo se rompe por ser demasiado pequeño.

10:28-32. No hay ninguna referencia de tal campaña. ¿Fracasó la profecía? Esto puede ser simplemente una descripción poética de algo que nunca hubo de cumplirse literalmente, aunque en esencia se cumplió. Sin embargo, tal vez se cumplió literalmente en una de las muchas campañas asirias.

Los capítulos 13 y 14 subrayan ciertas notas a menudo oídas en los capítulos 40-66, particularmente la caída de Babilonia y el consecuente retorno. Por esta razón muchos los atribuyen a un profeta del período del destierro. Estos capítulos muestran cómo la profecía tomó frecuentemente la forma de poesía.

14:12-20. No una referencia a Satanás, sino a la destrucción del rey de Babilonia. (Compárese 14:16, "¿Es este aquel *varón*...?")

16:11. No hay deleite en predicar la destrucción.

18:1. Describe, bien sea las numerosas moscas o las velas. Etiopía se enseñoreaba de Egipto durante este período.

19:23-25. Una indicación de la relación de Dios con las naciones del mundo, notable por su alcance. Este profeta no está limitado por el exclusivismo de Jonás.

20:2. El profeta se quitó sus vestidos exteriores para asumir el aspecto de un deportado.

21:3. La caída de Babilonia es dolorosa para el profeta. Propio de un profeta de Judea en los días de Ezechías, puesto que Judea y Babilonia eran aliados. (Compárese Isaías 39.)

21:11 sig. Edom pregunta angustiosamente al profético vigilante si la noche casi ha pasado ya, y recibe la desconsoladora respuesta de que la noche ya casi ha pasado pero que va a seguir otro período de tinieblas.

22:1-14. Nombre simbólico de Jerusalem. Gráfica descripción de la sorpresa, cobardía y preparación apurada para el sitio de la ciudad sumida en el jolgorio.

23:15. Los setenta años pueden ser un número simbólico. Tiro no fue destruida sino hasta las Cruzadas, cuando fue arrasada por los sarracenos. Actualmente es un pequeño pueblo dedicado a la pesca.

23:16. La trata de ramera porque no le importa con quién trata, siempre y cuando sea para su beneficio y provecho.

Capítulos 24-27. Estos pasajes son totalmente distintos al rollo de Isaías. Es imposible determinar su fecha, pero de un valor universal y eterno. Su carácter escatológico conduce a muchos a asignarles un tiempo y una situación postexílica, pero esta posición es imposible de establecer con certeza. En esta sección hay muchos cuadros magníficos y promesas gloriosas.

Capítulo 24. El pecado del hombre ha infectado toda la tierra, y el castigo debe incluir a todo el mundo y sus habitantes.

25:7, 8. Un pasaje de hermosura incomparable. No hay aquí una promesa de resurrección; solamente la seguridad de que vendrá un tiempo cuando no habrá más muerte.

26:3. "Tú *le* guardarás en perfecta paz, *cuya imaginación* (pensamiento) en *ti* persevera; porque en ti se ha confiado." Si cuando un hombre descansa, su imaginación instintivamente se dirige a Dios, es un creyente bienaventurado. Durante esos momentos los verdaderos deseos del hombre salen a la superficie.

26:9, 10a. La humanidad tiene más tendencia a pensar en Dios en medio de la adversidad que en medio de la prosperidad.

27:5. La manera de hacer las paces con Dios no es huyendo de él, sino acogiéndose a su omnipotencia, como hizo Jacob en Peniel.

28:1. Una referencia a Samaria, una ciudad sobre un monte.

28:4. Una tentación demasiado grande para ser resistida.

28:9, 10. ¿Somos párvulos?

28:11-13. Las personas que no pueden entender al profeta oirán el idioma de los asirios que será todavía más extraño a sus oídos.

28:15, 16. El pueblo se sentía seguro con su pacto con Egipto, pero la única verdadera seguridad se encuentra en una fe depositada en Dios. Esta ha resistido la prueba del tiempo.

28:20. Una humorística ilustración de lo inadecuado que resultan los planes mejor elaborados del hombre.

29:11-13. Dar testimonio de una religión con los labios como una rutina o tradición humana aprendida de memoria, siempre destruye el discernimiento espiritual.

30:15. El tema de Isaías en la crisis asiria. Tranquila neutralidad y confianza.

30:21. Nótese que la voz procede de atrás, no de adelante. Se fundamenta en la experiencia.

30:33. La figura de un fuego sobre el cual el rey de Asiria es consumido. Topheth era un lugar en el valle de los hijos de Hinnom que fue profanado por idólatras sacrificios humanos (Jer. 7:31; 2 Reyes 23:10). Cumplido, no por la muerte de Sennacherib en Judá, sino por la destrucción de su ejército allí y su propia muerte en su hogar veinte años más tarde.

31:2. Dios no puede ser separado de la historia. Los políticos lo hacen para desgracia propia.

31:4. Yahveh es un león y cachorro de león, un cuadro de su poder y de su ternura.

32:2. Sorprendentes metáforas que describen al Mesías como el refugio del hombre.

32:5. La adulación hipócrita cesará.

32:20. "Dichosos vosotros los que sembráis *sobre* todas aguas," mientras el río está en estado de inundación, a fin de no perder una cosecha — una práctica muy corriente en Oriente. "Dichosos vosotros que en tiempo de tristeza os preparáis para días felices".

33:7 sig. Sennacherib recibe en Lachis el tributo estipulado por Ezechías pero entonces pide la rendición incondicional de Jerusalem. Conquista muchas ciudades, interrumpe todo el tránsito, y envía a un ejército contra Jerusalem para reforzar sus demandas (2 Reyes 18:13 a 19:37). Los enviados de Ezechías vuelven llorando.

33:14. Yahveh es un fuego consumidor para los pecadores. No hay una referencia directa al infierno.

33:17. Todo lo que la gente puede ver cuando mira ahora por sobre los muros de Jerusalem son las tiendas de los asirios. Ezechías se ha quitado las vestiduras reales y viste de saco. Pero pronto, sin embargo, la vista panorámica no será impedida por las huestes extranjeras y el rey volverá a verse vestido en la hermosura de sus vestiduras reales.

33:20. La doctrina de Isaías sobre la inviolabilidad de Jerusalem. Parece ser, sin embargo, que esta verdad se refería exclusivamente a la invasión de Sennacherib, no a todos los tiempos. Sennacherib orgullosamente había dudado de la integridad de Yahveh. Por esta razón no podía prevalecer.

Capítulos 34-35. La autenticidad de estos capítulos ha sido puesta en duda. En el capítulo 34 lo amargo de la filípica contra Edom y su carácter apocalíptico parecen indicar una fecha tardía. Capítulo 35 es parecido a 40-66.

35:7. "El lugar seco será *tornado* en estanque". Quiere decir "y aquello que los hombres sueñan será tornado en realidad".

Capítulos 36-39. Probablemente introducidos por un editor posterior para proveer al libro de un fondo y de un ambiente histórico. (Compárese 2 Reyes 18:13 a 20:21.)

Capítulos 40-55. La escena ha cambiado. Nos hallamos ahora en el destierro babilónico, c. 545.

40:2b. El buen Padre cree que el hijo ha sufrido el doble de lo que merecía.

40:34. En Oriente había muy pocas carreteras buenas. Cuando un gran rey viajaba, el camino tenía que ser nivelado. Esta exclamación es una orden para que salgan a preparar el camino a través del desierto desde Babilonia hasta Judea, porque Yahveh va a la cabeza de sus desterrados. Esta profecía vio su cumplimiento espiritual final cuando Juan el Bautista preparó el camino para que Jesús salvase a su pueblo, no de Babilonia, sino del pecado.

40:6-8. Toda vida es transitoria. Solamente Dios permanece. El cumplirá la promesa hecha a su pueblo cautivo.

40:11. El cariñoso cuidado de Yahveh hacia los que vuelven del destierro.

40:22. ¿Se anticipó el profeta a las teorías científicas modernas?

40:31. No es un "anticlímax", pues es más difícil ser constante con los deberes habituales que remontarse en un momento de excitación.

41:2. El que se ha levantado desde Oriente es Ciro, rey de Media y Persia.

41:23. El profeta invita sarcásticamente a los dioses paganos a que hagan algo, ya sea bueno o malo, no importa.

41:25. Ciro. Media estaba en el nordeste.

42:1-4. El primer poema del "siervo". Hay tres poemas más: 49:1-6; 50:4-9; 52:13 a 53:12. El gran problema está en identificar a este siervo. En 41:8 Israel es llamado siervo de Yahveh, por lo que muchos piensan que estos pasajes se refieren a los propósitos de Dios referentes a Israel. Sin embargo, 42:18 sig. parece indicar que Israel ha fracasado como verdadero siervo de Dios. Y ¿cómo podía Israel "levantar las tribus de Jacob" (49:6) cuando él mismo consistía de esas tribus? Según esto, muchos identifican los poemas del siervo como personificación del piadoso núcleo en Israel, el verdadero Israel. Contra esta posición está el hecho de que el profeta mismo se incluye entre los que se benefician por la obra del siervo (53:5, 8b). Sin duda que el inspirado profeta sería clasificado entre el remanente piadoso. Los pasajes parecen hallar su más natural aplicación en el Mesías y su ministerio. La idea contenida en 40-55 es que Israel, como nación, será despreciada por su infidelidad. El Mesías individual, quien es el verdadero Israel, llevará a cabo la salvación de judíos y gentiles.

Quizá haya en estos poemas una progresión. Tal vez
la nación de Israel sea el siervo en el primer pasaje, dejando de serlo en el segundo para ser sustituido por el Mesías
individual, quien tendrá éxito donde Israel fracasa. Sin
embargo en su éxito Israel al fin cumple los propósitos de
Dios. Sea cual fuere la posición correcta en cuanto a la
identificación que el profeta hace del siervo, fue sin duda
Jesús el único que cumplió lo profetizado.

42:22. La suerte de los deportados del año 586 fue
mucho peor que la de las cautividades anteriores.

44:9-20. Una de las condenaciones más cáusticas de
los ídolos en el Antiguo Testamento.

44:28 a 45:6. El propósito de Dios para Ciro. Es por
amor a su pueblo que reedificará el templo. Esta es una
predicción maravillosa ya sea del Isaías del siglo octavo o
de un profeta contemporáneo. Ciro no era un adorador de
Yahveh pero cumplió su voluntad como los asirios lo habían hecho.

45:7. Yahveh no es el creador del mal moral. Nótese
que el "mal" al que se hace referencia es lo opuesto a la
"paz", no a la "justicia". Debería traducirse "calamidad".

46:1. Bel y Nebo eran dioses de Babilonia. La religión de los paganos es una carga, no una ayuda. El cuadro
es el de un pueblo asustado que huye con sus dioses.

46:3, 4. Yahveh, en cambio, lleva a su pueblo; él es
quien rescata.

46:11. Otra vez Ciro.

47:1, 2. La privilegiada princesa se convierte en una
vulgar esclava.

48:16. ¿Es el "Espíritu" el sujeto o el objeto de "envió"? Si leemos "y ahora el Señor Jehová y su Espíritu me
enviaron", tenemos una indicación en cuanto a la personalidad del Espíritu Santo en el Antiguo Testamento. El he-

breo es muy antiguo y por lo tanto es muy difícil llegar a una conclusión definitiva.

49:1-6. El segundo poema del siervo. Después de esto la nación israelita no vuelve a ser mencionada como siervo de Yahveh. Israel se menciona como esposa o hijo, pero nunca como siervo. Los seguidores del verdadero siervo se mencionan más adelante en plural, "siervos". Esto es una indicación más del fracaso del pueblo israelita y del reconocimiento de un individuo de Israel a través del cual el propósito de Dios para el mundo se vería cumplido.

49:3. El Mesías como individuo es el verdadero Israel.

50:4-9. El tercer poema del siervo. El siervo es fiel pero será rechazado.

52:7. Anuncio de la vuelta de la cautividad.

52:11. Una acusación aplicable a los ministros de Dios de nuestros días.

52:13 a 53:12. El cuarto y más grande de los poemas del siervo. Aquí tenemos profetizado el rechazamiento y finalmente el triunfo del Mesías. Su sufrimiento expiatorio traerá la salvación de todos los pueblos.

54:2. El famoso texto misionero de Guillermo Carey.

Capítulo 55. Una preciosa invitación de Dios a participar de la salvación que él provee.

Capítulos 56-66. El llamado "Trito-Isaías". Duhm sostiene que estos pasajes fueron escritos en la época de Esdras y Nehemías. En aquel tiempo, sin embargo, el templo había sido reedificado. Pero 63:18; 64:10-12 indican que Jerusalem y el templo están todavía en ruinas. Una fecha mejor para las profecías, si no fueron escritas por Isaías, es la Palestina del período 537-520 a. de J. C., poco después del retorno de Babilonia y antes de la reedificación del templo (520-516). Los que mantienen este punto de vista dicen que el autor de 40-55 volvió con los deportados en el año 537 y escribió 56-66 en Judea.

58:4. El ayuno producía malhumor y los criados tenían que sufrir las consecuencias.

59:1-8. Un cuadro horrible del pecado humano. Cuando Pablo quiso dirigir una acusación contra judíos y gentiles, citó Isaías 59:7 sig. juntamente con Salmos (Rom. 3:9-18).

60:12. Los pueblos gentiles serán siervos de los judíos. Esta no es la última palabra del profeta, afortunadamente.

61:1-3. Considerado por muchos como el quinto poema del siervo. Jesús en Lucas 4:18 sig., al principio de su ministerio, cita este pasaje y anuncia su cumplimiento en él. Es notable el hecho que dejó de leer cuando llegó a la mitad de 61:2. La cita en Lucas es de la Versión de los Setenta.

62:5. En vez de, "se casarán contigo tus hijos", una figura incongruente, léase "tu edificador se casará contigo".

62:6, 7. Como Jorge W. Truett dijo a menudo: "Suplicad las promesas de Dios".

63:1-9. No una figura del Calvario, sino de la destrucción de los enemigos de Yahveh. La sangre no es la del Mesías, sino la de los pueblos que han sido destruidos.

63:10. Otra indicación de la personalidad del Espíritu. Solamente pueden sentir dolor las personalidades. En ninguna parte excepto aquí y en Salmo 51:11, el Espíritu de Dios es mencionado como "santo" en el Antiguo Testamento. La expresión hebrea es "espíritu de santidad".

65:24. La oración puede recibir respuesta incluso antes de ser formulada.

66:3. Sacrificio sin espíritu adecuado es despiadada crueldad y descarada blasfemia.

66:13. Aquí hay una figura extraña; Yahveh se compara a una madre.

66:18-21. Este pasaje es muy ambiguo. Sin embargo, presenta algunas de las enseñanzas más avanzadas del Antiguo Testamento referente al lugar de los gentiles en el plan de Dios. La idea parece ser que Dios salvará un remanente de entre los gentiles que traerán, como su ofrenda a Yahveh, a los judíos esparcidos. Estos misioneros gentiles serán recompensados por su tarea, siéndoles dados iguales privilegios que los judíos como sacerdotes y levitas.

66:22. Dios siempre tiene presente su plan para el mundo, al igual que un arquitecto examina sus planos.

66:24. Una indicación del infierno eterno. Este montón de basura para los enemigos de Dios arde pero nunca se consume. La figura aquí, sin embargo, es terrena. El símbolo es tomado del valle de Hinnom donde los cadáveres de los desechados de Jerusalem eran arrojados para que se quemasen y se corrompiesen.

NÁHUM

EL PROFETA. "Nahum" es nombre que no aparece en ninguna otra parte del Antiguo Testamento. Está basado en una palabra cuya raíz significa consolación. Probablemente significa "el confortador, el consolador, el portador de consolación". Nahum es llamado "el elkoshita". Este título sugiere que era un nativo de Elkosh. Elkosh no es mencionado en ningún otro lugar de la Biblia, por lo que hay bastante discrepancia en las opiniones acerca de su situación geográfica. Hay cuatro teorías principales: (1) Algunos lo han identificado como un pueblo moderno, Elkush o Alkosh, un pueblo situado a veinticuatro millas (40 Kms.) al norte de Nínive. (2) Una antigua tradición sitúa a Elkosh en Galilea, identificándolo con el moderno El Kouze. (Compárese Jerónimo.) (3) Algunos han identificado a Elkosh como Capernaum (pueblo de Nahum). Los que aceptan esta teoría creen que el nombre del pueblo fue cambiado de Elkosh a Capernaum en honor del insigne habitante de aquella población. (4) La mayoría de los eruditos modernos opinan que Elkosh estaba en el sur de Judá, no lejos del hogar de Miqueas.

La fecha del ministerio de Nahum debe ser determinada por las evidencias internas. (Compárese 3:8-10) Parece claro que Nahum predicó después del saqueo de Tebas (663 a. de J. C.) y antes de la destrucción de Nínive

(612 a. de J. C.). Es difícil ir más allá de esta observación de carácter general. Algunos eruditos afirman que la actividad de Nahum se desarrolló entre los años 630-612 a. de J. C., otros que alrededor del año 650. Con la reducida información que de ambos períodos poseemos, la profecía de Nahum concuerda con ambas posiciones por igual. La fecha más temprana parece ser la preferida, porque explica la todavía fresca impresión dejada por el saqueo de Tebas que presenta el libro.

EL LIBRO. Hasta la última parte del siglo diecinueve esta profecía fue considerada una unidad. Durante los últimos años ha sido costumbre entre los eruditos afirmar que antepuesto a las profecías genuinas de Nahum (2:3 a 3:19) hay un salmo alfabético de origen tardío) (1:1 a 2:2). Pfeiffer dice: "Un redactor, que vivió sobre el año 300 a. de J. C., escribió el prefacio a la magnífica oda de Nahum ... con un salmo alfabético de su propio tiempo. Apenas recordaba la primera parte de este salmo, sustituyendo el resto con sus propias anotaciones, algunas de las cuales eran referencias bíblicas citadas de memoria".[1] Sin embargo, la reconstrucción de tal salmo es improbable, y es únicamente una cuestión de interés académico.

La mayoría de los eruditos contemporáneos del Antiguo Testamento, consideran a Nahum entre los poetas-profetas más insignes de Israel. De todos los profetas, Nahum es el que más se acerca a la destreza poética de Isaías. G. A. Smith afirma: "Su expresión es fuerte y brillante, su ritmo ruge y rueda, salta y resplandece, como el carro y los caballos que describe."[2]

EL MENSAJE. El tema del libro es la destrucción de

---

[1] R. H. Pfeiffer, *Introduction to the Old Testament* (tercera edición, Nueva York: Harper and Brothers, 1941), p. 594.
[2] G. A. Smith, *op. cit.*, II, 90.

Nínive. Desde que esa ciudad fue convertida por Sennacherib en la capital de Asiria, había sido el símbolo de la
traición y de la opresión de todo el pueblo de Israel. Fue
edificada con el deseo de que perdurara, situada a la orilla
del Tigris, fortificada con murallas y fosos. Las murallas
tenían una circunferencia de siete millas y media (12 Kms.)
y eran lo suficientemente gruesas para permitir que tres
carros pasasen a un tiempo por encima de ellas. Durante el
período de Asurbanipal, el reino empezó a debilitarse y a la
muerte de Asurbanipal, ocurrida en el año 626, el reino
comenzó a desintegrarse rápidamente. Nínive cayó en el
año 612 atacada por babilonios y medos. Jamás se efectuó
destrucción más completa. Alejandro Magno marchó sobre
las ruinas sin enterarse de la presencia de ellas. Dos grandes montículos marcan hoy el lugar donde estuvo situada
esa ciudad, pero no fueron descubiertos sino hasta el año
1842.

Algunos escritores critican duramente el libro de Nahum, llegando a negarle el derecho de formar parte del
canon por lo que ellos consideran ser su carácter vengativo,
estrecho y superficial. En ninguna parte este profeta acusa
de pecado a su pueblo de la manera en que lo hicieron los
demás profetas del Antiguo Testamento. Tal crítica, sin
embargo, se hace sin imaginación ni simpatía. Lo que
Nahum expresa es más que la mera pasión personal; da
testimonio de un gran principio. Ve que el universo está
constituido de tal forma que los reinos edificados sobre la
fuerza y el engaño deben derrumbarse al fin, mientras que
el reino de Dios fundado sobre la verdad y la justicia debe
prevalecer. En la destrucción de Nínive el gobierno moral
del universo fue vindicado.

Bosquejo del Libro

1. La Naturaleza del Dios de Israel Asegura la Destrucción de Nínive. 1:2-15

    (1) La naturaleza personal de Yahveh. 2, 3a
    (2) Su relación con el mundo material. 3b-6
    (3) Su relación con los hombres. 7 sig.
    (4) Consecuente destrucción de los asirios por causa de la opresión de su pueblo. 9-15

2. Viva Descripción del Sitio y Conquista de Nínive. Capítulo 2

3. Causa de la Destrucción de Nínive. Capítulo 3

    (1) Guerra y violencia constante. 1-7
    (2) Nínive no es mejor que Tebas que sufrió cautividad. De la misma manera también sufrirá, porque sus fortalezas son débiles, sus gentes como mujeres, y sus reyes están dormidos. 8-19

SOFONIAS

EL PROFETA. Sofonías significa "Yahveh esconde" o "a quien Yahveh ha escondido". Este nombre parece indicar que el profeta nació durante el reinado de Manasés cuando muchos fieles siervos de Yahveh dieron su vida por la fe. Los padres de Sofonías tal vez le dieron este nombre con la esperanza de que Dios lo protegería y lo usaría. Sofonías tenía probablemente sangre real en sus venas. El primer versículo de su libro indica que era descendiente de Ezechías, rey de Judá (727-698 a. de J. C.). Si la tradición es digna de confianza, Sofonías era un pariente lejano de Josías. Vivió en el Reino del Sur y era probablemente un habitante de Jerusalem. (Compárese 1:4; 1:10, 11.)

Sofonías profetizó durante el reinado de Josías (640-609 a. de J. C.). El problema es: ¿Predicó durante todo este tiempo, o fue limitada su obra a un período más corto? Es imposible responder con absoluta certeza. La evidencia interna parece indicar que la mayor parte de la predicación de Sofonías fue hecha antes del año 621 a. de J. C. (Compárese 1:3-5; 8, 9, 12, donde los males descritos son iguales a los existentes antes de la reforma de Josías.) Si leemos detenidamente la profecía de Sofonías nos daremos cuenta de que ésta fue pronunciada en un tiempo de crisis. Un devastador invasor estaba haciendo estragos, amenazando a Judá y a las naciones vecinas. Una invasión escita en el año 626 a. de J. C. puede haber sido el marco histórico de la obra de Sofonías. Así como Joel vio en la plaga de langostas un precursor del día de Yahveh tal vez Sofonías vio en el avance de los escitas una figura de lo que había de ser el día del juicio divino. Si esto es así, Sofonías pudo haber empezado su tarea al mismo tiempo que Jeremías (626 a. de J. C.). No sabemos cuánto tiempo profetizó.

Sofonías no fue sobresaliente, pero fue celoso, claro y severo. Ha sido llamado el más fiero de los profetas porque fue el pregonero del juicio universal. Por medio del juicio vendría la redención de su propio pueblo primero, y luego de las naciones. Sofonías fue más lejos que Nahum en amplitud de visión y profundidad de penetración.

El Libro. La autenticidad de cada uno de los versículos en los capítulos 2, 3 y de varios versículos en el capítulo 1 han sido puestos en tela de juicio por algunos eruditos. Los pasajes más generalmente rechazados son 2:1-3; 2:8-11; 3:9, 10, 14-20, fundamentándose dicho rechazamiento en el hecho de que Sofonías era exclusivamente un profeta de juicio. Dejando aparte la fecha cuando fueron escritos estos pasajes, nuestro interés ahora se concentra en el libro tal como lo tenemos actualmente del Señor. Su forma actual tiene el mensaje final que Dios quiso dar a su pueblo. El énfasis del libro está en "el día de Yahveh". El antiguo himno, "Dies Irae", fue inspirado por su ambiente de fuego y azufre. Sus enseñanzas sobre el día del juicio son significativas:

1. El día de Yahveh es inminente. 1:14

2. Será un día de terror. 1:15

3. Viene como un castigo por el pecado. 1:17

4. Irá acompañado de convulsiones en la naturaleza. 1:15

5. Caerá sobre toda la creación, hombre y animales, hebreos y extranjeros. 1:2, 3; 2:4-15

6. Solamente un remanente escapará de este juicio. Estos gozarán de las glorias de la era mesiánica. 2:3; 3:9 sig.

Notas Sobre Pasajes Importantes

1:5, 6. Tres clases de pecadores serán destruidos: (1) Aquellos que están divididos en su lealtad a Yahveh; (2) aquellos que una vez sirvieron a Yahveh pero que ahora ya no le sirven; (3) aquellos que nunca buscaron al verdadero Dios.

1:12. El vino, cuando permanecía demasiado tiempo sin agitarse, se convertía en azúcar. Esto era "sentados sobre sus heces". Ese vino era inservible y desabrido.

2:11. Una gloriosa promesa: Todo el mundo adorará al verdadero Dios.

3:9. De la misma manera que el mundo fue dividido a causa de la confusión creada por las lenguas en la torre de Babel, un día todas las gentes hablarán otra vez el mismo idioma y andarán de común acuerdo. El profeta ve claramente que las diferencias de lengua impiden los esfuerzos del hombre a favor de una paz duradera. La unidad de idioma, sin embargo, no puede alcanzarse sino hasta que las naciones busquen servir al único Señor.

3:12, 13. Nótense las características de aquellos que componen el remanente. Es un grupo muy disciplinado, sincero y que pone su única confianza en Yahveh.

Bosquejo del Libro

Título: 1:1. Texto del mensaje divino. 1:2-6. El día venidero de Yahveh significará la destrucción de todas las cosas, de forma especial la idolatría de Judá.

1. Judá Será Severamente Castigado. 1:7-2:3

   (1) Toda clase de pecadores. 1:7-13
   (2) ¡Qué terrible el día de la ira de Yahveh! 1:14-18
   (3) Por lo tanto, los humildes de la tierra deben buscar al Señor para que éste les esconda en aquel día. 2:1-3

2. Los Paganos También Serán Castigados. 2:4-15

   (1) Los filisteos. 4-7
   (2) Moab y Ammón. 8-11
   (3) Etiopía y Asiria. 12-15

3. Aunque Mereciendo la Destrucción Total, un Remanente de Judá y de los Paganos Será Salvado. 3:1-20

   (1) Cuadro de la obstinación de Judá en pecar y de la justicia de Yahveh. 1-7
   (2) A causa de la insistencia de Judá en pecar, los paganos serán purificados por medio del castigo y convertidos finalmente a Yahveh. 8-10
   (3) Sión será también examinado y purificado, y después honrado en toda la tierra. El pueblo, redimido, alaba a Yahveh que habita en medio de ellos. 11-20

HABACUC

EL PROFETA. El nombre se deriva de una palabra cuya raíz significa "acariciar, abrazar", nombre que se le dio, ya sea porque era muy amado por sus padres o porque éstos esperaban que abrazaría a Dios y a su prójimo con simpatía. No sabemos nada acerca de su vida personal. El libro apócrifo *"Bel y el Dragón"* (v. 33-39), dice que este profeta llevó comida a Daniel cuando éste estaba en el foso de los leones. Según otro libro, *"Vidas de los Profetas"*, Habacuc era un miembro de la tribu de Simeón que huyó cuando Nabucodonosor avanzaba sobre Jerusalem para tomarla (587) pero que volvió después de la caída, muriendo dos años antes del retorno del cautiverio. Eusebio afirma en su *Onomasticon* que en sus días se afirmaba que la tumba del profeta estaba en Gabaa y en Ceila.

El período de esta profecía puede ser determinado con bastante exactitud. Asiria ha desaparecido ya como potencia y Caldea está asumiendo poderío. La fecha, por lo tanto, debe ser después del año 612 a. de J. C. Judá no ha sido todavía invadida, debiendo por lo tanto ser antes de la primera invasión del año 605 a. de J. C. Los males sociales y morales que el profeta detalla son los mismos que existían durante el reinado de Joacim. Después de la muerte de Josías, el pueblo reincidió en los pecados que había cometido antes de la reforma.

Con Habacuc aparece una nueva nota en la profecía. Sus palabras son en muchos aspectos diferentes a las de sus predecesores. Los demás profetas se habían dirigido a Israel en nombre de Dios, pero Habacuc se dirige a Dios en nombre de Israel. El problema de los primeros era el pecado del pueblo; el problema de Habacuc era la inacción de Dios. En Habacuc encontramos el principio de la especulación religiosa en Israel. Su problema es la prosperidad de los perversos caldeos mientras que los justos sufren opresión. Los hechos de la vida no están de acuerdo con la tradicional enseñanza acerca de Dios, y el profeta empieza a preguntar. Sin embargo, sus preguntas son dirigidas a Dios, no contra Dios. Espera pacientemente la respuesta de Dios y ésta llega. El mal, por naturaleza propia, se destruye a sí mismo pero el justo *vive* en su fidelidad. Aunque el mal parece prosperar por un tiempo, sólo los justos poseen vida permanente.

Notas Sobre Pasajes Importantes

1:2-4. ¿Quiénes son estos impíos que se mencionan aquí? Algunos dicen Egipto o Asiria. Probablemente es el elemento perverso en Judá. (Compárese "la ley es debilitada", 1:4, esta afirmación difícilmente se haría referente a los extranjeros.)

2:1. Habacuc tiene la respuesta preparada antes de que Dios le responda. Cree que su problema no tiene solución.

2:3. La respuesta de Dios al hombre puede tardar, pero es seguro que vendrá.

2:4. El versículo clave del libro. El malo es engreído, corrompido, de ahí que sea transitorio, permaneciendo sólo por un momento. La existencia del justo es duradera al permanecer fiel a Dios. El Antiguo Testamento no tiene una palabra para fe; los hebreos no pensaban en ideologías abstractas como los griegos. Era un pueblo práctico que manejaba términos concretos. La fe para ellos consistía en la manifestación de la justicia. Sin embargo, esta manifestación era a su vez el resultado de una confianza en Dios. Fue tarea de Pablo tomar el término concreto del Antiguo Testamento, interpretarlo, ampliarlo, y demostrar su realización en el mensaje del evangelio. En esencia pues, esta inmortal afirmación enseña que el malo existe pero que el justo viva.[1]

2:14. La seguridad del extendimiento del reino.

2:20. Tal vez una amonestación al mismo Habacuc, quien en 2:1 intentaba responder cuando Dios le contestó.

Capítulo 3. Este mismo salmo no se le atribuye a Habacuc, principalmente por el hecho de que parece haber sido usado en el culto del templo. (Compárese 3:1a, 19b) Esta adaptación pudo haber sido hecha más tarde; sin embargo, Habacuc tenía miedo de que el castigo de Caldea tardase en llegar. El quería que llegase inmediatamente "en medio de los tiempos".

3:3a. No es una indicación del origen de Dios, sino de su venida de Sinaí para ayudar a su pueblo.

3:16 sig. Habacuc sabe ahora que la ayuda no vendrá inmediatamente sino que tardará mucho en llegar. Hasta aquel día, dice en hermosa poesía, *él* vivirá en *su* fidelidad.

BOSQUEJO DEL LIBRO

Título. 1:1

---

[1] Compárese W. J. Farley, *The Progress of Old Testament Prophecy* (Nueva York: Fleming H. Revell Company, 1925), pp. 136-140.

1. **Inminente Castigo de Judá. Capítulo 1**

    (1) El profeta clama a Yahveh pidiendo liberación de la violencia, de la iniquidad y del desorden social. La ley es debilitada y el juicio adulterado por el impío. 2-4

    (2) En contestación, Yahveh señala el inminente castigo de los caldeos, quienes son crueles, ambiciosos, orgullosos y prósperos. 5-11

    (3) El llanto del profeta a Dios. ¿Cómo puede un Dios santo usar un instrumento cruel como Caldea? 12-17

2. **Inminente Castigo de los Caldeos. Capítulo 2**

    (1) El profeta se prepara para ver lo que Yahveh le responderá. 1

    (2) Yahveh le instruye para que escriba la visión con el fin de que sea clara y permanente. 2 sig.

    (3) El oráculo de consolación. 4 sig.

    a. " . . . el justo en su fe vivirá"

    b. El injusto será cercado de lamentos

    (4) Visión de la destrucción final de los caldeos en cinco lamentos. 6-20

    a. Lamento por el orgullo y la ambición. 6-8

    b. Lamento por el orgullo y la codicia. 9-11

    c. Lamento por la crueldad. 12-14

    d. Lamento por la embriaguez. Yahveh ahora pondrá la copa en sus labios. 15-17

    e. Lamento por la idolatría. 18-20

3. **La Oración del Profeta (Visión). Capítulo 3**

    Título 1.

    (1) Oración a Yahveh: " . . . aviva tu obra" 2

(2) Repaso de la actividad de Dios en la historia de Israel, en un inspirado párrafo poético. 3-15
En el Sinaí (3 sig.), las plagas en el desierto (5), miedo de las naciones ante la venida de Israel (6 sig.), travesía del mar Rojo y del Jordán (8-10), Josué en Beth-oron (11), conquista de la tierra (12-15), todo para la salvación del pueblo de Yahveh.

(3) Al recordar tan maravillosas liberaciones pasadas, el profeta, en medio de las circunstancias más difíciles, se gozará en Yahveh su Dios. 16-19

JEREMIAS

EL PROFETA. Jeremías es el más conocido de todos los profetas del Antiguo Testamento. El mundo tiene mucho que agradecer por el carácter sincero del profeta y la fidelidad del escriba Baruch. El nombre de este profeta significa "Yahveh lanza", evidentemente expresando la esperanza que abrigaban sus padres de que el Señor le usaría para aliviar las condiciones que prevalecían durante el reinado del impío Manasés, que reinaba cuando Jeremías nació. El profeta gozó de los beneficios culturales propios de una familia sacerdotal, y de nacer y crecer en un hogar donde existía el temor de Dios. Anathoth. a pocos kilómetros de Jerusalem, era una tranquila y retirada comunidad.

Jeremías, durante su juventud, fue un cuidadoso estudiante de Oseas, puesto que sus primeras profecías reflejan una influencia directa de este profeta. Sin embargo, nunca fue esclavo del estilo literario de otro hombre. Sobre todas sus profecías ha quedado bien marcado el sello de su propia personalidad. En los últimos años la influencia de Oseas es menos marcada. Las condiciones mundiales fueron el factor más importante en el llamamiento de Jeremías. Todo el universo parecía estar en un estado de agitación. En el año 626 a. de J. C. murió Asurbanipal. Nínive estaba sometida al dominio de Babilonia y Media.

Los escitas, una horda salvaje procedente de las montañas del norte, hacían estragos. Josías, un rey joven y entusiasta adorador de Yahveh, había sucedido a Manasés y a Amón, pero el corazón de su pueblo había cambiado muy poco.

Más tarde Josías había de ser el organizador de la más completa reforma que jamás se conoció en Judá. En el año 621, cinco años después de haber recibido Jeremías su comisión mundial, el libro de Deuteronomio, por mucho tiempo perdido en el profanado templo, fue descubierto por unos trabajadores que estaban reparando los daños hechos durante el reinado de Manasés. La mayor parte de los eruditos modernos mantienen que el libro fue escrito unos pocos años antes y que no procedía de la mano de Moisés; sino que fue un "fraude piadoso", una obra compuesta por el partido profético y escondida en el templo a fin de que fuese considerada como de antigua autoridad. El propósito de esto fue la centralización del culto. Creyeron que la mayor parte de los males de su época tenían su raíz en la diversidad de creencias del pueblo. Yahveh era adorado en toda colina alta y de las más diversas maneras. Si se lograba centralizar la religión en el templo de Jerusalem, podría hacerse uniforme y ayudaría a unir la nación. Sin embargo, las evidencias que actualmente poseemos parecen indicar que el libro de Deuteronomio es más antiguo que el reinado de Manasés y era ya considerado una autoridad divina antes de ser descubierto en el año 621 a. de J. C. Pero el alcance de esta obra no nos permite entrar en una extensa discusión de esta complicada evidencia.

Al principio Jeremías parecía apoyar la reforma, tal vez él mismo la predicó. (Compárese el capítulo 11.) Pero cuando empezó a ver que muchos confiaban más en su propósito externo que en el interno, dirigió sus palabras contra los adoradores que acudían a los servicios religiosos (capítulo 7, tal vez durante el reinado de Josías, o los primeros días de Joacim). Aparentemente las relaciones entre Jeremías y Josías eran inmejorables. Nadie como él se entristeció con la inesperada muerte del rey. Sin embargo, Joacim era el peor enemigo de Jeremías. Las experiencias de Jeremías durante el reinado de Sedecías fueron más desagradables; pero secretamente, Sedecías respetó a Jeremías y buscó su consejo. Probablemente los días más tranquilos de la vida de Jeremías fueron los que pasó en compañía de Gedalías, hijo de Ahicam, cuya familia había favorecido siempre a Jeremías (capítulo 26). El profeta murió de la misma manera que había vivido, desalentado por el poco caso que el pueblo hizo de su predicación.

El carácter de Jeremías es uno de los más complejos porque era un hombre de sentimientos en conflicto. Su experiencia como profeta, sin embargo, es más fácil de comprender si comparamos su llamamiento al de Isaías. En Isaías, capítulo 6, encontramos a un profeta que voluntariamente se ofrece para el servicio. En Jeremías, capítulo 1, nuestro profeta trata de evadir la situación pero deja que Dios tenga la última palabra. No hay una palabra de áprobación personal por parte de Jeremías. Era una tarea para la cual no sentía inclinación, pero no sabía cómo eludirla. Más tarde expresó su experiencia con el grito de angustia: "Alucinásteme, oh Jehová, y hállome frustrado: más fuerte fuiste que yo, y vencísteme" (20:7). Con conflictos como éste en su corazón y un desalentador ministerio, Jeremías presenta un cuadro patético. Pero a pesar de todo había en su interior un fuego inextinguible digno de imitar por el mejor de los hombres. No podía traicionar al Dios que reinaba en su corazón. "Y dije: No me acordaré más de él, ni hablaré más en su nombre: empero fue

en mi corazón como un fuego ardiente metido en mis huesos, trabajé por sufrirlo y no pude" (20:9).

Muchos elementos contribuyeron a los conflictos inter-
nos del profeta. Evidentemente era un hombre de vasta
cultura y nobleza. Cuando su situación fue comprometida
a causa de su predicación (capítulo 26) fueron los nobles
quienes lo salvaron. Poseía propiedades y compró terrenos
durante el sitio de Jerusalem. Su posición cultural creó en
él una naturaleza muy sensible, acrecentada aún más por
su educación. Estaba muy familiarizado con la historia de
su pueblo y la complicada situación mundial. De carácter
tímido y apacible, naturalmente sentía temor ante un ministerio en el que tendría que despuntar y ser objeto de
dura crítica. Aborrecía tener que condenar los pecados de
su pueblo que merecian censura. Su deseo hubiese sido
predicar paz y amor.

La delicada naturaleza de Jeremías buscaba compañerismo y simpatía, y a pesar de esto no le fue permitido
casarse y tuvo que vivir en la soledad que solamente las
grandes personalidades conocen. Ni aun el fiel Baruch
pudo satisfacer ese deseo de amistad y simpatía. Pero
todo este sufrimiento sirvió para acercarlo más a Dios. En
él encontró compañerismo y consuelo. El hacer la voluntad de Yahveh se convirtió en la pasión de su vida y el
conflicto interno fue al fin disuelto.

No es de extrañar, como Gordon[1] tan admirablemente
lo ha demostrado, que los hombres pensasen que Jesús era
Jeremías resucitado de los muertos. Ambos tienen muchas
cosas en común: (1) La situación histórica era muy semejante. Jerusalem estaba a punto de ser destruida; la religión era puro formalismo; la presión ejercida sobre Pales-

---

[1] Compárese T. C. Gordon, *The Rebel Prophet* (Londres: James
Clarke and Company, 1931), pp. 227-256.

tina desde fuera requería un mensaje universal. (2) Ambos crecieron en un pueblo de Palestina y su pensamiento giraba, por lo tanto, en torno a escenas campestres. (3) Jesús y Jeremías procedían de familias distinguidas y de hogares piadosos. (4) Ya en su juventud los dos sintieron que eran llamados a un servicio divino. (5) Ninguno de los dos contrajo matrimonio. (6) El momento supremo y crítico de cada uno de sus ministerios fue la condenación de aquellos que adoraban en el templo. (7) Ambos conocieron la oposición de los suyos. (8) Ninguno de los dos parece haber escrito jamás. (9) Había una ternura casi maternal en ambos caracteres. (10) Tanto el uno como el otro conoció la soledad. Los dos tuvieron una comunión íntima y compensadora con Dios.

Pero hay entre ellos notables diferencias. Jesús mantuvo hasta el fin un carácter dulce y amoroso. Jeremías deja un sabor de amargura y venganza. Jesús nunca dudó de la bondad de Dios; Jeremías se quejaba continuamente. Jesús no conoció pecado; Jeremías tenía todas las flaquezas humanas.

El Libro. El arreglo del libro es el más desordenado del Antiguo Testamento. Hay un arreglo inteligible de las primeras profecías de Jeremías (1-25), material biográfico (capítulos 26-45), oráculos contra naciones extranjeras (46-51) y un apéndice histórico (52). Aparte de este bosquejo general, es casi imposible arreglar el material cronológicamente. Cada uno de los eruditos emerge del intento con un bosquejo distinto. Sin embargo, parece lógico que anticipásemos hallar en este libro el mejor arreglo cronológico del Antiguo Testamento, ya que Baruch obedecía al pie de la letra las palabras y órdenes de Jeremías.

Es difícil conocer la razón de este desorden. Se descubre una clave al examinar la Versión de los Setenta, puesto que las diferencias entre los textos hebreo y griego son mayores que en ninguna otra parte del Antiguo Testamento. A decir verdad, una octava parte del texto masorético no se halla en la Versión de los Setenta. Algunas de estas variaciones tienen su explicación de varias maneras: (1) La Versión de los Setenta no pretende hacer una traducción literal del texto hebreo. (2) Los manuscritos eran a veces ilegibles. (3) Los copistas cometían inconscientemente muchos errores. (4) A veces se hacían cambios intencionalmente. Cuando se tiene en cuenta todo esto, hay muchas diferencias inexplicables. Las profecías contra naciones extranjeras (46-51), por ejemplo, se hallan en la Versión de los Setenta después del versículo 13 del capítulo 25. Aparentemente ambos textos tienen su origen en un manuscrito más antiguo y no la Versión de los Setenta del texto hebraico. Copiándose los manuscritos a través de los años, por lo tanto, puede haber resultado en algunos desarreglos.

Seguramente el libro conoció varias ediciones durante la vida de Jeremías. El capítulo 36 dice que Baruch escribió sus profecías por primera vez en el año 604 a. de J. C. Estas fueron quemadas por Joacim y dictadas nuevamente con adiciones. Estas profecías son seguramente las que se hallan en los capítulos 1-25. Además, Baruch probablemente hizo una nueva compilación durante los últimos días de la vida de Jeremías. Después de la muerte de Jeremías, el libro tomó su forma definitiva como los demás libros del Antiguo Testamento. Justamente cuándo esto ocurrió no se puede determinar. Solamente por la dirección y providencia de nuestro Señor, los libros del Antiguo Testamento fueron tan maravillosamente preservados a lo largo de los siglos, resistiendo la prueba de editores y copistas.

En las profecías de Jeremías encontramos tanto prosa como poesía, siendo sus oráculos poéticos los más célebres. La composición poética preferida de Jeremías era el *qinah* (canto fúnebre) de ritmo 3:2. Bernardo Duhm ha tratado de limitar los oráculos genuinos de Jeremías a los escritos en este metro, pero no se puede negar la posibilidad de que usase diferentes medios para distintas circunstancias. Un profeta no siempre está en una actitud poética.

Como poeta no se le puede comparar a Nahum o a Isaías, pero era eximio en el uso de la metáfora y del símil. A medida que uno va leyendo, se da cuenta de que cada versículo es fruto del corazón agonizante de Jeremías. El profeta solamente podía expresar sus más profundos sentimientos por medio de poesía lírica. Ningún otro medio hubiera sido satisfactorio.

Vida de Jeremias

1. Desde Su Nacimiento Hasta la Conquista de Palestina por Nabucodonosor en el año 605 a. de J. C. (cuarto año de Joacim)

   (1) Durante el reinado de Josías.

       a. Nacido de familia sacerdotal en Anathoth, a unas tres millas (5 Kms.) al nordeste de Jerusalem.

       b. Empezó a profetizar siendo todavía joven, en el decimotercer año de Josías, 626 a. de J. C. Imaginémonos su timidez y cómo Dios le fortaleció para que hablase la verdad. La mayor parte del contenido de Jeremías 1-6 pertenece a este período (Jer. 3:6). El celo de Jeremías como profeta se ve en 6:10 sig.

c. Fue testigo de la gran reforma en el año decimoctavo de Josías. Jeremías estaba familiarizado con la Ley, especialmente con el libro de Deuteronomio.

d. Estuvo presente en el funeral del buen rey Josías y lloró su muerte (2 Crón. 35:25).

(2) Durante los primeros años del reinado de Joacim.

a. A punto de perder su vida, al principio del reinado de Joacim, por causa de su predicación fiel. Léase capítulo 26. Mucho del material que se halla en los capítulos 7-20 pertenece al principio del reinado de Joacim. Véase especialmente 7:1-20; 9:1 sig.

b. Jeremías amenazado por los hombres de Anathoth (algunos opinan que fue durante el reinado de Josías, después del año 621 a. de J. C.). 11:18-23. Su propia familia estaba en contra de él. 12:5 sig. Maldito por todos. 15:10

c. Se le prohibe que se case. 16:2

d. Pashur lo pone en los cepos. 20:1 sig. Jeremías exhala un grito de indignación y descontento. 20:14-18

2. Desde la Llegada de Nabucodonosor en el Año 605 a. de J. C. Hasta el Principio del Sitio de Jerusalem en el 588 a. de J. C.

(1) Durante el resto del reinado de Joacim.

a. Gran victoria de los babilonios en Carchemis en el año 605 a. de J. C. Véase Jer. 46:1-12. Jeremías predica sumisión a Babilonia. Capítulo 25

b. Tratan de capturar y matar a Jeremías en el quinto año de Joacim (604 a. de J. C.) Joacim quema el rollo de sus profecías; pero se le manda a Jeremías que lo vuelva a escribir y éste añade muchas palabras. Jer. 36:9-32

(2) Durante el Reinado de Sedechías.

 a. Jeremías predica sumisión al rey de Babilonia durante el reinado de Sedechías. Anuncia a reyes paganos de países vecinos y a Sedechías que Nabucodonosor reinará sobre las naciones. Capítulo 27

 b. Contienda con Hananías. Capítulo 28

 c. Contienda por carta con falsos profetas en Babilonia. Capítulo 29

 d. A medida que se van acercando los babilonios para atacar a Judá, Jeremías aconseja a Sedechías que se rinda a Nabucodonosor. Capítulo 21

3. Experiencias Durante el Sitio de Jerusalem, 588-6 a. de J. C.

(1) Durante la primera parte del sitio, Jeremías anuncia a Sedechías la caída cierta de Jerusalem. 34:1-7

(2) Cuando los caldeos se retiran del sitio de Jerusalem para ir al encuentro del ejército de Faraón-hophra, Jeremías predice que volverán para tomar la ciudad. Cuando trataba de marcharse a Anathoth, el profeta es detenido en la puerta de la ciudad y puesto en una mazmorra en la casa de Jonathán, el escriba. 37:3-15

(3) Por petición de Jeremías, Sedechías hace llevar al profeta al patio de la cárcel. 37:16-21. (Este patio estaba en la casa del rey. Jer. 32:2.)

(4) Confía volver del destierro por la compra de un campo en Anathoth. 32:6 sig.

(5) Jeremías es acusado de traición y echado en un foso para que se muera, pero es rescatado por un etíope y vuelto al patio de la cárcel. 38:1-13

(6) Entrevista privada con Sedechías en el templo. 38:14-28

4. Experiencias de Jeremías en el Período que Sigue a la Toma de Jerusalem.

(1) En cadenas hasta Ramá. Jer. 40:1 (Para conocer la actitud de Nabucodonosor hacia Jeremías, véase Jer. 39:11-14.)

(2) Puesto en libertad por el general de Nabucodonosor. Se le recomienda que permanezca en Judá. 40:2-5

(3) Habita con el nuevo gobernador, Gedalías. 40:6

(4) Después del asesinato de Gedalías, va con Johanán a Bethlehem. 41:16-18

(5) Llevado a Egipto a la fuerza. 42:1 a 43:7

(6) Predice sufrimiento para los judíos en Egipto y la venida de Nabucodonosor. 43:8-13

(7) En último pero inútil esfuerzo del anciano profeta por disuadir a los judíos de la idolatría. Capítulo 44

Notas Sobre Pasajes Importantes

1:5. Jeremías un hombre de destino. Tendrá una visión universal.

1:6. Una reticencia sincera. Dios no reprende a Jeremías como lo hizo a Moisés. El profeta no dice "no quiero", sino, "no puedo". Un profundo sentimiento de insuficiencia. En vez de "niño" es mejor traducir "joven" porque el término es usado en el Antiguo Testamento para designar a las personas comprendidas entre la infancia y los cuarenta y cinco años. Jeremías contaba probablemente unos veinte años de edad.

1:7, 8. Se le dice a Jeremías que su éxito no depende de él, sino del Dios que constantemente estará a su lado. Dios nunca envía a un hombre a menos que él mismo le acompañe.

1:10. La tarea de todo verdadero profeta de Dios: destruir para edificar algo mejor, desarraigar para plantar una simiente mejor.

1:11. En hebreo es un juego de palabras. Al almendro, por ser el árbol que primero florece en la primavera, se le daba el nombre de "despertar" (en hebreo *shaked*). Cuando Jeremías se preguntaba cuándo intervendría Dios en el mundo, vio el árbol "despertar" y la palabra del Señor fue a él, "Yo también estoy despierto (*shoked*), esperando que llegue el tiempo."

2:10. Las islas de Chittim eran las que limitaban el mundo de Jeremías por la parte occidental. Cedar, territorio árabe, era el límite por la parte oriental. "Id hasta los límites del oriente y del occidente . . ."

2:11. Los paganos, cuyos dioses no tienen existencia actual, se portan mejor que Israel. Permanecen fieles a sus ídolos mientras que Israel olvida el único Dios vivo del universo.

2:13. La figura es la de un valle donde nace una preciosa vertiente. Pero para proveerse de agua los habitantes están febrilmente cavando cisternas, pero cisternas que ni pueden contener agua.

2:23c-25. El *Comentario Bíblico de Abingdon* traduce: "Tú, dromedaria en celo, que cambias de machos. Tú, asna montés del desierto, que en tu apetito, con tus narices tomas el viento, que ningún macho que lo desea ha menester fatigarse buscando, pues en tu época cualquiera te encuentra: No te lastimes los pies corriendo, ni sedienta dejes secar tu garganta."

2:36a. También es una descripción exacta de la sociedad moderna.

3:16. Jeremías ve que llegará un tiempo cuando ya no se necesitará el arca del pacto. Es un destacado profeta de la religión espiritual, libre de toda manifestación externa. Cuando vio que el templo tenía que desaparecer (capítulo 7) y la nación ser destruida, comprendió esta verdad: la verdadera religión debe emanciparse de todo formalismo externo. Los actos externos de la religión ayudan a exteriorizar sentimientos y recordar verdades, pero no son una parte imprescindible de la fe. A medida que los formalismos externos de una religión se desmoronan, una religión vital creará nuevos para su expresión, y la eliminación de las expresiones externas nunca destruirá la experiencia interna que caracteriza la verdadera fe a pesar de los gritos de alarma del institucionalismo.

4:5 sig. Este pasaje y otros en este capítulo, hasta el fin del capítulo 6, han sido motivo de mucha preocupación para los eruditos. Jeremías habla de una invasión procedente del norte y dirigida por una nación guerrera. ¿Qué invasión es esta? Se sugieren varias: (1) Los escitas, un pueblo primitivo y muy guerrero de más allá del Asia Menor. Sin embargo, éstos no usaban las tácticas militares descritas en estos pasajes. (2) Los babilonios. Pero Babilonia no era todavía una gran potencia. (3) Primero Jeremías habló de los escitas. Cuando pasaron por Judá y fueron sobornados por los egipcios, Jeremías revisó su profecía y la aplicó a los babilonios. Pero un hecho semejante es indigno del gran profeta. (4) Jeremías no pensaba concretamente en una determinada nación. Solamente sabía que alguien vendría del norte. Los pecados del pueblo lo requerían.

La cuarta solución puede ser la correcta. Sin embargo, no es del todo imposible que Jeremías, hacia el año 626, viese que Babilonia iba en camino de ser una gran potencia. Asiria ya se estaba desmoronando. Fue precisamente Babilonia la que cumplió las profecías.

6:16. Jeremías suplica al pueblo que se detenga por unos momentos y considere el camino que está siguiendo. Le recomienda al pueblo que siga por la senda antigua, no porque es antigua, sino porque ha sido probada y demostrada ser buena. Pero los oyentes de Jeremías prefieren la novedad a la realidad.

Capítulo 7. El gran sermón de Jeremías en el templo. Compárese capítulo 26.

7:11. Compárese Mateo 21:13. Los ladrones se retiran a sus cuevas para esconderse, como los israelitas vienen al templo para huir de las consecuencias de sus pecados, para poder pecar aun más.

7:12. Silo, el primer santuario permanente (1 Sam. 1), fue destruido. ¿Por qué no fue destruido éste?

7:21-26. La mayoría de los eruditos afirman que Jeremías niega el origen mosaico del sistema de sacrificios. Dios no dio instrucciones para los sacrificios durante el período del éxodo. No se les puede dar demasiada importancia a las afirmaciones del Pentateuco en este sentido. Algunos eruditos más conservadores interpretan el pasaje de varias maneras: (1) El profeta habló en forma relativa, haciendo un contraste exagerado. Lo que quiere decir es que Dios no ordenó los sacrificios tanto como la obediencia. Comparándolo con ésta, el sacrificio no es nada. (2) Dios pide al pueblo que se goce en las fiestas de los sacrificios, porque no dio mandamiento a Moisés *por el mero hecho de sacrificar* (para que él tuviese qué comer) sino para ayuda en obediencia. La preposición en el texto hebreo permite esta traducción. (3) Cuando Dios hubo sacado a su pueblo de Egipto, lo primero que ordenó no fue sacrificio. El primer día hizo el pàcto espiritual fundado en obediencia en Exodo, capítulo 19; más tarde dio el sistema de sacrificios. Si el pueblo descuida el fundamento espiritual del sistema levítico, toda la actitud externa es vana.

8:6. Dios está dispuesto a perdonar, pero no hay quien esté dispuesto a examinar su corazón para ver el pecado.

8:8. Algunos creen que en este pasaje Jeremías revela que es conocedor del hecho que Deuteronomio es un "fraude piadoso". Sin embargo hace referencia a las erróneas interpretaciones de la Ley por parte de los escribas.

8:22. Las hierbas medicinales venían de las montañas de Galaad y, consecuentemente, de ahí también los mejores médicos (46:11). Las medicinas y los médicos están a punto, ¿por qué no se efectúa la cura? Sencillamente porque el paciente no hace uso de esta oportunidad. Israel se está arruinando rápidamente porque no quiere ir a quien puede salvarle.

9:2. Jeremías no desea huir de la gente sino de la responsabilidad. La gente que llega al mesón, sólo pasa allí la noche, pronto se marcha y rápidamente es olvidada. Pero ahora es continuamente atormentado por los pecados de sus oyentes. Un deseo vano pero humano. Jeremías se quedó con su pueblo.

9:23, 24. Una verdadera razón para gloriarse.

10:23, 24. La incapacidad humana para dirigir su propia vida. La única esperanza que le queda a Israel es la gracia de Dios para perdonar y guiar.

12:1. sig. Uno de esos pasajes tan interesantes que

revela gran parte de la vida y el pensamiento de Jeremías. Otros pasajes que dejan traslucir su experiencia son: 1:4 sig.; 4:10, 19; 6:11; 9:2, 3; 11:18-23; 12:1-6; 15:10-21; 16:1-3; 17:9-18; 18:18-23; 20:7-18.

Este conflicto interno evidentemente fue resuelto pronto por Jeremías, pues después del reinado de Joacim no encontramos pasajes como éste. La solución parece haber sido encontrada en la práctica de la oración como conversación íntima. Jeremías hablaba con el Señor como si hablase con un amigo íntimo, francamente y sin reservas. Tal sinceridad siempre es recompensada.

12:5. "Cobra ánimo, Jeremías, lo peor todavía está por venir".

12:9. Israel es atacado porque es diferente de los demás. Este texto es usado con frecuencia para describir a la iglesia de nuestros días.

13:1-7. ¿Hizo Jeremías dos viajes al lejano Eufrates sólo para enseñar esta lección? Algunos comentaristas hacen notar que no se menciona aquí "río" y suponen que es una corrupción del texto puesto que el terreno junto al Eufrates no es rocoso. Sugieren que es una enmienda de *Parah*, un pueblo cercano, o *Epharath* (Bethlehem).

13:23. La fuerza de la costumbre.

15:10b. Una nota de humor. La naturaleza humana no cambia.

15:15-18. Nótese una de las causas de la miseria de Jeremías. Obsérvese el número de veces que usa la primera persona singular en este pasaje. Hacía demasiado caso de sí mismo.

17:1. Quedará una cicatriz.

17:9, 10. El origen de los males que aquejan a la humanidad. Solamente Dios puede curar la enfermedad. Jeremías es el profeta de la religión del corazón y usa el término más que ningún otro profeta.

Capítulo 18. El alfarero y el barro. La opinión de Jeremías sobre la predestinación. Dios tiene un propósito, pero el hombre puede resistirlo. Tal rebeldía traerá como resultado abandono y destrucción. Dios hará otro vaso que servirá para sus propósitos. Dios no puede ser derrotado.

18:21-23. Una terrible acusación. El santo del Antiguo Testamento sabía muy poco acerca del amor cristiano. Era incapaz de odiar el pecado y amar al pecador. Odiaba a ambos con la misma intensidad.

22:10a. Una referencia a la inesperada muerte de Josías.

23:30. Jeremías se opone a aquellos ministros que predican los sermones de otros y no tienen mensajes propios.

25:12. No es una promesa de un cautiverio de setenta años, sino un período de setenta años durante el cual Babilonia será una gran potencia. (Compárese 29:10.)

25:26. Sesach es Babilonia.

28:8, 9. Jeremías, al predicar el juicio, se coloca en la sucesión profética. El hombre que promete paz a una nación pecadora es inmediatamente digno de sospecha. Jeremías, que amaba a su pueblo, esperaba que Hananías tuviese razón (28:6). Aquí notamos que Jeremías no era un fanático; estaba dispuesto a revisar su teología si era necesario, pero tenía que recibir órdenes de arriba (28:11b). La palabra adicional de Yahveh le confirmó, sin embargo, su posición anterior.

29:4 sig. Los que fueron llevados cautivos a Babilonia en el año 597 aparentemente gozaron de bastante libertad.

29:13. Jeremías anticipa la enseñanza de Jesús.

30:12, 17. La herida incurable, excepto para Dios.

31:20. ¡Cuán grande es el amor de Dios hacia el pecador!

31:26. En estos capítulos se le permite a Jeremías predicar palabras de esperanza y confianza. Fue una de las pocas noches en su vida cuando su sueño fue dulce.

31:29. La enseñanza de Jeremías sobre la responsabilidad individual. Viendo que la nación se desintegraba, se dio cuenta de que el individuo debía de ser el medio por el cual Dios iba a obrar en el futuro, no la nación. Esta es la primera vez que de forma clara se formula esta doctrina en el Antiguo Testamento.

31:31-34. El nuevo pacto. Será un pacto de corazón entre Dios y el individuo, fundado en el perdón de los pecados. Esto está en armonía con el resto de las enseñanzas de Jeremías. A decir verdad, es la culminación de las mismas.

Al instituir la Cena del Señor, Jesús usó las palabras de Jeremías para describir su obra. "Esta copa es el nuevo pacto en mi sangre . . . ." Los primeros cristianos, al buscar términos para hacer una distinción entre las antiguas Escrituras hebreas y los nuevos escritos cristianos, usaron el término "Antiguo Pacto" para las primeras (que describe las relaciones entre Dios e Israel) y "Nuevo Pacto" para los segundos (que describen la obra de Cristo en el corazón del individuo.) Nuestra traducción castellana de la palabra pacto, al pasar por el latín y quedar en testamento, ha perdido algo de esa significativa y acertada terminología.

32:9-14. Esta narración esclarece apreciablemente los métodos comerciales de ese tiempo: el dinero se pesaba; se hacían dos escrituras, la una se cerraba y se sellaba, y la otra se dejaba abierta; los documentos de valor a veces se guardaban en tinajas de barro. No sabemos si la escritura se hacía sobre tabletas de barro, al estilo babilónico, o sobre papiro al estilo egipcio.

34:17. Juego irónico de palabras sobre el término "libertad".

36:5. Probablemente significa que Jeremías tenía libertad de acción, excepto en el recinto del templo. (Compárese capítulo 26.)

38:2. Jeremías no es un traidor. Colocaba en primera plana los intereses de su pueblo. El patriotismo de un hombre no se puede determinar por su lealtad a la política de un gobierno.

38:10. ¿Por qué treinta hombres? Quizá para protegerle de sus enemigos.

39:7. Un ejemplo de crueldad babilónica. Lo último que vieron los ojos de Sedechías fue la muerte de sus hijos.

40:5. A pesar de haberlo predicho, Jeremías es tan afectado por los acontecimientos de Judá, que es incapaz de hacer una decisión. Nabuzaradán, compadeciéndose de él, lo envía a Gedalías, dándose cuenta de que no era por amor a Babilonia que Jeremías había pedido a su pueblo que se rindiese.

42:7. Incluso Jeremías ha de esperar pacientemente las órdenes de Dios.

45:5a. Una amonestación a todo seguidor de Dios, igual que a Baruch.

Capítulos 46-51. Una serie de profecías referentes a países extranjeros, la mayoría de las cuales los modernos eruditos no atribuyen a Jeremías. Hay que reconocer que no es lo mejor que compuso y parecen tener mucha influencia de otros profetas. Los capítulos 50-51 muestran muchas características del estilo de Jeremías y seguramente fueron escritos por él después de la caída de Jerusalem.

51:30. El ejército de Ciro entró en Babilonia sin encontrar ninguna resistencia. Solamente resistió la ciudadela dentro de la ciudad.

BOSQUEJO DEL LIBRO

Título 1:1-3

1. **Profecías Pertenecientes, Casi Todas Ellas, al Reinado de Josías (626-609 a. de J. C.). Capítulos 1-6** (Tal cual los tenemos nosotros, estos capítulos quizás hayan sido arreglados durante el reinado de Joacim.)
Introducción.—Llamamiento del profeta, seguido de dos visiones que le revelan lo difícil e ingrato de su tarea. 1:4-19

    a. Llamamiento de Jeremías. 4-10
    b. Visión del almendro. 11 sig.
    c. Visión de la olla hirviendo. 13-16
    d. Jeremías ha de acusar a monarcas, sacerdotes y al pueblo de Judá. 17-19

(1) Yahveh, el fiel, reprende a Israel, el infiel. 2:1-3:5
(2) Yahveh insta sinceramente a Israel y a Judá a que se arrepientan. 3:6-4:4
(3) Insistente y vívido anuncio de una amenazadora invasión. 4:5-31

    a. ¡Ha sonado una alarma en Judá! Un fiero invasor se acerca para devastar al país. 5-9
    b. El profeta se queja porque se le ha hecho creer que el pueblo tendría paz. 10
    c. Los invasores, con ligeros caballos y carros, vienen de lejos a ejecutar el castigo de Yahveh contra Jerusalem y su pecado. 11-18
    d. Angustia del profeta por la terrible destrucción que amenaza a su pueblo. 19-26

e. Será totalmente imposible huir de aquellos terribles saqueadores. 27-31

(4) La inútil búsqueda de un justo. 5:1 a 6:8

(5) Fracasan los esfuerzos del profeta por rescatar a su pueblo de la perversidad. 6:9-30

2. Profecías Probablemente Pertenecientes al Reinado de Joacim (608-597 a. de J. C.)

(1) La orgullosa Judá, a causa de su idolatría e inmoralidad, será devastada. Capítulos 7-10
(El capítulo 26 narra una peligrosa experiencia por la que pasó Jeremías al principio del reinado de Joacim. Léase y luego véase 7:1-15 donde está el mensaje que movió a la acción a sus enemigos.)
a. Amonestación de no confiar en el templo y en los sacrificios para la salvación del país. 7:1 a 8:3
b. La obstinada y perversa Judá será castigada con el cautiverio. 8:4 a 9:22. (Algunos eruditos sitúan 8:4 a 9:1 antes del reinado de Joacim, inmediatamente antes y después del desastre de Megiddo.)
c. La verdadera sabiduría, la de conocer a Yahveh, comparada con la falsa idolatría. 9:23 a 10:25

(2) Israel intenta romper el pacto con Yahveh y destruir a su profeta. Capítulos 11-12
a. La predicación del pacto. 11:1-8 (quizá durante la reforma de Josías)
b. En Anathoth intentan matar a Jeremías, gozando del apoyo de la familia misma del profeta. 11:9 a 12:6. (Algunos sitúan esta sección en el reinado de Josías.)
c. Judá cae en manos de sus enemigos. En el fu-

turo los gentiles podrán, por la obediencia, ser partícipes de Israel restaurado y de las bendiciones de Yahveh. 7-17

(3) Dos símbolos que muestran el carácter y el destino de Judá. Capítulo 13

    a. El cinto de lino podrido, símbolo del orgullo de Judá. 1-11

    b. Las botellas rotas, símbolo de la destrucción que ha de sobrevenir a Jerusalem. 12-14

    c. Cariñoso llamamiento del profeta cuando el crepúsculo se va volviendo densa tiniebla. 15-17

    d. El rebaño de Yahveh esparcido a causa de su insistente infidelidad. 18-27

(4) Jeremías, diferente de los profetas de paz, anuncia la inminente cautividad de Judá. Las pruebas del profeta son cada vez más difíciles. Capítulos 14-17

    a. Referente a la sequía. Capítulos 14, 15

    b. A Jeremías se le prohíbe que se case a causa del destierro que está por llegar. Pero habrá un regreso. Capítulo 16

    c. El pecado de Judá ha encendido el furor de Yahveh. La observancia del sábado traerá consigo bendición. Capítulo 17

(5) Dos actos simbólicos que indican que Yahveh derramará su ira sobre Judá, y las pruebas del profeta en relación con dichos actos. Capítulos 18-20

    a. El barro en las manos del alfarero. Capítulo 18

    b. La vasija de barro del alfarero simboliza Jerusalem, que pronto será quebrantada. 19:1-13

    c. Pruebas de Jeremías. 19:14 a 20:18

(6) Otras profecías del reinado de Joacim.

    a. Grupo que data del cuarto año del reinado de

Joacim (605 a. de J. C.). Capítulos 46; 25; 36: 1-8; 45

b. Quinto año de Joacim. El rey quema el rollo de las profecías de Jeremías. 36:9-32

c. Pruebas de los rechabitas y la lección que se desprende de su persistencia. Capítulo 35. Compárese 2 Reyes 24:2 con Jer. 35:11

3. Profecías Probablemente Pertenecientes al Reinado de Joacim (597 a. de J. C.). Contra los Reyes. 22:1 a 23:8 (de varias fechas, pero en orden cronológico)

4. Profecías y Acontecimientos del Reinado de Sedechías (597-586 a. de J. C.)

(1) Las dos canastas de higos. Capítulo 24
   a. La visión. 1-3
   b. Los cautivos en Babilonia comparados a higos buenos. 4-7
   c. Los habitantes de Jerusalem comparados a higos malos. 8-10

(2) Amonestación contra los falsos profetas. Se recomienda servir a Babilonia. 23:9-40; 27-29
   a. Contra los falsos profetas. 23:9-40
   b. Edom, Moamb, Ammón y Tiro son avisadas de que Yahveh ha dado a Nabucodonosor potestad sobre las naciones. 27:1-11
   c. Se recomienda a Sedechías y a los sacerdotes que no crean a los falsos profetas. 12-22
   d. La predicción de Hananías y lo que resultó de ella. Capítulo 28
   e. Carta de Jeremías a los cautivos en Babilonia. 29:1-20
   f. Predicciones referentes a tres falsos profetas en Babilonia. 29:21-32

(3) Repetidas promesas de que se volverá a la cautividad. Yahveh hará un pacto nuevo y mejor con Israel. Capítulos 30, 31 (fecha incierta, quizá después de la caída de Jerusalem)

(4) Acontecimientos en la víspera de la caída. Capítulos 21; 32-34; 37, 38

(5) Caída de Jerusalem. Capítulos 39

5. Historia y Profecías en el Período de Administración de Gedalías, y en Egipto. Capítulos 40-44 (586 a. de J. C.)

6. Grupo de Profecías Contra Naciones Paganas. Capítulos 46-51 (varias fechas). Conclusión Histórica.— Sitio y toma de Jerusalem por Nabucodonosor. Los habitantes de Judá deportados a Babilonia. Capítulo 52

EZEQUIEL

EL PROFETA. Ezequiel ("Dios fortalecerá") era un sacerdote, hijo de un tal Buzi (1:3). Como tal, pertenecía a la aristocracia de Jerusalem que en el año 597 a. de J. C. fue deportada juntamente con J o a c i m a Babilonia. Vivió en Tel-abib (3:15) junto al canal de Chebar (1:1). Tel-abib ("el montículo de mazorcas de maíz") es probablemente un derivado de Tel-abubu, "el montículo de inundación". Chebar es probablemente lo que actualmente se conoce por Shatt-en-Nil, cerca de donde se descubrieron los archivos de la firma bancaria Murashi e Hijos (464-405 a. de J. C.) que contienen muchos nombres judíos. Ezequiel estaba casado y según parece sin hijos (24:16-18). Su hogar era el lugar de reunión de los ancianos desterrados; Ezequiel era, por lo tanto, una persona distinguida (8:1; 14:1; 20:1). En el año 592, por medio de una visión, recibió el llamado de ser profeta (1:2 sig.). Su actividad profética se divide en dos períodos, división que marca la caída de Jerusalem en el año 586 a. de J. C. (33:21 sig.). Desde el año 592 hasta el 586 fue exclusivamente un predicador de arrepentimiento y juicio. En sus discursos y por hechos simbólicos predijo la destrucción de Jerusalem. En el año 587 su esposa murió. Desde el año 586 hasta el año 570 fue un consolador y un reformador esperando la llegada del período de la restauración. Su última profecía fue pronunciada en el año 570 (29:17).

Ezequiel era un sacerdote y fue uno de los que más lamentó la pérdida del templo. Su primera visión dejó en él una huella indeleble. La santidad y la gloria de Dios consumían el alma de un profeta que había visto pero que era incapaz de describir la gloria de lo que había visto; solamente podía tratar de describir sus visiones. Amaba la Palabra de Dios (3:3) y sin temor alguno trataba de poner en práctica los mandamientos de Dios, vacilando solamente una vez, cuando se le pide que tome comida inmunda (4:14). Ezequiel vio la responsabilidad moral de cada individuo en relación con Dios y la terrible responsabilidad del profeta de Dios, porque la mano del Señor estaba sobre él. Es conocido como el Padre del Judaísmo y ayudó también en la organización de las antiguas leyes para la conducta a observarse al adorar en el templo durante la restauración (capítulos 40-48). Era un místico y a veces es difícil interpretar el sentido de sus palabras. En la interpretación de sus visiones los detalles más pequeños no deben ser tomados demasiado literalmente.

Ezequiel era una nueva clase de profeta — un profeta de Yahveh en un país extranjero. Dependiendo solamente de Dios y capaz de ver en forma muy clara el castigo que se avecinaba sobre su país, pudo reflexionar más tranquilamente sobre su significado y propósito; de aquí que su convicción de que el destierro era una necesidad haya sido tan fuerte. Fue siempre un escritor. No tuvo palacio ni lugar de preeminencia donde pudiese predicar, como lo tenían Isaías y Jeremías. Ezequiel fue uno de los más grandes literatos de la antigüedad. (Compárese 16, 17, 27, 28). Pero era algo más que un hombre de letras; era ante todo un arquitecto espiritual. Su tarea consistió en recoger y preservar las grandes doctrinas proféticas de sus predecesores, fomentar la confianza y el estímulo de los que quedaban en el destierro, y organizar nuevas formas de vida religiosa para la comunidad restaurada del futuro.

Ezequiel es diferente de los demás profetas del Antiguo Testamento por la prominencia especial del elemento patológico en su profecía. Cuenta en su vida con gran número de visiones, éxtasis, revelaciones del futuro y notables acciones simbólicas. Algunos eruditos afirman que, además de ciertas influencias babilónicas (compárense algunas de sus figuras en las visiones, el pregón, etc.), hay que atribuirle, para explicar su actitud, algún defecto físico; v. gr. sordera temporal con síntomas de parálisis o catalepsia, como ha tratado de demostrar Klostermann basándose en 3:26; 24:27; 29:21; 33:22. Hermann ha puesto en duda la interpretación literal de estos pasajes que se refieren a sus condiciones físicas señalando 16:63; 29:31 donde el "abrir la boca" hay que interpretarlo simbólicamente. Ezequiel parece que se apropia de Jeremías. En algunos aspetos los dos profetas son semejantes, pero en otros se nota un considerable contraste. Jeremías es un profeta de muchos sentimientos; Ezequiel es el profeta de la más encumbrada imaginación. Jeremías es un hombre de sentimientos y acción; Ezequiel, de razón y reflexión. A Jeremías se le conoce cuando se lee su libro; Ezequiel es para nosotros poco más que un nombre. Las profecías de Jeremías empiezan y terminan con una visión de sufrimiento; Ezequiel empieza y termina con una visión de gloria.[1] Ezequiel pertenece a la línea de Zadok; Jeremías a la de Abiathat.

EL LIBRO. Surgieron entre los rabinos dos dificultades en cuanto a la presencia de Ezequiel en el canon de las Escrituras. (1) La una surgió del dogma generalmente aceptado al principio de la era cristiana que la ley de Moi-

---

[1] Compárese W. J. Farley, *op. cit.*, pp. 180-181

sés no podía ser cambiada y que en el cielo no había quedado ninguna ley para ser dada al hombre. (Compárese
Ezequiel 46:6, 7 y Números 28:11.) En el Pentateuco no
se menciona el material que encontramos en Ezequiel 45:
18-20. Podemos contar hasta veinte problemas como este
cuando hacemos un estudio comparado de Ezequiel con el
Tora. Se cuenta que Hananías ben Ezechías usó trescien-
tas jarras de aceite para estudiar por la noche antes de
llegar a una conclusión provisional. Tan serio era el conflicto y tantos los problemas que decidieron dejar la decisión final hasta que regresase Elías a resolver sus diferencias. (2) Dificultades de especulación. Las figuras extra-
ñas del capítulo 1 y el simbolismo de otros pasajes en el
libro, fácilmente se prestan al fanatismo. Mientras que la
meditación en estos misterios divinos puede ser de inestimable valor para el iniciado y el maduro, puede ser de consecuencias fatales para el inexperto. El estudio de los
querubines, ángeles y demonios siempre ha abierto, para
cierta clase de personas, las puertas al fanatismo. Por esta
razón los rabinos prohibieron a los menores de treinta años
la lectura de ciertos pasajes de Ezequiel: el principio, el
final y otros capítulos.[2]

Hasta hace muy poco tiempo se había hecho poca crítica del libro de Ezequiel. Holscher (1924) afirmaba que
Ezequiel, un profeta "arraigado en el suelo de la religión
preexílica", había pronunciado solamente unos pocos *poemas,* unos ciento setenta versos en total, siendo el resto del
libro añadido más tarde hasta el siglo quinto a. de J. C.
J. Smith (1931) afirmaba que Ezequiel había profetizado
en Israel del Norte y en Asiria (722-669 a. de J. C.). Más
tarde un redactor juntó todo el material. Torrey (1930)

---

[2] Compárese C. C. Torrey, *Pseudo-Ezekiel* (Londres: Oxford University Press, 1930), pp. 15-18.

decía que no había existido ningún Ezequiel verdadero. El libro es obra imaginativa de un autor en Jerusalem, compuesta c. 230 a. de J. C. Más tarde otro editor introdujo el fondo babilónico. Herntrick opinaba que Ezequiel había profetizado en Jerusalem entre los años 593-586 a. de J. C. Más tarde un editor situó el libro en Babilonia y añadió los capítulos 40-48. Bertholet divide las actividades del profeta de la siguiente forma: (1) Jerusalem antes de la caída, (2) alguna ciudad de Judá no lejos de Jerusalem (12:3 sig.), (3) Babilonia. Fisher alegó que Ezequiel profetizó en Babilonia, luego volvió a Jerusalem donde estuvo hasta el año 586, volviendo otra vez a Babilonia. Los redactores más tarde arreglaron el texto en forma que pareciese que todo se había desarrollado en la cautividad. El problema está en que mientras se representa a Ezequiel como estando en Babilonia, sus ojos (en los primeros veinticuatro capítulos) están fijos en Jerusalem. Los profetas generalmente se dirigían a la gente que tenían delante de ellos.

Los conservadores opinan que Ezequiel estuvo en el destierro durante todo su ministerio profético. Se dirige a los habitantes de Jerusalem por el efecto dramático que esto tendrá sobre los deportados; v. gr. los volverá del camino de pecado. No hay esperanza para Jerusalem. Ezequiel visita Jerusalem en espíritu después del año 597, pero no en la carne.

Notas Sobre Pasajes Importantes

1:1. Ha habido mucha discusión sobre lo que significa "los treinta años". Esta forma de expresarse es generalmente usada por los profetas en relación con el reinado de un rey. Pero el versículo 2 presenta el sistema cronológico usado en todo el libro. Aparentemente Ezequiel se refiere a su propia edad. Tanto C. C. Torrey como J. Smith usan esta frase para situar la escena de las profecías de este libro durante el reinado de Manasés, puesto que es el único rey de este período que reinó tanto como treinta años.

1:4 sig. Esta visión es la de un carro tirado por cuatro animales de cuatro alas, procedentes del norte, dirección de la cual venían los viajeros que iban de Palestina a Babilonia. Sobre este carro está sentado Dios. El significado es que Dios, en contra de lo que se creía popularmente, podía estar con su pueblo tanto en Babilonia como en Palestina.

1:5. Nótese el número de veces que se usa el término "semejanza" en este capítulo. Ezequiel no puede describir lo que ha visto; esta es la mejor descripción que puede hacer con palabras humanas. Las cuatro bestias simbolizan el uso que Dios puede hacer de toda su creación (el águila, el rey de las aves; el león, el rey de los animales; el buey, el rey de los animales domésticos; y el hombre que se enseñorea sobre todos). Estas criaturas según la voluntad de su espíritu (v. 12) llevan la plataforma sobre la que Yahveh se sienta.

1:16. "... rueda en medio de rueda ..." Los radios de las ruedas formaban ángulos rectos en todas las direcciones de tal forma que cuando el carro tenía que cambiar de dirección no necesitaba girar. Cuatro ruedas podían rodar hacia el este o el oeste y las otras cuatro hacia el norte y sur. Cuatro de estas ruedas estaban dentro de las otras cuatro, haciendo cuatro ruedas individuales.

1:18. Simbolizando la omnisciencia de Dios al velar éste por las necesidades de su pueblo.

1:22. "Expansión", debiera leerse "plataforma".

2:1. Este versículo habla de la fragilidad y de la dig-

nidad del hombre. El término "Hijo del hombre", que es
el término favorito empleado para designar a Ezequiel en
este libro, hace énfasis en su condición humana por sobre
el ser divino. Se le pide que se ponga "sobre sus pies"
porque Dios quiere hablarle cara a cara.

3:14, 15. Ezequiel quiere empezar inmediatamente a
predicar el juicio de Dios hasta que llegue a "sentarse donde el pueblo se sienta". Entonces no puede hablar una
palabra. A veces los que condenan a la gente lo hacen
porque carecen de comprensión y simpatía.

3:16. Dios despierta a Ezequiel por la responsabilidad
que tiene como vigilante profético. A pesar de estar vencido por la angustia ante la suerte de los deportados, les
tiene que amonestar que si no se arrepienten de su pecado,
perecerán por completo. "...su sangre demandaré de tu
mano" es una terrible amonestación que todos deben tener
presente.

Capítulos 4, 5. El método de enseñanza más eficaz de
Ezequiel fue la lección ilustrada.

6:13. "Y (los deportados) sabréis ... cuando *sus* (los
habitantes de Jerusalem) muertos..." Otra prueba de
que Ezequiel habla contra Jerusalem por causa de los deportados.

8:3. Ezequiel en Jerusalem en una visión, no de forma
real. Una viva descripción de las experiencias del profeta
en un momento de éxtasis.

9:4. Los hombres piadosos habían de recibir una señal
en sus frentes para que el destructor no los tocase.

11:13. ¿Vio Ezequiel, estando en el destierro, morir a
Pelatías en Jerusalem? Es posible, pero tal vez Pelatías
murió solamente en la visión, que era, por lo tanto, una
profecía de su muerte.

12:27. Siempre es así. Los hombres siempre quieren ver lejano el día del juicio.

14:14. Es muy extraño que Daniel, quien era todavía muy joven, sea mencionado con los patriarcas Noé y Job. (Compárese Ezeq. 28:3.) El reciente examen de los documentos de Ugarit habla de un anciano muy respetable que llevaba el nombre de Dan'l. Así es como se escribe en ambas referencias en el libro de Ezequiel, pero no en el libro de Daniel.

Capítulo 16. Una extraña y sorprendente alegoría por la que el profeta describe los pecados de Judá, considerándolos peores que los de Sodoma y Samaria.

16:3. No se refiere a una descendencia física sino a una genealogía espiritual. Moralmente los israelitas son descendientes de sus vecinos paganos, no de Abraham. (Compárese "Vosotros de *vuestro* padre el diablo sois" Juan 8:44.)

Capítulo 17. Una parábola usada para condenar la alianza de Judá con Egipto. Como resultado, Babilonia destruirá a Judá.

17:3. Babilonia es la "grande águila".

17:4. Joacim.

17:5. Sedechías.

17:7. Egipto.

17:22. El Mesías.

Capítulo 18. En los capítulos 18 y 33 Ezequiel presenta en forma notable la doctrina de la responsabilidad individual. Su doctrina puede resumirse como sigue: (1) Nadie está forzosamente sujeto al carácter y conducta de sus antepasados: Puede volverse un perverso, aun cuando sus padres hayan sido justos; y puede ser un hombre justo aun cuando sus padres hayan sido perversos. Yahveh le premiará o castigará según sus propios hechos y no según la conducta de sus antepasados. La herencia no elimina la libertad y la responsabilidad moral. (2) Nadie es forzosamente esclavo de su antigua manera de vivir: puede dejar de ser justo y perderse, y viceversa. El hábito no es más omnipotente que la herencia.

18:2. Este refrán fue inventado por los judíos para hacer creer que las calamidades que sufrían eran el fruto del pecado de sus padres.

19:4. Joachaz.

19:9. Joacim.

20:49. Muchos estudiantes todavía hoy día están de acuerdo con los oyentes de Ezequiel.

22:31. Dios no condena al pecador arbitrariamente. Su propio pecado le traiciona.

24:2 Ezequiel en el destierro tiene un conocimiento extraordinario.

24:15-18. Lealtad a Dios viene primero. Sin embargo, pocos hombres se hubiesen portado como Ezequiel.

Capítulo 28. El rey de Tiro no es Satanás sino una descripción poética de los gobernantes de Tiro. (Compárese 28:9 "Tú, hombre eres".)

28:13. Una figura poética para expresar, "tuviste todo cuanto deseara el corazón."

28:15. La historia primitiva de Tiro era intachable.

33:30. sig. Ezequiel era un predicador popular, pero le desalentaba ver que la gente se deleitaba escuchando lo que decía sin ponerlo en práctica.

36:25. Una ceremonia de purificación. No se refiere al bautismo del Nuevo Testamento.

Capítulo 37. No es una figura de la resurrección individual sino del avivamiento del pueblo de Israel, que parece muerto en el destierro. (Compárese 37:11, 12.)

Capítulos 38, 39. Un pasaje apocalíptico que enseña

la victoria final del pueblo de Dios sobre sus enemigos, personificados en Gog. Es difícil hacer identificaciones literales y puede ser que no fue ésta la intención.

40:28. Solamente había un atrio en el templo de Salomón, pero en el templo edificado por Zorobabel había dos. En cuanto a este asunto, se siguió el plan de Ezequiel.

43:8. El antiguo templo estaba conectado con el palacio. El nuevo no sería así. (Compárese 42:20.) Zorobabel siguió este plan.

43:10, 11. Aparentemente Ezequiel confiaba en que se seguiría su plan literalmente.

44:9 sig. Solamente los hijos de Zadok, de los descendientes de Aarón, serán sacerdotes.

Capítulo 45. La distribución de la ciudad santa. En el centro está el santuario, rodeado de las residencias de los sacerdotes. Al norte vivirían los levitas y al sur los que generalmente viven en la ciudad. El monarca poseía el territorio al oriente y occidente de esta santa ofrenda, que era un cuadrado de 25.000 por cada lado (el territorio sagrado para el templo y los sacerdotes, 10.000 x 25.000; Levitas, 10.000 x 25.000; la ciudad, 5.000 x 25.000). En esta forma podría guardarse la santidad del lugar santo.

Capítulo 47. El cuadro inspirador de una corriente que mana del nuevo templo en Jerusalem, fluye hacia el mar Muerto haciendo su cauce cada vez más profundo. Al acercarse al mar Muerto y al árido desierto de Arabia, éstos vuelven a la vida.

47:11. Ezequiel no ignora los detalles más insignificantes. No todo resucitará; algunos pantanos del mar Muerto se dejarán para salinas.

Capítulo 48. Toda la tierra de Palestina será dividida en partes iguales entre las tribus. Serán distribuidas al norte y sur de la santa ofrenda. Judá quedará directamente al norte de Jerusalem y Benjamín al sur, puesto que estas tribus fueron las más fieles a Yahveh.

48:35. El nombre de la ciudad santa se cambiará y ya no se llamará Jerusalem, sino Yahveh-Shammah ("Yahveh está allí").

DANIEL

Daniel si no era de linaje real, al menos era noble de nacimiento (1:3). Era un hombre físicamente agradable y había mostrado facilidad para aprender (1:4) cuando fue deportado por Nabucodonosor en el año 605 a. de J. C. (1:1 sig.). Contaba probablemente veinte años de edad y había crecido durante el gran avivamiento del reinado de Josías. Seguramente que a este avivamiento debía la estabilidad y firmeza de su carácter religioso. Fue educado en "la cultura y el idioma de los caldeos" para el servicio del rey y muy pronto adquirió gran reputación por su saber e inteligencia (1:20 sig.). Tan destacadas eran su fidelidad, inteligencia y méritos que muy pronto Nabucodonosor le hizo "gobernador de toda la provincia de Babilonia y príncipes de los gobernadores sobre todos los sabios de Babilonia" (2:48); más tarde, sufrió por causa de él, aparentemente sin resentimiento. Durante los reinados de Evil-merodach (561-559), Neriglisar (559-556), y Nabonido (555-539), no tenemos noticias de él y parece ser que perdió su posición pública. Pero en el banquete de Belsasar la reina se acuerda de él (5:11 sig.) y cuando es llamado muestra, como antes, su valor y sabiduría. Darío el Medo se dio cuenta de su capacidad y, a pesar de sus años, le hizo jefe de un comité de tres presidentes "y el rey pensaba de ponerlo sobre todo el reino" (6:2 sig.). En cuanto a lo religioso todavía mostró la mis-

ma fidelidad, intransigente, valientemente desobedeciendo
el decreto del rey y ni aun cerraba las ventanas para evitar
que le viesen. Vivió hasta el tercer año de Ciro (10:1;
compárese 1:21) y contando posiblemente noventa años
de edad todavía era activo (6:28).

La fecha y la paternidad literaria del libro de Daniel
han sido motivo de acaloradas discusiones. La mayoría de
los eruditos modernos creen que el libro no fue escrito por
Daniel, sino que fue redactado en el período de los Macabeos (c. 167 a. de J. C.). La moral en Judá, estaba muy
baja en el siglo segundo a. de J. C., cuando terribles per-
secuciones se desencadenaron bajo la tiranía de Antíoco
Epífanes. Se afirma que el libro de Daniel fue escrito para
levantar los ánimos abatidos por el desaliento. Antíoco
había tratado de introducir entre los judíos costumbres
griegas que el sumo sacerdote Onías III había resistido.
Onías fue depuesto para ser substituido por Jasón, quien
profanó el templo. Como reacción se levantó Matatías
con sus cinco hijos (los Macabeos) quienes empezaron una
rebelión. Al fin Judas Macabeo conquistó Jerusalem y el
templo fue purificado. Es fácil comprender la influencia
del relato de Daniel en aquellos días. Una historia como
ésta contada en los campamentos, o en los oscuros días del
destierro era capaz de fortalecer el poder de la resistencia
y dar nuevos bríos a la voluntad de la nación. Aunque
hay muchos eruditos modernos que sostienen que este libro
pertenece a este período, eso no niega necesariamente la
historicidad de Daniel. Nadie puede discutir el que la Re-
volución Francesa no sea un hecho histórico. Sin embargo, la historia de Carlyle apareció cincuenta años más
tarde. Aun suponiendo que el libro hubiese sido escrito
mucho después de la muerte de Daniel, éste es demasiado
humano, vivo y convincente para ser un mero personaje

legendario. Los eruditos que se inclinan por esta fecha tardía presentan los siguientes argumentos:

1. El interés de los capítulos 7-12 se concentra en el período de Antíoco Epífanes. La analogía de otros escritos proféticos sugiere que es allí donde se debe buscar al profeta.

2. En el canon hebreo Daniel no está incluido entre los profetas, sino entre los Escritos, lo cual hace pensar que el libro apareció en el último período de la formación del Antiguo Testamento.

3. Las predicciones del capítulo 11 son en sus detalles totalmente diferentes a todas las profecías del Antiguo Testamento. Están escritas como una historia literal de la época.

4. La rareza lingüística es peculiar. La sección 2:4 a 7:28 está en arameo; aparecen quince palabras persas y al menos tres griegas; el hebreo es de un período tardío. "Las palabras *persas* hacen suponer que pertenece a un período posterior al establecimiento del Imperio persa; los términos griegos *exigen*, los hebreos *apoyan*, y los arameos *permiten* situar el libro en una fecha *posterior a la conquista de Palestina por Alejandro*."[1]

5. La teología es una de las más avanzadas en el Antiguo Testamento. Hay jerarquía entre los ángeles; incluso tienen nombre. La doctrina de la resurrección en 12:2 es una de las más claras del Antiguo Testamento.

6. El libro se parece mucho a otras obras de carácter apocalíptico del período macabeo. Esta clase de literatura era propia del tiempo de persecución; su simbolismo y misticismo fueron creados para estas horas sombrías. Una situación como ésta en el siglo primero d. de J. C. dieron

---

[1] S. R. Driver, *An Introduction to the Literature of the Old Testament* (Nueva York: Charles Schibner's Sons, 1916), p. 508.

como resultado la Revelación (Apocalipsis) de Juan. Era característica de los escritos apocalípticos tratar la historia pasada en forma de profecía, hablando en nombre de alguna notable personalidad de la antigüedad. En otras palabras, estos escritos presentan un determinado tipo de literatura que debe ser interpretada según sus propias normas. Cuando el autor del libro hablaba en nombre de Daniel, no era considerado un plagiario. Escribía en el espíritu de Daniel y sus contemporáneos sabían que la obra era una composición reciente. Si ellos tuvieron el suficiente respeto hacia estos métodos literarios hasta el punto de canonizar el libro, deberíamos, al menos, tratar de considerarlo desde el punto de vista de ellos. Para ellos era la Palabra de Dios para ese momento. No debemos imponer nuestros conceptos modernos de derecho de autor sobre una época menos materialista que la nuestra.

Sin embargo, hay otros eruditos que presentan argumentos persuasivos defendiendo la fecha correspondiente al destierro:

1. Lo que el mismo libro de Daniel dice, que fue él mismo quien pronunció las profecías, debe ser tomado literalmente. Jesús mismo citó uno de los pasajes de Daniel (Mateo 24:15). Los escritores apocalípticos del período macabeo siguieron el método del antiguo libro de Daniel porque éste hablaba de su época.

2. Había tiempo suficiente para que Daniel aprendiese un vocabulario de quince palabras persas. Si el libro perteneciese al período de los macabeos, sin duda que habría en él más de tres palabras griegas.

3. La teología parece pertenecer a un período tardío pero no es mucho más avanzada que la que se encuentra en Zacarías o Job.

4. El capítulo 11 es un milagro de inspiración. Antíoco

Epífanes era de una importancia tal en la historia de los judíos que el interés de Daniel estaba justificado.

5. Daniel está incluido en los Escritos porque es literatura de la "sabiduría", o por haber sido aceptado en el canon después que los demás, debido al pasaje en arameo.

No importa cuál sea la fecha dada al libro, su interpretación debe ser en esencia la misma. Los que sostienen la fecha más tardía generalmente defienden que los reinos mencionados en los capítulos 2 y 7 son: Babilonia, Media, Persia y Grecia. Así, pues, el libro de Daniel no contiene profecía excepto la que se refiere a los últimos años de Antíoco Epífanes. El resto del libro es historia puesta en forma de profecía y el autor escribe en nombre de Daniel. Sin embargo, la posición que toman los eruditos conservadores referente a la identificación de los reinos es la correcta, no importa cuál sea la fecha del libro. Los cuatro reinos son Babilonia, Media-Persia, Grecia y un cuarto reino no identificado. Persia nunca sucedió a Media como imperio mundial. Pensar que el escritor ignora la historia universal es insostenible, porque en el capítulo 8 Media-Persia es considerado como un reino (un morueco), con dos divisiones desiguales (dos cuernos). En los capítulos 2 y 7, el tercer reino (el carnero, Grecia, capítulo 8) es seguido por el cuarto, que es probablemente el poder de Roma, ya en ascenso en el siglo segundo a. de J. C.

No importa cuál sea la fecha del libro, lo grandioso es la maravillosa predicación de la venida del Mesías y del reino mesiánico y del triunfo final de ese reino (2:44, 45; 7:7-28; 9:24-27; 12:1-4). Después de que Antíoco es derrotado, el aun más grande Antimesías será derrotado por el Mesías. (Este rey viene del cuarto reino, no pudiendo por lo tanto ser Antíoco Epífanes.)

BOSQUEJO DEL LIBRO

1. Eventos en la Vida de Daniel. Capítulos 1-6
   (1) Juventud y educación de Daniel. Capítulo 1
       a. Juntamente con otros, llevado cautivo a Babilonia. 1 sig.
       b. Su educación y fidelidad. 3-17
       c. Su habilidad. 18-21
   (2) El sueño de Nabucodonosor. Capítulo 2
       a. Nabucodonosor da muerte a los caldeos, no sabiendo interpretar el sueño. 1-12
       b. Daniel impide la ejecución, interpreta el sueño por una visión y se lo comunica a Nabucodonosor. 13-45
       c. Como consecuencia Nabucodonosor reconoce la grandeza del Dios de los hebreos y rinde honores a Daniel y sus compañeros. 46-49
   (3) La fidelidad de los compañeros de Daniel. Capítulo 3
       a. Todos obligados a adorar la estatua de oro levantada en el campo de Dura. 1-7
       b. Los tres hebreos se niegan a adorarla y son arrojados dentro del horno de fuego ardiendo. 8-23
       c. Son salvados milagrosamente y preservados del efecto de las llamas. 24-27
       d. Como consecuencia, Nabucodonosor vuelve a reconocer al Dios de ellos, decreta que se le honre y pone a estos hombres en cargos de más responsabilidad. 28-30
   (4) El sueño de Nabucodonosor del gran árbol, relatado como decreto para todos los pueblos de la tierra. Capítulo 4

a. Introducción del decreto; el Dios de Israel, grande y poderoso. 1-3

b. Los sabios no saben interpretar el sueño. 4-7

c. El sueño es contado a Daniel, quien lo interpreta y aconseja al rey que reforme. 8-27

r. El cumplimiento y su efecto sobre Nabucodonosor. 28-37

(5) El banquete de Belsasar (539 a. de J. C.) Capítulo 5

    a. El desenfreno y el sacrilegio del banquete. 1-4

    b. La escritura en la pared y la incapacidad de los sabios para interpretarla. 5-9

    c. La interpretación de Daniel y su cumplimiento. Muerte de Belsasar; "Darío el Medo" recibe el reino. 10-31

(6) Daniel en el foso de los leones. Capítulo 6

    a. Daniel es nuevamente elevado a un alto cargo político por Darío el Medo. 1-3

    b. Otros oficiales, movidos por la envidia, piden a Darío que formule un decreto, y Daniel es aprehendido violándolo.

    c. Contra su voluntad, Darío ordena que se arroje a Daniel en el foso de los leones; pero es salvado milagrosamente y sus enemigos son arrojados al foso. 12-24

    d. El decreto de Darío favorece al Dios de Daniel. 25-28

2. Visiones de Daniel. Capítulos 7-12

(1) La visión de las cuatro bestias (primer año de Belsasar). Capítulo 7

    a. La visión. Cuatro bestias grandes y diferentes subían de la mar. Delante "de un anciano de grande edad", que se sentó en un trono, se abrieron los libros y las bestias fueron juzgadas y "uno como un hijo de hombre" llega y recibe un reino universal y eterno. 1-14

b. Interpretación de la visión. 15-28

(2) Visión del carnero y del macho cabrío (en Susa el tercer año de Belsasar). Capítulo 8

a. La visión. 1-14

b. Gabriel interpreta la visión a Daniel. Antíoco Epífanes será destruido. 15-27

(3) La oración de Daniel (primer año de Darío el Medo, 539 a. de J. C.). Capítulo 9

a. Comprendiendo por la profecía de Jeremías que el tiempo de la restauración está cercano, Daniel confiesa los pecados de su pueblo y ora pidiendo perdón y restauración. 1-19

b. Gabriel le revela que su súplica ha sido oída y que la restauración está cercana y predice el advenimiento de "un ungido" y otra destrucción de Jerusalem. 20-27

(4) Ultima visión de Daniel (junto al Tigris en el tercer año de Ciro). Capítulos 10-12

a. Después de veintiún días de ayuno se le aparece a Daniel un mensajero celestial que le explica el porqué de su retraso y alienta a Daniel. 10:1 a 11:1

b. Predice las luchas entre Grecia y Persia. 11:2-4

c. Las luchas de los reyes del sur (Ptolomeos) y los reyes del norte (Seléucidas). 11:5-29

d. Un rey del norte (Antíoco Epífanes) oprimirá al pueblo escogido, se ensalzará a sí mismo y afligirá a otros pueblos. 11:30-44

e. Pero llegará su fin y los israelitas se levantarán

de nuevo; y después la era mesiánica. 11:45 a 12:4

f. El tiempo del cumplimiento es revelado a Daniel en términos enigmáticos. 12:5-13

HAGGEO

MARCO HISTORICO. Cuando los deportados volvieron, llenos de entusiasmo, en el año 537 a. de J. C., encontraron pocos y desalentados habitantes. El territorio de Judá se había reducido a una pequeña sección alrededor de Jerusalem, según Kittel equivalente a 20 millas cuadradas (32 Kms.) Acostumbrados a la prosperidad de Babilonia, por todas partes veían pobreza. No había esperanza de que se pudiese establecer una monarquía. El templo estaba en ruinas y los pueblos vecinos eran hostiles. No es de extrañar que la construcción del templo haya sido demorada. Había varias razones para ello:

1. Durante la permanencia en Babilonia los deportados se habían acostumbrado a no tener templo.

2. La oposición de los samaritanos y de otras tribus vecinas ofrecía una buena excusa para los judíos indiferentes.

3. La falta de cumplimiento de las primeras profecías referentes a la gloria de la restauración sin duda promovían el desarrollo de la indiferencia y del escepticismo.

4. Los pocos recursos y la pobreza, debido a la falta de cosechas y a la devastación que hicieron los ejércitos persas a su paso hacia Egipto, eran verdaderamente desalentadores.

EL PROFETA. Haggeo aparece repentinamente en el

año 520 a. de J. C. y desaparece con la misma rapidez. No se sabe nada acerca de su vida ni antes ni después de su predicación. Por lo que se deduce de 2:3, él fue uno de la pequeña compañía que vio la gloria del antiguo templo; si es así, cuando profetizó era ya un anciano. Esta suposición está de acuerdo con la brevedad de su actividad pública. Yahveh puso en su corazón la necesidad de un lugar adecuado para el culto. Una vez conseguido esto, su tarea se podía dar por terminada.

El mensaje de Haggeo puede ser sintetizado en la siguiente forma:

1. Represión de la indiferencia; exhortación a reanudar la construcción del templo. (1:1-11)

2. Se reanuda la construcción. (1:12-15)

3. Mensaje de aliento a los que construyen. (2:1-9)

4. Terminación del templo, segura garantía de que se gozará del favor divino. (2:10-19).

5. Ensalzamiento de Zorobabel, el siervo de Yahveh. (2:20-23).

El ministerio de Haggeo es totalmente distinto al de los profetas que le precedieron. Comparado con los gloriosos mensajes que les fueron confiados a otros, el suyo parece bastante humilde, pero nunca una palabra como la de Haggeo tuvo tanta necesidad de ser pronunciada como en sus días. Jeremías habló del día cuando no se necesitaría el templo, pero ese día todavía no había llegado. La luchadora comunidad postexílica necesitaba la ayuda de la influencia del templo para unificar al pueblo y combatir la amenaza del paganismo. La Ley era necesaria hasta el día en que el Mesías implantase las épocas del Espíritu.

Notas Sobre Pasajes Importantes

1:2. Esta es a menudo la exclamación del pueblo de Dios que necesita un edificio adecuado para su iglesia.

1:4. La gente gastaba el dinero para construir sus propias casas. ¿Por qué no lo gastaba en la casa de Dios?

1:6, 9. Cuando un hombre olvida su responsabilidad financiera con Dios, lo que guarda para sí mismo nunca es suficiente. Cuando Haggeo predicó el pueblo atravesaba por una inflación.

1:12b. La razón que movió al pueblo a obedecer a Haggeo. Estaban seguros que había sido enviado por Dios.

1:14. Yahveh no despertó el espíritu de edificar hasta que el predicador había hecho su parte.

2:3, 9. La primera crisis en la construcción. Los ancianos decían que el nuevo templo no se podía comparar con el de Salomón y con estas palabras desalentaban a los que construían. Haggeo les aseguró que lo importante no era la apariencia externa. Los días de mayor gloria para el templo todavía no habían llegado. Naturalmente esto encontró su cumplimiento en los días de Jesús.

2:19. La segunda crisis. La prosperidad que Haggeo había prometido si obedecían a Dios, todavía no había llegado. Le acusaban de haberles engañado. Se defendió a sí mismo citando la Ley. La inmundicia es más contagiosa que la santidad. Es necesario que pase mucho tiempo después del arrepentimiento para que desaparezcan los resultados del pecado. Entonces vendrán días más prósperos. Esta verdad tiene una aplicación constante. No podemos tratar el pecado ligeramente. Sus consecuencias continúan en la tierra incluso después de que el pecador se reconcilie con Dios.

2:23. El día del Señor siempre estaba inminente en la

profecía del Antiguo Testamento. Con el anillo se sellaban los documentos dándoles de esta forma validez y autoridad. El emblema era diferente en cada anillo. El propietario nunca confiaba su sello a nadie, a menos que fuese un amigo muy íntimo. La enseñanza en este pasaje es que Zorobabel tiene la garantía de Yahveh sobre su obra. Nada hace suponer que Haggeo creyese que Zorobabel sería el Mesías, como algunos eruditos suponen. Sin embargo es significativo notar que Jesús era un descendiente de Zorobabel.

ZACARIAS

EL PROFETA. Nació en Babilonia y vio Jerusalem por primera vez cuando fue allí con los repatriados. Promovió la intercesión de Haggeo para la reconstrucción del templo. Zacarías y Haggeo nos presentan un interesante contraste. Eran totalmente opuestos, con una sola cosa en común — un apasionado entusiasmo por la restauración del templo. Haggeo era viejo y estaba consciente de que el tiempo pasaba rápidamente y que, por tanto, debía hablar de forma clara y escueta. Zacarías era joven y visionario. Haggeo era prosaico y práctico; Zacarías era idealista, usando palabras floridas para pintar el cuadro, pero insistiendo también en la necesidad de acción política y religiosa. Haggeo profetizó desde el mes sexto al noveno del año 520 a. de J. C.; Zacarías comenzó su obra profética en el mes octavo y trabajó en intervalos durante varios años. La depresión mencionada en Haggeo estaba todavía en vigor. La apatía que esto producía era inconcebible para el temperamento de Zacarías. Pertenecía al linaje sagrado de Iddo, un sacerdote, y consagró sus fuerzas para servir a la causa que había propugnado Haggeo, poniendo en ello todo su entusiasmo y fervor. Hay una corriente mesiánica a través de todo su mensaje que le proporcionaba la seguridad y convicción de que lo que defendía estaba de acuerdo con los propósitos de Dios para su pueblo. A decir verdad, el cumplimiento de esas esperanzas estaba condicionado a la voluntad de las gentes para reconstruir el templo. Zacarías es diferente a sus predecesores en que hace mucho énfasis en las visiones como medios de comunicación divina, en simbolismos apocalípticos, y en el destacado lugar ocupado por la mediación de los ángeles para comunicar con Dios. En su libro encontramos la tendencia, propia del judaísmo posterior, de hacer énfasis en la santidad de Yahveh, hasta el extremo de que éste ya no entra en contacto directo con los seres humanos.

EL LIBRO. El criticismo sobre este libro empezó cuando se trató de relacionar Mateo 27:9 con Zacarías 11:13. Se acepta que Zacarías es el autor de los capítulos 1-8. Sin embargo, en los capítulos 9-14 nos enfrentamos con un problema. Un grupo de expertos afirma que estos capítulos indican una situación histórica dentro y fuera de Jerusalem diferente a la que dio razón a las declaraciones comprendidas en los capítulos 1-8. Zacarías, en los capítulos 1-8, presenta a toda la tierra gozando de paz, lo cual era cierto al menos en lo que se refiere a Siria. No presagian ningún peligro para Jerusalem de parte de los gentiles, sino que describen su paz y provechosa expansión en términos más apropiados a las circunstancias durante los reinados de anteriores reyes persas. En los capítulos 9-14 hay un cambio. Las naciones están inquietas, un sitio de Jerusalem es inminente y su salvación sólo ha de asegurarse por medio de mucha guerra y gran derramamiento de sangre. Sabemos exactamente cómo le fue a Israel al principio del período persa. Su actitud hacia los paganos no es la que se refleja en Zacarías 9-14. Algunos sostienen que los capítulos son preexílicos, otros postexílicos, no anteriores al año 350 a. de J. C. Sin embargo, la mejor explicación parece ser que los capítulos 9-14 no tienen un fondo histórico sino que fueron escritos por Zacarías durante sus últimos años en forma de drama apocalíptico. Considérese la opinión de Pfeiffer[1], quien, sin embargo, no admite la paternidad literaria de Zacarías:

(1) Uno divinamente enviado devastará a Siria, a Fenicia y a Filistea y vendrá el mesiánico príncipe de paz (9:1-10).

(2) Judá y Efraim, restituidos, derrotarán a los griegos (9:11 a 10:4).

(3) Todos los judíos romperán el yugo de los opresores (10:5 a 11:2).

(4) Los falsos pastores y los verdaderos (11:3-17; 13:7-9).

(5) Jerusalem atacada por sus enemigos pero al fin vencedora (12:1 a 13:6).

(6) Saqueo de Jerusalem y salvación milagrosa de la mitad del pueblo (14).

Notas Sobre Algunos Pasajes Importantes

1:5. La Palabra de Dios ha resistido la prueba del tiempo. Amós y Oseas han sido vindicados.

1:11. Dios permanece inactivo.

1:12b. Las promesas gloriosas del libro de Isaías y los setenta años de Jeremías todavía no parecen hallar cumplimiento. El templo no ha sido reedificado; los enemigos de Judá todavía prevalecen.

2:4. La ciudad no tendrá muros (1) porque Dios la protegerá y (2) crecerá tan rápidamente que los muros serían un estorbo.

2:7. Léase "A Sión... escápate."

4:6, 10. Consuelo para todos los débiles e insignificantes, como lo era para los edificadores del templo.

---

[1] R. H. Pfeiffer, op. cit., pp. 610-612.

4:14. Josué y Zorobabel.

6:11. Léase "corona", no "coronas". La fusión sacerdotal y monárquica en la persona del Mesías. Nótese que es Josué el sacerdote coronado, no Zorobabel que es revestido con vestiduras sacerdotales. El sacerdocio recibió un nuevo énfasis después del destierro y muchos creían que el Mesías sería un sacerdote de la línea de Aarón.

8:4, 5. Este será el aspecto de la ciudad que ahora está desierta. En el año 520 Jerusalem era todavía insegura tanto para los niños como para los ancianos.

9:9. Una notable profecía del Mesías como Príncipe de Paz, literalmente cumplida en Jesús.

9:13. Grecia era bien conocida en los días de Zacarías.

11:12. El precio de un esclavo herido (Ex. 21:32).

11:13. Mateo 27:9 atribuye esto a Jeremías; probablemente fue un error de copista en Mateo.

12:11. El llanto por el "traspasado" será mayor que el llanto que hicieron por Josías, uno de los momentos más tristes de la historia de Israel.

13:2-6. La profecía había sucumbido víctima del desprestigio a causa de los muchos falsos profetas que había en aquel tiempo. Será una desgracia ser profeta, porque Dios se entenderá directamente con su pueblo. (13:1). Cualquiera que pretenda ser un profeta será inmediatamente identificado con un falso profeta.

14:7b. Una promesa gloriosa.

14:20, 21. Ya no habrá más diferencias entre santo e impuro; todo Israel será santo.

Bosquejo del Libro

Introducción. Retorno a Yahveh. 1:1-6
1. Mensajes de Aliento a los Edificadores. 1:7 a 8:23

(1) Una serie de ocho visiones, con dos profecías me-
siánicas. 1:7 a 6:15

    a. El jinete entre los mirtos. 1:7-17. Yahveh
se está preparando para consolar a Sión.

    b. Los cuatro cuernos y los cuatro artífices. 1:18-
21. El opresor de Judá será derrotado.

    c. El cordel de medir. Las naciones se reunirán.
Capítulo 2. Jerusalem se llenará de habitantes;
Yahveh mismo será su muro.

    d. Satán acusa al sumo sacerdote. Capítulo 3. El
sumo sacerdote perdonado, purificado y ungido,
se convierte en un símbolo del Mesías, el siervo
de Yahveh, el Pimpollo.

    e. El candelero de oro. Capítulo 4. Las líneas sa-
cerdotales y reales serán canales para el Espíritu.

    f. El rollo que volaba. 5:1-4. Maldición contra el
ladrón y el mentiroso.

    g. La mujer en el epha. 5:5-11. La iniquidad des-
terrada.

    h. Los cuatro carros. 6:1-8. Yahveh capaz y dis-
puesto a aplacar toda oposición.

    i. La coronación del sumo sacerdote. 6:9-15. Fu-
sión de las funciones reales y sacerdotales en el
Mesías.

(2) Sobre el ayuno. 7:1 a 8:23

(El ayuno se convertirá en fiesta. Si la nación restaurada obedece a Yahveh y se porta como es debido, los ayunos del destierro se convertirán en
gozo y alegría, porque el amor de Dios está por
sobre todo.)

2. La Carga de Hadrach y Otras Ciudades Paganas, Jun-

tamente con Mensajes Mezclados de Promesas y Amonestaciones para Israel. Capítulos 9-11; 13:7-9

(1) Si bien muchas ciudades paganas serán castigadas, Yahveh protegerá su tierra. 9:1-8
(2) Entra el Rey de Sión trayendo la paz y el dominio mundial. Israel será liberada de su cautividad y será victoriosa sobre sus enemigos. 9:9-17
(3) Yahveh, en contraste con los ídolos inútiles, enviará lluvia sobre la tierra, librará, congregará y guiará a su pueblo escogido. Capítulo 10. Judá y Efraim unidos ahora.
(4) El Buen Pastor y los simples pastores. Capítulo 11; 13:7-9

3. Un Grupo de Profecías Referentes a Israel. Capítulos 12-14

(N. B.—Zacarías usa el término Israel para designar a los que volvieron, ya fuesen de Judá o de otras tribus.)
(1) Judá y Jerusalem, con la ayuda divina, podrán resistir a todos sus enemigos. 12:1-9
(2) Gran llanto en Jerusalem por el "traspaso". 12:10-14
(3) Jerusalem será limpiada de ídolos y falsos profetas. 13:1-6
(4) Después de un terrible castigo, Jerusalem será transformada y bajo la protección de Yahveh, será el centro del culto de todo el mundo. Capítulo 14.

MALAQUIAS

EL PROFETA. Hacia el siglo segundo d. de J. C. "Malaquías" era generalmente considerado nombre propio. Pero antes de esa fecha la palabra hebrea, que literalmente significa "mi mensajero" (ángel), había sido considerada por muchos como un título del autor, cuyo verdadero nombre, según se creía, no se mencionaba (3:1). Durante mucho tiempo la tradición judía identificó al autor del libro con Esdras, mientras otros creían que el autor era un ángel encarnado. La analogía con otros libros proféticos favorecería la posición de que el nombre al principio del libro es un nombre propio; pero por otra parte, la interpretación de los antiguos no puede ser fácilmente descartada.

No sabemos nada acerca de la vida personal del autor, excepto lo que revelan sus propios escritos. Prescindiendo de sus adversarios y con indomable valor, estaba preparado para enfrentarse con lo que las circunstancias del momento pudiesen traerle. No temía a los hombres porque mucho temía a Dios. Con acometida de estoque iba al grano. Se enfrentó con burlas y antagonismos, pero tenía la convicción de que la raza humana solamente podía encontrar paz y tranquilidad a través de Dios. Malaquías se enfrentó con la indiferencia, fruto del desengaño y del escepticismo que trajo como resultado el desinterés en el servicio del templo. Los sacerdotes ejercían su ministerio indiferentemente y sus respectivos corazones no estaban en lo que hacían. Creían que cualquier cosa bastaba para Yahveh y ofrecían animales cojos y ciegos. El pueblo no estaba dispuesto a pagar sus obligaciones religiosas. Los casamientos mixtos y los divorcios prevalecían, acompañados por una decadencia moral. Pero a pesar de todo había un núcleo de fieles en la comunidad (3:16).

EL LIBRO. Hay dos opiniones principales en cuanto a la fecha: (1) En el intervalo durante el cual Nehemías volvió de Persia (c. 430 a. de J. C.). Malaquías condenaba los mismos pecados que Nehemías encontró cuando volvió. La alusión que se hace al gobernador en 1:8 parece más bien indicar la presencia de un gobernador extranjero que de Nehemías, que rehusó aprovechar sus derechos oficiales. (2) Antes de Esdras. Malaquías no se refiere a las medidas tomadas por Esdras contra los casamientos mixtos o la publicación de la Ley. Su lenguaje, dicen, es el de Deuteronomio y no el del Código Sacerdotal, como sería de esperar si fuese posterior a Esdras. Se hace objeción a esta teoría porque existe el hecho de que el segundo argumento no es de omisión y por tanto no es válido. La enseñanza de Malaquías sobre el matrimonio y el divorcio tiene más sentido si se refiere a un pacto hecho diez años antes. El libro de Deuteronomio era un libro muy popular después del tiempo de Esdras.

El estilo de Malaquías es didáctico, académico, no libre como el de los profetas anteriores. (1) Se hace una acusación; (2) el pueblo responde, (3) y el profeta aplica la verdad al estilo profético. La profecía está asumiendo el carácter de enseñanza, resultando al final en un escolasticismo rabínico. En Malaquías tenemos "Profecía dentro de la Ley". Este reafirma verdades enseñadas por otros profetas referentes al amor, al cuidado de Dios y al castigo de los perversos, pero por otra parte hace mucho énfasis en la Ley como medida disciplinaria de la vida; la indiferencia hacia su cumplimiento recibe severa condenación. Su exhortación final es: "Acordaos de la ley de Moisés" (4:4).

Notas Sobre Algunos Pasajes Importantes

1:8. Nuestras ofrendas a Dios deberían ser, al menos, tan respetables como los impuestos que pagamos.

1:10. ¡Poned un cerrojo en la puerta del templo! Es mejor no tener cultos, que celebrar servicios que degraden la adoración.

1:11. En el versículo hebreo no hay verbos. Esto puede ser un pronóstico pero generalmente una construcción como ésta requiere un verbo. Si se ha de sobreentender el tiempo presente, como sugiere el contexto, el versículo quiere decir que los gentiles de todo el mundo (tal vez prosélitos) ofrendan un culto más aceptable a Dios que el de la infiel Judá.

1:13. La religión hipócrita es siempre una carga.

2:10. El concepto de Malaquías de la paternidad de Dios solamente se aplica a los judíos.

2:15. El propósito de Dios en el casamiento la crianza de hijos temerosos de él. Un hogar dividido destruye este propósito de Dios.

4:2. El versículo más hermoso del libro.

Bosquejo del Libro

Título 1:1.

Introducción.—El amor de Yahveh hacia Israel, aunque puesto en tela de juicio, se manifiesta en la historia de Israel y Edom. 1:2-5

1. Indiferencia de Israel Hacia Yahveh, Especialmente de Parte de los Sacerdotes. 1:6 a 2:9.

  (1) Los sacerdotes en el altar ofrecen sacrificios indignos e inaceptables. 1:6-9
  (2) Yahveh rechaza totalmente tales sacrificios sin valor en Jerusalem, afirmando que en todo el mundo se le ofrecen sacrificios mejores. 1:10-14
  (3) Habiendo desechado el noble convenio del sacerdocio y habiendo pervertido la justicia y engañado al pueblo, los sacerdotes serán despreciados. 2:1-9

2. Prohibición de Tomar Mujeres Paganas Como Esposas y Divorciarse de las Judías. 2:10-16

3. Escepticismo Reprendido. 2:17 a 4:3

  (1) El día del Señor hará división entre el justo y el injusto, y vendrá tanto para el sacerdote como para el laico. 2:17 a 3:6
  (2) Traed los diezmos que retenéis, para que Yahveh pueda "vaciar bendición" sobre su tierra. 3:7-12
  (3) Cese la murmuración escéptica; porque Dios consumirá a los perversos y protegerá a los justos. 3:13 a 4:3

Conclusión. Cumplid la ley de Moisés y esperad al precursor quien promoverá el amor y la unidad. 4:4-6

PARTE IV

Estudio de los Libros Poeticos

Poesia Hebrea

La poesía del Antiguo Testamento es la contribución más significativa que el pueblo hebreo ha hecho a la literatura universal. Como otros pueblos, su literatura más antigua fue poética. El Antiguo Testamento no contiene toda la literatura poética del pueblo israelita. Solamente se incluyeron en los libros sagrados poemas de valor religioso, y no todos fueron incluidos en el canon. Se dice de Salomón que "pronunció tres mil proverbios y compuso mil cinco cantos". Los escritos bíblicos citan colecciones poéticas conocidas con el nombre de "Las guerras de Jehová" (Números 21:14) y "El Libro de Jasar" (Josué 10:12 sig.). Que la poesía lírica era muy popular en Israel, lo demuestra el número de sinónimos que existen en hebreo para la palabra "canto", de los cuales hay, al menos, trece. Solamente las ideas que están en uso tienen muchas palabras para expresarlas. El que existan en el hebreo, un idioma no precisamente rico en sinónimos, trece palabras para "canto", indica la profusión de la poesía en el Israel antiguo.

La poesía hebrea tiene dos marcadas características:

acento rítmico y paralelismo. Las líneas individuales se caracterizan por su énfasis acentual. La línea corriente tiene tres acentos, aunque frecuentemente es de dos o cuatro. Los poetas hebreos diferían de los griegos y de los modernos en el hecho de que al componer una línea solamente consideraban las sílabas que recibían el acento, introduciendo entre éstas, tres o cuatro sílabas no acentuadas. Las líneas individuales están unidas por lo que se conoce con el nombre de paralelismo, es decir, una rima más de sentido que de forma. Hay tres clases comunes de paralelismo:

1. *Sinónimo.* La segunda línea simplemente repite, en fraseología un poco distinta, el pensamiento de la primera:

"El que mora en los cielos se reirá;
El Señor se burlará de ellos."
—Salmo 2:4

"Oye, hijo mío, la doctrina de tu padre,
Y no desprecies la dirección de tu madre."
—Proverbios 1:8

Job 22:3-11. La forma más corriente en Job.

2. *Antitético.* La segunda línea es un contraste de la primera. (Véase Proverbios 10:1, 5, 7, etc.). La mayor parte de los trescientos setenta y seis versos pareados en Proverbios 10:1 a 22:16 son antitéticos.

3. *Sintético* (o progresivo). La segunda línea es un suplemento de la primera, dando ambas un pensamiento completo. (Véase Proverbios 1:10; 3:27-30.)

Otras variantes dignas de mención son:

1. Paralelismo Culminante ("ritmo ascendente"). La segunda línea toma palabras de la primera y las completa.

"Dad a Jehová, oh hijos de fuertes,
Dad a Jehová la gloria y la fortaleza".
                                    —Salmo 29:1

"Las aldeas habían cesado en Israel, habían decaído:
Hasta que yo Débora me levanté,
Me levanté madre en Israel".
                                    —Jueces 5:7

Compárese la forma ascendente en algunos de los salmos de peregrinos (Salmos de Ascenso). (Véanse Salmos 121:1-2 [ayuda]; 3-4; 4-5; 7-8; Salmo 122:2-3.)

2. Paralelismo Introvertido. La primera línea corresponde con la cuarta, y la segunda con la tercera.

"Hijo mío, si tu corazón fuere sabio,
También a mí se me alegrará el corazón;
Mis entrañas también se alegrarán,
Cuando tus labios hablaren cosas rectas."
                                    —Proverbios 23:15 sig.

3. Paralelismo Emblemático. La segunda línea dice algo parecido a la primera, pero en un plano más elevado.

"Sin leña se apaga el fuego:
Y donde no hay chismoso, cesa la contienda.
El carbón para brasas, y la leña para el fuego:
Y el hombre rencilloso para encender contienda.
                                    —Proverbios 26:20 sig.

(Véase también Proverbios 25:4 sig., 11-14, 19 sig.)

Las líneas en la poesía hebrea se agrupan de las más

diversas maneras. En algunos poemas es fácil distinguir
una división de estrofas. A veces, al final de cada estrofa,
aparece un estribillo. (Véase Salmo 107:8, 15, 21, 31.)
En la poesía hebrea existe muy poca rima. En Jueces 16:24
encontramos lo que se ha dado en llamar "un himno compuesto de una sola rima". En el primer versículo del Salmo
14 se repite una rima. El autor de Isaías 40-66 de vez en
cuando hace rimar algunos fragmentos de su composición.
De lo contrario, la poesía de Israel carece de esta característica tan esencial a nuestro concepto de poesía. C. C.
Torrey sugiere que tal vez la poesía profana tenía más
rima que la canónica. Quizá los escritores sagrados consideraron esta modalidad "demasiado vulgar para componer sus escritos sagrados".[1]

Sea como fuese, la poesía bíblica se parece mucho a lo
que hoy llamamos verso libre. Por lo tanto cambia muy
poco cuando es traducida. Sin embargo, presenta casi
siempre un problema para el traductor decidir si el pasaje
a traducir es "prosa rítmica" o "poesía prosaica". Los escritos hebreos, especialmente en sus pasajes más logrados,
cambian fácilmente de prosa a verso y viceversa, siendo su
idioma apropiado para estos cambios. Sin embargo, en
tales libros como los Salmos, Cantar de los Cantares y Job
no cabe duda acerca de su naturaleza poética. Los eruditos
han llamado la atención a la marcada diferencia entre la
poesía religiosa inglesa, gran parte de la cual es desperdi-
cio literario, y la realmente grandiosa poesía religiosa de
la Biblia. Existe en estas composiciones poéticas de los
hebreos una fuerza y una inspiración que funde el patriotismo con una aspiración moral, produciendo una poesía
celestial modelada en el valle terrenal.

---

[1] Citado en J. A. Penniman, *A Book About the English Bible* (Filadelfia: University of Pennsylvania Press, 1931), p. 95.

La poesía hebrea tiene una tremenda eficacia porque se halla libre de conceptos abstractos. Siempre apela a los cinco sentidos. Para expresar la desesperación humana, por ejemplo, el salmista habla de las sensaciones que la caracterizan y exclama: "mi garganta se ha secado"; "han desfallecido mis ojos"; "Estoy hundido en cieno profundo, donde no hay pie". El terror de la noche es expresado por Eliphaz (Job 4:12-17) como un "estremecimiento de huesos", "erizamiento del pelo", "el silencio de muerte", "fantasma". A veces en vez de describir la sensación, el poeta simplemente nombra el objeto que la produce. Cuando el autor del Salmo 65:9-13 describe lo que Dios hace en el mundo, describe las sensaciones de un precioso día de primavera.

No hay nada más trágico que la interpretación de un pasaje poético por un teólogo prosaico. Nunca más apropiada la amonestación de Pablo "... la letra mata, mas el espíritu vivifica" (2 Cor. 3:6) referente a la interpretación de los pasajes poéticos. "Al poeta debe permitírsele decir las cosas a su manera, y a menudo tiene que hacer con sentimientos y aspiraciones que 'rompen los moldes del lenguaje y escapan.' Como Jacob, él lucha con un ángel. Debe ser leído con simpatía espiritual y cooperación. A sus pláticas no pueden aplicarse las sutilezas etimológicas ni sus declaraciones pueden ser tomadas como fórmulas teológicas."[2]

Resulta bastante fácil comprender lo absurdo que es interpretar la poesía literalmente. Instintivamente se sabe que no se debe hacer. Cuando leemos en el canto de Débora:

"De los cielos pelearon:

---

[2] *Comentario Bíblico de Abingdon* (Buenos Aires: Librería "La Aurora", 1937), p. 22.

Las estrellas desde sus órbitas
pelearon contra Sísara",

el lector inmediatamente se da cuenta de que no se puede tomar literalmente. Las imágenes poéticas son las que describen el hecho de que todo el universo de Dios estaba formado contra tal hombre perverso.

Cuando el libro de Job describe la creación, "Cuando las estrellas todas del alba alababan" (Job 38:7), el lector no se imagina una concentración de estrellas "cantando un himno", sino que entiende que lo que el poeta quiere expresar es el gozo de todo el universo de Dios en el lenguaje de la imaginación.

El autor del Salmo 114, describiendo la liberación de los israelitas de Egipto, canta:

"La mar vió, y huyó;
El Jordán se volvió atrás.
Los montes saltaron como carneros:
Los collados como corderitos."

Nada podía ser más ridículo que interpretar la figura literalmente.

Interpretar los pasajes poéticos del Antiguo Testamento de otra forma que como poesía sublime, es ignorar el método divino que escoge a los poetas por sobre otros hombres para llamar al mundo a un adelanto espiritual.

Clases de Poesía Hebrea

1. *Lírica*. Hay muchos fragmentos de cantos en los libros históricos. El libro de los Salmos es una colección imperecedera de poesía lírica religiosa.

2. *Gnómica* o *Proverbial*. Proverbios, parte del Eccle-

siastés, y muchos aforismos aislados en diferentes libros del Antiguo Testamento.

3. *Dramática.* Job, un poema didáctico. El Cantar de los Cantares, un canto de amor. Job ha sido justamente llamado "La Epopeya de la Vida Interior", centrando su interés en la lucha de Job con la duda. Ni Job ni el Cantar de los Cantares fueron escritos para ser representados.

4. *Elegíaca.* Lamentaciones. Hay otras endechas y cantos fúnebres en los libros históricos y en los profetas (compárese 2 Sam. 1:19-27; Amós 5:1-3).

JOB

El problema del sufrimiento es el enigma más grande para la mente humana. ¿Por qué está nuestro planeta invadido de mal físico y moral? ¿Cómo puede permitir un Dios infinito que sus planes sean frustrados? ¿Por qué sufre el inocente igual que el culpable? El judío tradicional tenía la respuesta a este enigma. Y como todas las respuestas sencillas a los grandes problemas, era completamente inadecuada para hacer frente a los hechos del asunto: El justo siempre prospera en la tierra; el malo sufre. Si un hombre sufre es que ha pecado. Esta conclusión era inevitable a la luz de la tradicional idea de la inmortalidad que encontramos en el libro de Job y en todo el Antiguo Testamento. Teniendo esto en cuenta, la vida después de la muerte no tenía atracción para el pecador o para el santo. Todos estaban iguales en Sheol (tumba). Solamente ofrecía una existencia muy vaga, que no podía ser comparada con la existencia sobre la tierra. Existía una eternidad insípida, sin propósito. Era como si un hombre no viviese. (Compárese Job 3:17-19; 7:9, 10; 10:21, 22; 14:7-12; Salmos 39:13; 88:10-22; 115:17; Ecclesiastés 3:19 sig.; 9:4 sig.)

Puesto que en Sheol no había ninguna diferencia entre la recompensa del bueno y del malo, y Dios era justo, era necesario que éste recompensase a los hombres en el mundo presente por sus obras. Para interpretar los libros de Job y Ecclesiastés es imprescindible conocer esta filosofía. Al autor del libro de Job le fueron revelados los errores de esta creencia y le fue ofrecida una mejor solución al problema. Vio que esta posición contenía dos crasos errores. (1) La virtud se practicaría para obtener resultados terrenales. Satán acusó a Job de tener esta actitud. (2) La religión pertenecía a los ricos, los libres. los sanos, los felices, mientras que no aprovechaba para nada a los pobres, los desgraciados, los fracasados. Cuando la comunidad prosperaba, el que sufría era desplazado. El leproso fue excluido de toda práctica religiosa y social. El que estaba de luto era impuro, él y su comida (puesto que no entraba en la casa de Dios). Cuando la religión era más necesaria y debía estar más cerca del corazón para ayudarle y sostenerle, entonces le era negada al judío antiguo. Fue con el propósito de combatir su errónea interpretación del sufrimiento que el autor del libro de Job fue inspirado. Dejando aparte la tradición y las trivialidades pías, atravesó las nubes de la duda al sol de los propósitos de Dios para sus santos.

El libro de Job es la obra dramática más grande del Antiguo Testamento. Carlyle lo ha llamado "el gran libro del mundo", calificativo que en verdad merece. A primera vista diríamos que simplemente relata acontecimientos tal y como ocurrieron. Sin embargo, si lo observamos más detalladamente, nos daremos cuenta de que el escritor está usando las experiencias de Job para impresionar a sus lectores con las verdades que Dios le revela. En otras palabras, el Espíritu le guía a usar un método dramático para expresar la revelación. Con respecto a esto, es muy convincente el método usado, un arreglo mecánico de discursos en forma de ciclos y poesía. Nadie en el estado de ánimo de Job hubiese esperado cortésmente para que cada uno pronunciase su discurso para luego él responderle en el momento adecuado en forma poética, repitiéndose este proceso tres veces. Parece estar claro que el autor del libro de Job ha investigado minuciosamente la vida de éste y con la información que tiene a su alcance ha creado esta gran obra. Pudo simplemente haber declarado esta verdad, pero presentándolo en esta forma dramática mantuvo el interés del lector y desarrolló sus ideas.

Hasta que no sea reconocido este libro inmortal como la gran obra dramática que es, no vivirá para los hombres. Para descubrir la profundidad del significado que encierran estas páginas es necesario ver en cada línea de su espléndida poesía el producto de la mente de un filósofo guiado por el Espíritu, que usa cada una de sus frases para llegar al fin que persigue.

¿Cuándo fue escrito el libro de Job? Se sugieren dos fechas principales:

1. Durante el reinado de Salomón.

Esto explica su espíritu católico. Los tres amigos eran árabes; tal vez Job también lo era. La escena se sitúa en Harán, al nordeste de Palestina, cerca de Damasco. No se menciona ni la ley de Moisés ni la historia de los judíos. Sin embargo, puede ser que se haya hecho esto para permitir su desenlace con la tradición. Por el pensamiento y por la forma, Job pertenece a la literatura de la sabiduría que tuvo su origen en Salomón. Se parece más al libro de los Proverbios que a cualquier otro libro del Antiguo Testamento (pero compárese página 300).

2. Durante o después del destierro.

El problema del sufrimiento adquirió notable actualidad en este período (compárese Jeremías, Habacuc). El concepto de inmortalidad del libro pertenece a un período asaz avanzado. Hay bastante arameo y el hebreo es también aventajado. El concepto de Satán está muy desarrollado. En el Antiguo Testamento este concepto es progresivo. La palabra "Satán" significa adversario. El término aparece solamente dos veces más en el Antiguo Testamento, las dos en literatura postexilica. (Zacarías 3:1, 2; 1 Crón. 21:1, el único pasaje donde no se usa el artículo. "Satán" aquí es un nombre propio.)

Las evidencias están en favor de la segunda fecha, pero depende de argumentos extraídos del estilo y teología, los cuales son muy inciertos.

Resumen del Libro

Prólogo.—El relato del esfuerzo de Satán para hacer que Job maldiga a Dios (capítulos 1, 2). La gran prosperidad de Job y su sincera piedad (1:1-5). Satán insinúa que la piedad de Job es inseparable de su prosperidad y recibe permiso para probarle (6-12). La primera tentación de Job, —pérdida de *propiedad y familia* (13-22). La segunda fase de la tentación de Job, —pérdida de su *salud* (2:1-10). Sus tres amigos vienen a consolarle (11-13). Sus palabras nos llevan a la tercera fase de su tentación, —pérdida de su *buen nombre.*

Al principio Job no es entendido y luego es reprendido abiertamente. El argumento continúa a través del poema. Hay tres ciclos de discursos. (Sophar no habla en el tercer ciclo.)

La transición del prólogo al debate entre Job y sus tres amigos se hace en el capítulo 3, *Job Desea la Muerte.*

1. ¿Por qué nací? 3-10
2. ¿Por qué no morí el día de mi nacimiento? 11-19
3. ¿Por qué no me puedo morir ahora? 20-26

1. *Primer Ciclo*

El tema es *La Naturaleza de Dios*. Eliphaz hace énfasis en su santidad y bondad; Bildad. en su justicia; Sophar, en su sabiduría. Job se lamenta de su aparente injusticia. Siente que Dios le ha abandonado y busca la simpatía de sus amigos; pero sus amigos ven en su sufrimiento el resultado del pecado y le recomiendan que se arrepienta. Job apasionadamente defiende su integridad.

Primer Discurso de Eliphaz. Capítulos 4, 5

Nadie puede ser justo delante de Dios. Dios está castigando a Job para corregir sus pecados. Si reconoce su culpabilidad, conocerá otra vez la prosperidad.

Respuesta de Job a Eliphaz. Capítulos 6, 7

Sus amigos en vez de ayudarle le están hiriendo con sus insinuaciones, valientemente pregunta por qué el Dios poderoso atormenta a un hombre débil.

Primer Discurso de Bildad. Capítulo 8

Dios es justo y sabe discernir. Si no oye la exclamación de Job es porque ha pecado.

Respuesta de Job a Bildad. Capítulos 9, 10

Un hombre, aunque sea inocente, no puede vindicarse a sí mismo delante del Dios todopoderoso. El que sufre debe ser mal entendido y considerado un hombre perverso. Job suplica que Dios le deje solo, para tener un poco de consuelo antes de su muerte.

Primer Discurso de Sophar. Capítulo 11

La presunción de Job no significa nada ante la presencia del omnisciente Dios. Si Job se arrepiente y vuelve a Dios, encontrará prosperidad y paz.

Respuesta de Job al Primer Discurso de Sophar. Capítulos 12-14

Job demuestra que sabe más teología que sus amigos.

Empieza a preguntarse si la tradicional idea sobre la inmortalidad es correcta. Si así es, Dios es injusto. ¿Qué ocurre si en verdad no es correcta? Supóngase que, si un hombre muriese, ¡continuara viviendo! Podría soportar su tristeza si fuese así. Pero, no. No puede ser.

2. Segundo Ciclo

El tema es *La Suerte del Perverso*. Los amigos llegan a la conclusión de que Job ha añadido el engaño y la mentira a sus otros pecados. Ahora son más duros en sus acusaciones. Al mismo tiempo que ellos van perdiendo su paciencia, Job se va calmando, poniendo su confianza cada vez más en Dios, su única esperanza de vindicación.

Segundo Discurso de Eliphaz. Capítulo 15

Eliphaz pregunta a Job cómo puede presumir de pureza cuando ningún hombre es puro delante de Dios. En su primer discurso habló del amor de Dios; ahora predica la ira sobre los pecadores.

La Respuesta de Job al Segundo Discurso de Eliphaz. Capítulos 16, 17

Job no trata de refutar a Eliphaz. Su única esperanza es que Dios es testigo de su inocencia.

Segundo Discurso de Bildad. Capítulo 18

El castigo divino y la maldición humana serán sobre el impío.

Respuesta de Job al Segundo Discurso de Bildad. Capítulo 19

Después de las acostumbradas protestas por las censuras de sus amigos, de manera conmovedora Job pasa a describir cómo Dios le ha perseguido, con el resultante cisma entre los hombres. Pide a sus amigos que tengan compasión de él. Llegamos entonces al punto culminante del libro de Job donde éste da testimonio de su fe en Dios, teniendo la seguridad de que él le vindicará aun después de la muerte. Si no se hace justicia en este mundo, se hará más allá de la tumba.

Segundo Discurso de Sophar. Capítulo 20

En forma apasionada Sophar se lanza sobre Job y le asegura que el triunfo del perverso dura muy poco, porque el pecado trae consigo sus consecuencias y muy pronto Dios descargará su ira sobre su cabeza.

Respuesta de Job al Segundo Discurso de Sophar. Capítulo 21

Después de una defensa preliminar, Job discute el difícil tema, *La Prosperidad del Perverso.* Dios puede justificar más allá de la tumba, pero ciertamente no es justo en esta vida.

3. *Tercer Ciclo*

El tema es *El Pecado de Job.* Eliphaz acusa a Job de haber cometido pecados terribles. Bildad, no pudiendo decir nada sobre el asunto, habla en términos muy generales. Sophar cree que es perder el tiempo hablar con un blasfemo como Job. Nótese en qué forma tan sincera Job, al final de su discurso en el capítulo 31, niega que ha pecado.

Tercer Discurso de Eliphaz. Capítulo 22

Puesto que los hechos que concurren no están de acuerdo con la teología de Eliphaz, éste trata de cambiar los hechos en vez de su teología. Acusa a Job de pecados que él bien sabe que nunca ha cometido, porque son pecados que todos hubieran conocido. Si, como él cree, solamente los perversos sufren, Job debe haber pecado terriblemente.

Respuesta de Job al Tercer Discurso de Eliphaz. Capítulos 23, 24

Job desea encontrar a Dios. Aunque es inocente, no

puede hacerlo. Todavía es demostrada más injusticia en la prosperidad del perverso.

Tercer Discurso de Bildad. Capítulo 25

Dios es demasiado grande para que un simple gusano se justifique en su presencia.

Respuesta de Job al Tercer Discurso de Bildad. Capítulo 26

Yo también sé que Dios es grande. Pero eso no ayuda a solucionar mi problema.

Ultimo Discurso de Job. Capítulos 27-31

(1) Los capítulos 27 y 28 son difíciles de entender porque parece ser que en ellos Job disputa su propia posición acerca del destino del perverso. Posiblemente se dio cuenta que, en lo acalorado del debate, había puesto demasiada importancia en la prosperidad de los perversos. Algunos comentarios sugieren que hay encerrado aquí un discurso perdido de Sophar. En el capítulo 27, Job primero defiende que es inocente (1-6) y luego describe la destrucción del perverso (7-23). En el capítulo 28, Job declara que la sabiduría no puede ser encontrada ni comprada por el hombre. Solamente Dios posee sabiduría. Temerle es ser sabio. Uno de los capítulos más notables del libro.

(2) Capítulos 29-31. Job revisa su causa. En el capítulo 29 hay una patética descripción de su felicidad anterior. En el capítulo 30 compara su triste condición actual. En el capítulo 31 presenta un excelente código moral superior a todo lo que encontramos en el Antiguo Testamento. Job desafía a Dios a que encuentre un pecado que merezca tal castigo como el que ha recibido.

Discurso de Eliú. Capítulos 32-37

Eliú, un joven que ha sido testigo de las conversaciones, ha notado los errores de ambos bandos. Job ya ha hecho callar a sus amigos. Ahora alguien ha de hacer callar a Job. Eliú ataca dos argumentos empleados por Job y que estaban equivocados: (1) que Dios es injusto; (2) que Dios no le hablará. El muestra que Dios no podría regir este mundo sin justicia porque el resultado sería un caos. Dios ha estado hablando a Job todo el tiempo por medio de su sufrimiento, deseando enseñarle toda verdad. Job ha demostrado tener un espíritu orgulloso y es necesario que se humille. Es digno de notar que más tarde Yahveh condena a los amigos pero no a Eliú. En contra de lo que creen muchos eruditos estos pasajes son esenciales para el argumento del libro.

Primer Discurso de Yahveh — Las Maravillas de Dios en la Naturaleza. Capítulos 38, 39

No podemos explicar las maravillas de Dios en el mundo inanimado o en el animal. Job, consciente de su pequeñez, desiste en su empeño de responder al Todopoderoso (40:1-5).

Segundo Discurso de Yahveh. 40:6 a 41:34

Job ha de tener cuidado de no usurpar la posición del Todopoderoso, puesto que ni siquiera puede vencer o entender al hipopótamo o al cocodrilo. Job se arrepiente de su espíritu de rebeldía (42:1-6).

Epílogo. Job ora por sus tres amigos y la prosperidad que antes tenía es doblada (42:7-17). Algunos eruditos dicen que esto contradice el resto del libro, enseñando que la justicia es siempre recompensada en este mundo con prosperidad. Sin embargo, esto se hizo para demostrar a los amigos de Job que éste tenía razón. Por este medio el mundo supo que existía sufrimiento que no era fruto del pecado. Si Job hubiese muerto en su agonía, la posición de sus amigos hubiese sido confirmada.

Notas Sobre Pasajes Importantes

1:1. Hus era probablemente Damasco. El nombre Job significa "penitente" o "perseguido"; "hombre de dolor".

1:2. "Siete" y "tres" eran números perfectos.

1:3. Job era verdaderamente rico. El ganado indica la extensión de sus campos de pastoreo. Los camellos eran usados para el comercio; era un comerciante rico. Los bueyes eran animales de carga e indican su interés en la agricultura. Las asnas producían leche; Job poseía una enorme lechería.

1:4. Las fiestas eran seguramente celebraciones de cumpleaños.

1:5. La palabra hebrea "blasfemar" es *barak*. También significa "bendecir". Hay un interesante juego de palabras en los capítulos 1, 2.

1:6. Satán está entre los hijos de Dios. El término "hijos de Dios" es una curiosa construcción adjetival hebrea que significa "seres divinos", tal vez ángeles. Nótese que no se dice que Satán es uno de ellos, solamente que está en medio de ellos.

1:11. Mientras que Job se sacrifica a favor de sus hijos para que no maldigan a Dios, no se imagina que dentro de muy poco tendrá él la misma prueba que ellos.

1:16. "Fuego de Dios" es un relámpago.

1:21. Esto es justo. Dios dio, por lo tanto, él puede quitar lo que quiera. "bendito" es la palabra *"barak"*, pero en este caso Job la usa de forma muy distinta a como Satán la entiende.

1:22. Esto no será verdad más tarde. Una indicación de lo que ha de venir.

2:4. "Piel por piel" —Satán pretende que Job es un comerciante astuto. Gustosamente dará todo lo que tiene con tal de preservar su vida. Todavía es un buen negocio.

2:9. Es de interés que Satán no quitó la vida de la esposa de Job. Aparentemente se dio cuenta de que encontraría en ella una aliada. Es natural que ella sintiese más dolor que él. El Targum asegura que su nombre era Dina y pone en su boca un largo discurso, asegurando que es del todo impropio que en una ocasión como ésa una mujer dijese tan poco.

2:13. La simpatía de los amigos era profunda y sincera.

3:1. Hasta ahora Job ha permanecido callado, pero al verse rodeado de tanta simpatía y acorralado por la desgracia, exterioriza sus sentimientos. El entendía que Dios le podría quitar lo que le había dado, pero ahora la situación era totalmente distinta. El sufrimiento corporal no tenía explicación racional y añadido al sufrimiento que ya tenía, consideraba que la otra tristeza era demasiado. Descubre su alma ante sus simpatizantes. Cuando falsamente le acusaron, sintió como que la ciudadela de su alma había sido traicionada.

4:2a. ¿Te molestaría si te dijera algo?

4:3-5. ¿Por qué no practicas lo que predicas?

4:17, 18. Dios puede ver defectos incluso en sus ángeles. ¿Cómo puede el hombre aparecer justo delante de él?

6:2, 3. Mis quejas son en proporción a mi sufrimiento.

6:5, 6. Todo efecto tiene su causa. Mis palabras tienen suficiente fundamento.

6:10. Job se regocija en el dolor. Cuanto más sufre, más cuenta se da de su inocencia.

6:21. " . . . habéis visto el tormento, y teméis" —si estuviéseis de acuerdo conmigo, también temeríais que Dios os castigase. Y sin embargo, vosotros sabéis que soy puro.

6:22, 23. No os he pedido dinero, ¿por qué sois tan duros conmigo?

6:26. Mucho de lo que digo no lo siento. No tengáis en cuenta mis locas palabras. Tratad de entender la razón de mi desesperación.

6:27. Rebajáis mi nombre para de esta forma ensalzar vuestra piedad. Cuando me condenáis, os creéis más santos.

7:11-21. Job acusa a Dios terriblemente.

7:20. Léase "Oh *Espía* de los hombres".

9:20. Job no afirma en ninguna parte que es perfecto, sino solamente que no ha pecado *en proporción* a su sufrimiento.

9:32, 33. Cristo ha cumplido esta función en una forma perfecta. El santo del Antiguo Testamento sentía que no tenía semejante intercesor.

13:15. Una determinación, no de seguridad, sino de defender su causa hasta ser declarado inocente. Job puede morir, pero no negará nunca su integridad.

13:21, 22. Job le dice a Dios la única condición sobre la cual está dispuesto a tratar la paz con él. No exhibe aquí la debida humildad, como más tarde Eliú afirmará.

14:14. No "*¿Volverá* a vivir?", sino "¿continuará viviendo?"

14:15b. Si hay una recompensa después de la muerte, sería una demostración de que tú te preocupas del hombre.

15:10. Tenemos la tradición a nuestro favor.

16:4. La crítica es fácil cuando el prójimo es la víctima.

16:19. Job empieza a volver a Dios.

18:8-10. Nótese el número de sinónimos empleados para la palabra trampa.

18:13. Una referencia a la enfermedad de Job.

18:15. Como había acontecido a los rebaños de Job.

18:17. Una referencia a los hijos de Job.

19:3. "Diez veces" — una metáfora que significa "cuanto es posible".

19:4. Si he pecado, tú no has sido capaz de reconocerlo a pesar de todas tus indagaciones.

19:6. No he sido atrapado en una red que yo mismo he tejido (compárese 18:8 sig.). Dios me ha perseguido sin razón.

19:21, 22. Una conmovedora petición de simpatía. No encontrándola, Job hace su inmortal declaración de su fe en Dios. El hombre puede abandonarle, pero Dios nunca lo hará.

19:23, 24. Antes no había querido que sus palabras fuesen recordadas (6:26), pero lo que dirá ahora será monumental.

19:25. "Yo sé" —Hasta ahora no había creído, o dudaba, ahora ya no. "Redentor"— La palabra hebrea *goel* (compárese el libro de Ruth). El *goel* era el pariente más cercano, cuya responsabilidad era redimir su propiedad y defender su nombre. Dios será el vindicador de Job, aunque nadie se ponga de su parte, "la tierra" (polvo) —"mi polvo", mis cenizas cuando muera.

19:26. "esta" —Job se refiere a su cuerpo en decadencia. "Después de deshecha esta mi piel", cuando mi cuerpo haya vuelto al polvo. "Más allá del sepulcro veré a Dios".

19:27. Job no se conforma con que Dios le vindique en este mundo cuando él no lo pueda ya ver. Este versículo expresa de forma enfática que Job estará presente corporalmente. Job llega a la conclusión de que si su Dios es justo, debe haber una recompensa más allá del sepulcro. La naturaleza de esa recompensa se encargará de definirla

el Nuevo Testamento. Era suficiente para Job saber que
tal recompensa llegaría.

Muchos comentaristas niegan que, en este pasaje, Job
afirma tener fe en una experiencia después de la muerte.
El principal argumento es que en los capítulos que siguen
no hay indicios de semejante fe, sino que continúa alegando la injusticia de Dios. Tal vez esto se comprenda
mejor si recordamos que Job es humano. Aunque ahora
cree en la vindicación después de la tumba, todavía insiste
en que esa vindicación debería efectuarse en la tierra.
"¿Por qué," se pregunta, "gobierna Dios *este* mundo con
tanta injusticia?"

21:4. Job se llama a sí mismo impaciente y la palabra
sin duda describe su actitud. La expresión "Job, el hombre de la paciencia", debería ser cambiada por "Job, el
hombre de la impaciencia". Seguramente se originó en la
expresión que se encuentra en Santiago 5:11. Sin embargo
la palabra allí debería traducirse por "resistencia" que describe mejor el carácter de Job. Aunque impaciente, no
paró hasta encontrar a Dios.

21:16. Una doble declaración. Hubiese preferido tener una buena conciencia a su prosperidad.

21:19-21. La recompensa no es nada a menos que el
culpable experimente el castigo.

22:2, 3. Eliphaz le revela que su error es fundamental.
No puede existir una relación personal e íntima entre Dios
y el hombre.

26:7. Una observación notable a la luz de la teoría
científica moderna.

Capítulo 28. El hombre es capaz de hacer cosas maravillosas pero no es capaz de saber gobernar su propia vida.
Solamente Dios puede dar la sabiduría para hacerlo.

31:29, 30. La actitud que Job demuestra aquí hacia

sus enemigos supera todo lo que encontramos en el Antiguo Testamento y es un reto a los cristianos.

31:35. Job personalmente confirma su integridad. Está seguro de que es justo.

35:15. Una verdad. Job se está preguntando por qué Dios no se le revela. La razón es que Yahveh es misericordioso. Job actualmente tiene un espíritu de orgullo y de rebeldía, y si Dios viniese a él, solamente podría hacerlo con ira. Aparentemente Job se da cuenta de que Eliú tiene razón, porque no le responde, incluso cuando le da oportunidad para hacerlo. (Compárese 33:32, 33.)

40:8. El gran pecado de Job. Estaba dispuesto a sacrificar la integridad de Dios para poner a salvo la suya.

42:5. Job aprende la lección que necesita aprender: humildad. Cuanto más íntima la comunión que un hombre tenga con Dios, más marcado es su sentimiento de indignidad.

SUGERENCIAS SOBRE EL SIGNIFICADO DEL SUFRIMIENTO

1. El Prólogo. A Satán se le permite probar una rectitud que puede ser solamente externa.

2. El argumento de sus amigos. El sufrimiento es el resultado del pecado cometido. Esto es cierto muchas veces pero no siempre.

3. La sugerencia de Job. El hombre sufre a causa de la indiferencia de Dios. Queda probado que esta posición es completamente falsa.

4. El discurso de Eliú. A veces el sufrimiento es un medio de educación o preparación para que los hombres aprendan lo que de otra forma no sabrían. Job por este medio obtuvo fe en la inmortalidad del individuo.

5. Los discursos de Yahveh. El sufrimiento no debería provocar un espíritu de rebeldía, sino un aumento de fe. De la misma forma en que el hombre debe reconocer su ignorancia en cuanto al mundo físico, aunque confiado de que Dios lo gobierna, el hombre debiera reconocer que Dios puede dirigir su vida. Ocurra lo que ocurriese, podemos tener la convicción de que Dios cuida de los suyos.

SALMOS

El libro de los Salmos es el primero de los libros de los Escritos Hebreos. En hebreo lleva el título, "Alabanzas". Puede ser que en algún tiempo los salmos hayan sido considerados oraciones (Salmo 72:20). La Versión de los Setenta usa el término *"Psalmoi"*, "melodías". En un Codex se le da el título de *Psalterion* (de donde se deriva Salterio, cantos entonados con acompañamiento de instrumentos de cuerda). El Salterio se divide en cinco partes. Cada uno de los libros termina con una doxología, el Salmo 150 es la doxología de todo el Salterio y el Salmo 1 es la introducción. Estas divisiones corresponden a los cinco libros de la Ley. El nombre que se le da al Salterio representa la respuesta de la comunidad al llamamiento que Dios hace al pueblo por medio de la Ley.

Primer Libro (1-41). Consiste, con solamente cuatro excepciones (1, 2, 10, 33), en salmos atribuidos, por sus títulos, a David. Este grupo tiene como característica el uso frecuente del nombre Yahveh.

Segundo Libro. (42-72). Salmos de los "hijos de Coré" (42-49), "de David" (51-65, 68-70). Esta fue probablemente una compilación de salmos para uso en los servicios del tabernáculo y del templo. En este grupo predomina el nombre Elohim.

Tercer Libro (73-89). "Salmos de Asaph" (73-83) e

"hijos de Coré" (84-88). Los nombres de la deidad son usados por igual. Solamente uno de estos salmos se atribuye a David (86).

Cuarto Libro (90-106). El primero atribuido a Moisés, dos a David (101, 103) y el resto anónimos. El nombre que prevalece es Yahveh.

Quinto Libro (107-150). Litúrgico, incluyendo los Salmos Yahveh-Aleluya. Predominan los salmos de Ascenso.

TITULOS DE LOS SALMOS

1. Naturaleza de los Títulos

1). Títulos que describen el carácter del poema: (a) *Mizmor* (salmo), una composición musical para ser cantada con instrumento de cuerda; (b) *Shir,* cualquier clase de canto; (c) *Maschil,* un canto de una destreza especial (antífona); (d) *Michtam* ("de oro, precioso"), salmo con la idea de salvación, o una lamentación personal.

2). Títulos relacionados con la composición musical o la representación: (a) "al músico principal" (el director del coro del templo), (b), *Selah,* una observación musical, no para ser leída, que podía significar (1) una pausa en un interludio instrumental, o (2) una elevación (forte); (c) algunas expresiones difíciles en los títulos, probablemente indicando la tonada que acompañaría el salmo.

3). Títulos que hacen referencia al uso litúrgico de los salmos para ser cantados en determinadas ocasiones.

4). Títulos que se refieren a la paternidad literaria. Se usa una preposición hebrea que puede significar "por", "perteneciente a", o "conectado con". No siempre es posible determinar si se refiere al autor o la relación. "Un

Salmo a David" puede significar "un salmo por David" o "un salmo referente a David". Sin embargo, el uso regular de la construcción es en calidad de posesivo.

5). Títulos que describen la ocasión cuando el salmo fue escrito. Estos casi se limitan a los de David.

2. El Valor de los Títulos

En el estudio de los salmos, mucho depende de la confianza que el estudiante tenga en los títulos de los mismos. Estos títulos no son parte del texto inspirado y probablemente no fueron escritos por los autores de los salmos. Probablemente son obras de antiguos editores de las colecciones de salmos. Los eruditos no tienen razón para rechazar por completo estos títulos, porque representan una tradición muy antigua, teniendo su origen probablemente en un período anterior al destierro. Los títulos referentes a David pueden haber sido dados mucho antes del destierro. Los traductores de la Versión de los Setenta encontraron los títulos en el texto hebreo, y muchas frases eran tan antiguas y arcaicas que los traductores desconocían totalmente su significado. Algunos de los títulos están probablemente equivocados; pero en general son dignos de respetuosa consideración.

J. W. Thirtle, en *Los Títulos de los Salmos*, afirma que todas las observaciones musicales eran originalmente títulos subordinados, mientras que las notas que hacen referencia al autor y a la ocasión cuando fue escrito, son verdaderos títulos. Los copistas unieron el subtítulo de un salmo con el título del siguiente, sin ninguna separación; y editores posteriores los juntaron formando un solo título para el segundo de los dos salmos.

3. El Testimonio de los Títulos en Cuanto a la Paternidad Literaria del Salmo

(1) A David 73 (37 en el Libro I, 18 en el Libro II, 1

en el Libro III, 2 en el Libro IV, y 15 en el Libro V).

(2) A Asaph 12 (50, 73-83).

(3) A los Hijos de Coré 12 (42-49, 84, 85, 87, 88). El Salmo 88 también se atribuye a Hemán.

(4) A Salomón 2 (72, 127).

(5) A Moisés 1 (Salmo 90).

(6) A Ethán 1 (Salmo 89).

4. Clasificación de los Salmos

El libro de los Salmos tiene unas divisiones naturales que son:

(1) Quince Salmos Graduales. 120-134

(2) Siete Salmos Alfabéticos: 25, 34, 37, 111, 112, 119, 145. Los Salmos 9 y 10 dan evidencia de conformidad con el orden de las letras. El Salmo 119 es el más completo y elaborado ejemplo de poema alfabético.

(3) Cuarenta y dos salmos Elohistas. 42-83. Todos los demás son Yahvistas; el Salmo 84 es la línea divisoria entre estas dos clases.

(4) Once Salmos de Aleluya: 111-113; 115-117; 146-150. En la Pascua, en los tiempos del Nuevo Testamento, "el Hallel egipcio", Salmos 113-118, se cantaba en dos partes.

Muchos salmos tienen una estrecha relación por la semejanza del tema que tratan. Un estudio de estos diferentes grupos ayudará a comprender la enseñanza de los salmos. Esta forma de estudio tiene dos ventajas:

1. No es necesario fijar la fecha de cada uno de los salmos en particular. Hay tanta discrepancia irreconciliable entre los eruditos en cuanto a estas fechas que existe gran urgencia de un método que considere lo que Dios quiere enseñar al mundo actual por medio de todos los

salmistas. Totalmente independiente de la fecha de los salmos, hay un mensaje en todo el Salterio que refleja las necesidades del alma de toda la humanidad de todos los tiempos. Esta es la razón por la cual el libro ha sido de tanta utilidad a través de los siglos. Su verdad no pertenece al tiempo, sino a la eternidad.[1]

2. Se evita la repetición en los salmos que da la impresión de monotonía al principiante. En tal estudio se señalan las enseñanzas más sobresalientes de cada salmo y cuando hay un salmo totalmente distinto a los demás, entonces se hace un estudio individual del mismo en su totalidad. Aunque todos los salmos pueden agruparse bajo la siguiente clasificación, solamente aquellos que presentan ideas destacadas serán estudiados.

Los Salmos de la Naturaleza

8; 19:1-6; 29; 65:9-13; 104; 147:8-18

Para el hebreo el mundo no era simplemente tantos y cuántos minerales y vegetales. Toda la grandeza de la creación testificaba de la gloria del Dios que lo creó.

1. Dios en los cielos. Salmo 19

Los cielos están constantemente enseñando y predicando (v. 2). Su mensaje no se puede oir (v. 3), pero a pesar de eso se ha extendido por todo el mundo (v. 4): "Si esta es la obra de sus manos, cuán grande debe ser este Artífice" (1. 1).

2. Dios en la tormenta. Salmo 29

La ciencia moderna ha quitado de la tormenta lo que en ella había de maravilloso. El trueno ya no es la mani-

---

[1] Compárese A. F. Kirkpatrick, "The Book of Psalms," *Cambridge Bible* (Cambridge University Press, 1910), un excelente estudio sobre las fechas de cada uno de los salmos.

festación del poder de Dios, sino simplemente el movimiento rápido del viento en un vacío creado por el calor de los destellos eléctricos del relámpago. Para el antiguo hebreo la tormenta era un instrumento de Dios, algo que recordaba su poder. Cuando se desencadenaba una tormenta, el hebreo se acordaba de Dios. Nótese con qué habilidad la poesía del Salmo 29 va cogiendo un ritmo de crescendo al avecinarse la tormenta, para luego llegar a su culminación.

3. Dios en la tierra. Salmo 65:9-13

En la primavera la fantasía de un joven puede convertirse en amor, pero para el autor de este precioso pasaje la primavera dirigía sus pensamientos a Dios, porque él era quien preparaba el campo para el labrador durante las estaciones. La lluvia viene del río (las nubes) siempre lleno de agua. Por su providencia la simiente está preparada y en el momento oportuno lluvias de bendición caen para ablandar la corteza del suelo y permitir el crecimiento de las plantas tiernas. Durante la siega la mente del salmista no está ocupada en derribar graneros y en edificar otros mayores, sino que está ocupada en Yahveh, que corona el año con su bondad. Toda la naturaleza parece cantar la bondad y misericordia de Dios.

4. Dios en el hombre. Salmo 8

Cuando el salmista considera los cielos, se impresiona al reconocer la pequeñez del hombre. Entonces comprende que Dios prefiere tales instrumentos insignificantes (2). Los Davides están continuamente matando a sus Goliates. En verdad Dios ha hecho al hombre la corona de su creación, solamente algo menor que él mismo (v. 5, en hebreo, *Elohim;* la Versión de los Setenta traduce "ángeles", pero esta es la palabra generalmente usada en el Antiguo Testamento para designar a Dios). Cuando piensa en el amor manifestado al hombre, irrumpe con esa doxología. Cuando el salmista considera al hombre, recuerda el amor de su Dios.

SALMOS DE CARACTER

1, 15, 24, 50, 75, 82, 101, 112, 127, 128, 131, 133

Estos son los salmos que describen las características del hombre que agrada a Dios. Nótense estos rasgos:

1. Sinceridad, pureza de motivo. Este es uno de los ideales más elevados entre los hebreos. Es lo opuesto al engaño y a la hipocresía. Si la corriente ha de ser pura, la fuente debe serlo también. El hombre ideal es puro de corazón (24:4a) y habla verdad en su corazón (15:2b). No pone su afecto en la vanidad o en la mentira. 24:4b).

2. Pureza de motivo no es suficiente. Como resultado debe haber buenas acciones. El hombre aprobado por Dios anda rectamente y sus acciones son justas (15:2). Esta vida recta tiene las siguientes características:

(1) Tiene cuidado con sus compañeros (Salmo 1:1) —obsérvese la clase de hombre del cual huye. No escucha el consejo de los perversos (en hebreo "descentrados" anormales, cuya filosofía de la vida está pervertida), ni sigue el camino del pecador (en hebreo, "los que no llegan a su destino" o fracasan en el plan que Dios tiene para sus respectivas vidas). El escarnecedor, que se sienta en la cuneta de la vida y se burla de los que pasan, es indiferente a sus quejas. Por otra parte, desea la compañía de los hombres que temen a Dios (15:4b). Es un amigo leal de ellos. El Salmo 133 ensalza el valor de la unidad fraternal. Será bendición para toda la comunidad, como el aceite que unge a Aarón y el rocío de Hermón. Natural-

mente el hombre bueno no es un chismoso. No detrae con
su lengua (15:3). No permite historias injuriosas que
puedan perjudicar la reputación de su prójimo. El Salmo
120 es una severa condenación de la lengua mentirosa.

(2) Es un hombre de principios. Puede fiarse de su
palabra (15:4); no puede ser sobornado (15:5). No se
aprovecha injustamente de la desgracia de los demás, car-
gándoles intereses. Nadie en Israel pedía dinero prestado
a menos que estuviese en una situación muy desesperada.
La palabra usada para "interés" significa "algo que ha
sido mordido".

(3) Encuentra su placer más grande en la meditación
de la Palabra de Dios (1:2).

El Salmo 1 detalla cuáles son las ventajas y los beneficios del hombre cuya vida es aprobada por Dios:

1. Estabilidad. El hombre ideal es como el árbol firmemente plantado (1:3). Nunca será movido (15:5). La
palabra hebrea "nunca" viene de una raíz que significa
"ocultar" y quiere decir "lo que se oculta en el pasado o
en el futuro". La expresión significa, por lo tanto, "El que
hace estas cosas no será conmovido, incluso en el profundo
desconocido". El mundo puede desmoronarse, pero este
hombre no será conmovido.

2. Provisión inagotable de fuerza. Es como un árbol
plantado en medio de corrientes de agua, abundantemente
alimentado por todas partes.

3. Fecundidad. Puesto que está firmemente plantado
y abundantemente alimentado, forzosamente ha de llevar
buen fruto.

4. Belleza perpetua. Es como los árboles siempre ver-
des, cuyas hojas nunca se secan. Los hombres se maravi-
llarán al ver la fuente de su fortaleza.

5. El poder de terminar las cosas. Léase "Lo que em-

pieza, llevará a feliz término" (1:3). Esto es efectuado con la ayuda directa de Dios, pero también por la ayuda de los muchos hijos con que Yahveh le bendice (Salmo 127). Es vano edificar sin Dios, pero con él a nuestro lado obtendremos paz mental e hijos en abundancia.

SALMOS DE CONTRICION

6, 25, 32, 39, 40, 51, 102, 130

Se ve a través de todos ellos un profundo sentimiento de pecado humano. "... no se justificará delante de ti ningún viviente" (143:2). "... si mirares a los pecados, ¿Quién, oh Señor, podrá mantenerse?" (130:3). "No hay quien haga bien, no hay ni aun uno" (53:3).

En el Salmo 51 encontramos el pecado gráficamente caracterizado como:

1. Rebeldía contra la voluntad de Dios (v. 1, Valera, Moderna, "transgresiones", "rebeliones").

2. No cumplir el propósito para el cual el hombre fue creado (v. 2, Valera, Moderna, "iniquidad", "maldad").

3. Perversión de la imagen de Dios (v. 2, Valera y Moderna, "pecado").

4. Corrupción (2, 7).

5. Un espectro (3b).

6. Principalmente una afrenta a Dios (4).

7. Transmitido por la raza (5).

8. Rompimiento de la comunión entre Dios y el hombre (11a.)

9. Destrucción de la alegría de vivir (12).

10. Cerrar los labios del testimonio (14, 15).

11. Hiere a nuestro prójimo (14).

Puesto que el pecado es un amo tan terrible, solamente

hay una esperanza para su víctima —la gracia de Dios.
El favor de Dios nunca puede ser ganado solamente por
buenas obras (16, 17). La única esperanza del pecador es
allegarse humildemente a Dios, suplicando misericordia.
Incluso entonces no podrá dominar la tentación hasta que
se efectúe una nueva creación (51:10). En este proceso
hay cuatro pasos:

1. Un espíritu quebrantado (17a), cuando el pecador
admite su pecado y pide misericordia.

2. Un espíritu libre (12b). Entonces se adoptará la
cura sugerida.

3. "Espíritu de tu santidad" (v. 11 Valera, "tu santo
Espíritu"), por el cual el hombre es separado del mundo
y dedicado a Dios.

4. Un espíritu constante (10). Ahora que ha sido separado le es dado el poder para perseverar.

En el Salmo 32 tenemos el gozo de un alma cuyo pecado le ha sido perdonado. Es el compañero del Salmo 51.

1. El gozo del alma perdonada (32:1, 2). Su rebelión
ha sido quitada. Su errar al blanco borrado, su perversión
moral olvidada. No le ha escondido nada a Dios, sino que
le ha confesado todo (2b).

2. El contraste entre el estado de pecado y el de perdón. El pecador antes de reconocer su pecado estaba en
la absoluta miseria. La mano de Dios pesaba sobre él. La
vida no tenía ningún aliciente; tanto el alma como el cuerpo
estaban oprimidos (32:3, 4). Inmediatamente después de
la confesión de su pecado, el peso desapareció y experi-
mentó el gozo del perdón. El que hasta aquí se estaba
escondiendo de Dios, ahora se esconde en él (32:5, 7). El
pecador que ha sido perdonado conduce a otros al arrepentimiento (51:13) y aconseja a los justos a que perseveren
(32:6). Dios continúa instruyéndole para que no sea to-

zudo, sino que siga sus consejos. La responsabilidad hacia Dios no cesa en el momento en que el pecador es perdonado.

SALMOS REFERENTES A LA PALABRA DE DIOS

119; 19:7-14

El amor del salmista por la Palabra de Dios (su verdad revelada) era de una intensidad extraordinaria. El Salmo 119, donde cada una de las diferentes secciones empieza con una letra del alfabeto hebreo y es, además, el salmo más largo del Salterio, centra su interés alrededor de este tema. Las enseñanzas de Dios son el pensamiento constante del salmista (119:97). Se regocija cada vez que descubre una nueva verdad como el que halla muchos despojos (119:162). Más dulce que la miel a su paladar es la Palabra de Dios (119:103). No puede esperar hasta la noche para estar solo y meditar (119:148). Cuando necesita ayuda acude a las Escrituras (119:24). Por dondequiera que va habla de su principal interés, incluso delante de los reyes (119:46). Cuando ve que otros desobedecen los mandamientos de Yahveh, llora su descuido con tristeza (119:136).

Las características de la Palabra están vivamente expresadas en estos salmos. (1) Es fiel. Una vez decretada en el cielo, se cumple en la tierra, porque todo sirve a Dios (119:89 sig.). (2) En su aplicación es ilimitada. Todo tiene un límite, pero la Palabra de Dios es un ideal que todavía no ha sido alcanzado (119:96). (3) En ella se encuentra toda la verdad (119:160), porque las ordenanzas del Señor se sujetan a una norma absoluta (19:9). (4) La ley de Dios ha sufrido la prueba del tiempo y ha demostrado ser buena (119:140). (5) Es segura, no relativa o variable; por lo tanto, hace sabio al hombre que carece de convicciones (Valera, "pequeño"), garantizándole la existencia de principios bien establecidos (19:7). (6) La ley del Señor es perfecta; es decir, siempre cumple su propósito que es el de restaurar el alma (19:7). Cuando el alma se aparta de Dios, le muestra el camino para ir a él; cuando está desalentada, le anima. (7) En oposición a la inmoralidad de los paganos, el temor del Señor enseñado en su Palabra es puro. Exige el nivel moral más elevado (19:9), asegurando su aplicación a todos los pueblos de todos los tiempos al par que reta al mejor hombre (19:8b).

La obra de la Palabra de Dios es de un valor incalculable. (1) Guía al hombre en los problemas de la vida. El joven necesita su voz experimentada (119:9). Para el hombre maduro es la luz que brilla en las tinieblas para mostrarle el camino (119:105). (2) El consuelo en las horas difíciles es grande (119:50). Sin su seguridad, no habría esperanza (119:92). Al par que relata la ayuda que Dios ha sido para los santos de la antigüedad, imparte nuevo valor para el presente (119:132). A veces ha de ser la tristeza o la desgracia la que conducen al hombre a descubrir el apoyo que se encuentra en la Palabra (119: 67, 71). (3) La verdadera sabiduría se obtiene, más que por la inteligencia, por las verdades de Dios (119:98, 99, 104).

Las Escrituras nunca pueden ser entendidas solamente con la sabiduría humana; Dios tiene que abrir los ojos que ven pero que no entienden (119:18). Hasta que Yahveh no ensancha el corazón humano, no hay lugar para sus mandamientos (119:32). Cuando al hombre le es dado entendimiento, entonces aprende por primera vez a vivir (119:144).

El método de estudio del salmista es digno de ser considerado. No se menciona ni una sola vez la lectura de la Palabra. Está tan familiarizado con la Ley que la sabe de memoria y constantemente se la repite a sí mismo (119:97; 1:2). Está escondida en su corazón (119:11). No se olvida de lo que dice (119:16). El simple hecho de leer las Escrituras de nada aprovecha, a menos que se apropie su verdad y se ponga en práctica en la vida. Cuando se estudia de forma tal que la Palabra de Dios viene a formar parte del hombre, entonces se puede comprender su verdadero valor.

Sin embargo, se necesita algo más que un mero conocimiento de la Escritura. Debe existir el poder en el individuo para seguir y cumplir lo que sabe. El autor del Salmo 119, con todo su conocimiento y afecto a la Ley de Dios, termina su magnífico elogio con una sorprendente confesión. No olvida los mandamientos de Dios, pero a causa de la debilidad de la carne se ha apartado de ellos. Dios debe encontrarle o está perdido (119:176). En el Salmo 19, después de describir la gloria de la Palabra y escuchar sus amonestaciones (19:11), el salmista todavía no llega a comprender todos sus errores. Solamente la sabiduría que viene de lo alto puede iluminarle. De otra forma las faltas ocultas se convertirán en grandes pecados que traerán como resultado rebeldía contra Dios. ¡Cuán importante es desarraigar el pecado desde sus principios! Solamente andando cerca de Dios se podrá reconocer su presencia.

SALMOS REFERENTES AL CULTO

26, 73, 84, 100, 116, 122

El libro de los Salmos es rico en la enseñanza de las razones por las que un hombre debe asistir a los cultos que se rinden a Dios. El hombre moderno no puede apreciar el ambiente de los sacrificios del templo judío, pero para el hebreo piadoso ese era el pedazo de tierra más precioso del mundo creado por Dios. Los que seguimos a Cristo debiéramos amar a la iglesia con el mismo fervor.

1. El salmista se gozaba yendo al templo por la comunión con Dios que encontraba en aquel lugar. Su único deseo era poder pasar allí toda su vida (27:4). No se comprende cómo hay personas que dicen amar a Dios, pero no pueden asistir a la iglesia una hora a la semana. Es cierto que Dios está en todas partes, pero el hombre necesita un lugar y una hora determinados para adorar a Dios para no correr el peligro de olvidarse de él. En el Salmo 84 el salmista desfallece al faltarle ese poder espiritual que recibe al adorar a Dios en su templo. Como el gorrión y la golondrina no descansan hasta que han hecho sus nidos, así su alma no conoce reposo excepto la paz que encuentra en la adoración en la Casa de Dios (84:3). Un día en ese lugar es mejor que diez mil en cualquier otro. El lugar más humilde allí es mejor que toda la gloria que el hombre pueda ofrecer (84:10). La presencia del templo da a Jerusalem su lugar de honor. Por esta razón deberían elevarse las oraciones pidiendo la paz de la ciudad. La existencia del estado es justificada por la presencia de la iglesia dentro de sus límites y bajo su protección (Salmo 122: 1-9).

2. El hombre religioso va a adorar a Dios al templo,

no solamente porque allí se siente más cerca de Dios, sino también por la oportunidad de comunión que ese lugar ofrece con sus hermanos en la fe. Hay una virtud en el culto unido que no se puede experimentar nunca en el culto privado. Compartiendo la experiencia, cada adorador es tanto más enriquecido. Por una parte el salmista desecha las asambleas de los impíos (26:5); por otra, encuentra un placer especial en la congregación del Señor (26:12). Los que aman al Señor buscan la compañía de sus amigos.

3. En los servicios divinos donde muchas veces se solucionan los problemas más grandes de la vida. El Salmo 73 tiene como tema esta gran verdad. Al comenzar el salmo, el autor alaba la bondad de Dios para el de puro corazón. Sin embargo, no siempre tenía esta convicción. Casi se había sumergido en un abismo de incredulidad. La razón de su duda era el problema del libro de Job, la prosperidad del impío (73:3). Los malos parecen vivir una vida muy feliz (5). Cuando mueren, lo hacen sin sufrimiento (4). Están tan bien alimentados que tienen ojos saltones (7). De forma insolente (8, 9) y escéptica (11) retan a Dios a que les castigue, y todavía permanecen seguros (12).

Por otra parte el piadoso salmista ha conocido el castigo y la corrección (14) y empieza a dudar de la eficacia de una vida pura (13). Pero se reservaba las dudas para sí mismo para no destruir la fe de otro (15). A pesar de cuanto hizo, no pudo solucionar su problema hasta que fue al santuario de Dios (16, 17). En aquel ambiente de adoración todo fue solucionado. Hay algunos problemas que el intelecto nunca puede resolver, pero los puede resolver el vivir cerca de Dios. La vida tiene que ser vista en su aspecto último como también en su presente aspecto. Los impíos no tienen una existencia duradera (18-20). Dios, sin embargo, permanece al lado de sus siervos que sufren y a su debido tiempo les recompensará (23-26). Como resultado de esta visión en el templo, el salmista se da cuenta que ha sido una *"bestia"* (v. 22 en hebreo, "hipopótamo", de donde se deriva "bestia"), y su conciencia le condena por su falta de fe. Por el hecho de que asiste a un culto de adoración, sabe que su pie no puede resbalar, porque le sostiene la mano de Dios (23). Está lleno del deseo de comunión con Dios que no tolera rival (25).

4. El adorador también encuentra un alivio y una fuerza desconocida por los demás. El hombre en cuyo corazón están los caminos de Sión (el que constantemente piensa en el camino que conduce al templo para seguirlo), puede pasar por el valle de lágrimas (desgracia, tristeza), pero ese valle se convertirá en un lugar de fuentes (alimento, fuente de fortaleza) (Salmo 84:5, 6). El es quien ha encontrado el secreto de la tranquilidad. Los que adoran a Dios en Sión también tienen el secreto de la eterna juventud (84:7). Al mismo tiempo que el hombre externo va decayendo, el interno constantemente se renueva.

5. Uno de los principales fines del culto es ensalzar a Dios. El Salmo 100 hace un llamamiento a todos los pueblos de la tierra para que se junten y ensalcen a Dios como al verdadero Dios, creador de la humanidad y dador de todo lo bueno.

6. Otra razón que lleva al salmista a adorar al templo es la de testificar a otros de la paz que Dios le ha concedido. El autor del Salmo 116 ha experimentado tal acto de gracia. Había estado abatido y Dios le restauró (116: 6). Perdiendo su fe en Dios (116:8), también había perdido su fe en el hombre (116:11). Ahora que ha sido rescatado, quiere expresar su gratitud (12). Proclamará la gloria de Dios pagando sus votos en presencia de la

congregación (13, 14). El presentar su ofrenda es una oportunidad para ensalzar a Dios y testificar a otros del afecto hacia Dios por sus bendiciones. Aquellos que no desean que otros sepan que están haciendo una ofrenda a Dios, tienen muy poco en común con el salmista. Tal vez el tamaño de sus ofrendas no podría ser considerado como una indicación de espíritu de gratitud. Los verbos usados en los versículos 13-17 son interesantes, "Tomaré, invocaré (proclamaré), pagaré, ofreceré".

SALMOS DE SUFRIMIENTO

37, 42, 43, 49, 77, 90, 109, 137

La lista podría ser más larga.[2] La mayor parte del Salterio nos presenta el santo soportando alguna clase de sufrimiento. Se nota en estos salmos el sentimiento transitorio de la vida como también de compasión muy bien expresado en el Salmo 90. Con lágrimas el salmista "predica la mortalidad del hombre, en palabras inmortales" (Maclaren), contrastando la eternidad de Dios con la brevedad del hombre (90:1-6, 10). La misma expresión se repite en los Salmos 39 y 49.

En estos salmos se presenta el sufrimiento con las más variadas metáforas. El que sufre baña su cama en lágrimas (6:6). Se considera un gusano (22:6) y puede contar todos sus huesos (22:17). Grandes inundaciones le han cercado (42:7); la tormenta ruge (55:8). Dios retiene sus párpados para evitar el sueño (77:4); sus huesos queman como un tizón (102:3). Es como un gorrión solitario en algún tejado (102:7), en una agonía tal que hasta

---

[2] Compárense los Salmos 5, 7, 10, 12, 13, 14, 17, 28, 35, 41, 44, 53, 54, 55, 56, 58, 59, 60, 64, 69, 70, 71, 74, 79, 80, 83, 86, 88, 89, 94, 120, 123, 129, 132, 140, 141, 142, 143, 144.

se olvida de comer (102:4). Sobre sus espaldas araron los aradores haciendo largos surcos (129:3).

Las causas del sufrimiento son cuatro:

1. Angustia mental. El salmista se desespera al ver la inacción de Dios. Uno de los problemas era la prosperidad del impío y el sufrimiento del justo. Ya hemos visto esto en el Salmo 73. Los Salmos 37 y 49 nos presentan una situación semejante. Pero aquí no es el salmista quien duda, sino que éste aconseja a los que dudan. El Salmo 37 sugiere, "No te enojes" (Versión Moderna, en hebreo "no te enfades"). Otro elemento que preocupaba al salmista era el de las promesas no cumplidas. El autor del Salmo 89:19-51 se pregunta por qué Dios no ha cumplido la promesa hecha a David de bendecir su simiente (compárese 33-38).

2. Enfermedad física (41:8; 77:10). Esta causa no se menciona tanto como las otras.

3. Pecado. El Salmo 90:7 sig. atribuye la brevedad de la vida a la ira de Dios (10), como el autor del Salmo 39 (8-11). En el Salmo 32 el salmista está angustiado por pecado no confesado.

4. Persecución. La mayor parte de estos salmos presentan a los salmistas perseguidos por hombres malos (Salmos 5:8; 42:9; 43:1, 2; 55:3; 140:1). El Salmo 137 describe la triste condición de los deportados en Babilonia.

Son notables por su ausencia en el Salterio las quejas por la muerte de los seres queridos. Los salmistas no expresaban problemas egoístas. La muerte era algo que había de llegar. Sin embargo, cuando el inocente sufría o el pecador se arrepentía, la reputación de Dios estaba comprometida.

Es provechoso notar las actitudes hacia el sufrimiento reveladas en los salmos. El Salmo 37 sugiere dos actitudes frente a problemas de angustia mental: (1) Confianza: "Encomienda a Jehová tu camino" (5a); "Calla a Jehová, y espera en él" (7a). (2) haz bien (ocuparse) (37:3).

En cuanto a las enfermedades, el salmista sufre con estoicismo (77:10, léase "Y dije: Enfermedad mía es esta; el cambio de la diestra del Altísimo"). Dios había bendecido y ahora permitía el sufrimiento. El que sufría tenía ahora que soportar. El recuerdo de las bendiciones experimentadas iluminan sus horas oscuras (77:6), y cree que de la misma manera que Dios le salvó en el pasado, lo hará en el presente (77:11, 12).

El salmista ha aprendido la lección del pecado: Su única esperanza es la gracia de Dios (90:15; 102:13). La brevedad de la vida debería enseñar a los hombres a vivir bien los pocos días que están en la tierra (90:12). Lo único que permanece es lo que el hombre hace; él pronto partirá, pero el salmista suplica que su obra permanezca (90:17).

Bajo persecución la actitud del salmista abarca dos aspectos. Primero, echaba maldiciones contra sus enemigos. Los Salmos Imprecatorios presentan uno de los problemas más difíciles del Antiguo Testamento. ¿Cómo podía un santo, aun siendo del Antiguo Testamento, hablar de sus enemigos en términos como los que se encuentran en los Salmos 55:15; 137:9; 139:22; 69; 109? Las siguientes consideraciones nos pueden ayudar a comprender la actitud en estos salmos:

1. Estos hombres no hubiesen tratado así a sus enemigos si éstos hubiesen caído en sus manos. Los Salmos 69 y 109 se atribuyen a David, y sin embargo, se tiene muy presente su trato de Saúl (compárese 7:4). Jeremías, que

lanza maldiciones semejantes en su libro, no hubiese sido capaz de cometer semejante pecado.

2. Los hebreos no trataban con cosas abstractas. Odiaban al pecador de igual forma que el pecado. Si era enemigo de un santo, era enemigo de Dios y debía ser odiado como tal.

3. Aunque estos hombres estaban bastante adelantados en sus conceptos, no poseían el principio cristiano del amor, que podemos obtener solamente a través de Cristo.

4. La tradicional idea de inmortalidad tenía mucho que ver con este asunto. Si un hombre tenía que ser castigado, debía serlo en este mundo. (Compárese 30:9; 39:13; 88: 9 sig.; 115: 17 sig. y la introducción al libro de Job en este libro.) Algunos de los salmos parecen indicar la creencia en una vida futura (16:10; 49:15; 73:24). Las referencias son pocas y dudosas. Salmo 49:15 es la indicación más probable de una fe en la vida después de la muerte, a la luz de su contexto. En los vv. 13 y 14 el salmista menciona la suerte del pecador en Sheol. En el v. 15 se afirma que Dios redimirá el alma de su siervo del poder de Sheol y le recibirá. El v. 20 afirma que el hombre que entiende no perece como la bestia. De lo que se deduce que el justo continúa viviendo.

La segunda reacción del salmista frente a la persecución es fe en el rescate. El salmista duerme tranquilamente, no temiendo ni aun a diez mil enemigos (3:5, 6). Aunque su madre y su padre le dejasen, Dios le sostendrá (27:10). Echa su carga sobre su Señor, quien no permitirá que sea conmovido (55:22). Habiendo puesto su confianza en Dios, ¿qué puede la carne contra él (56:4)? Su corazón está firme confiando en la salvación de Dios (57:7).

Salmos de Confianza

3, 4, 11, 16, 20, 23, 27, 31, 36, 46, 52, 57, 61, 62,
63, 85, 91, 108, 121, 125, 126

Hay una estrecha relación entre este grupo y los Salmos de Sufrimiento, porque éstos no son las afirmaciones de un optimismo falto de experiencia, sino el resultado de haber pasado por el valle del dolor y de la tristeza. Son como el arco iris después de la tormenta. A través de la experiencia con Dios en cada prueba de la vida los salmistas describen la intervención de Yahveh.

1. Dios es el Protector de los suyos. Es el hacedor de la paz (46:9 sig.). Es un buen pastor (23:1) y un anfitrión afable (23:5). Como las alas protectoras de un águila, Dios cubre a aquellos que confían en él (91:4). Es su escudo contra la plaga y la destrucción (91:4 sig.) y su fortaleza cuando busca refugio (91:2). Como el guarda nunca duerme sino que constantemente defiende a los suyos (121:4, 5, 7, 8). Yahveh es la sombra que protege a los suyos, del sol durante el día (insolación), y de la luna durante la noche (locura) (121:5, 6).

2. Dios es el Proveedor. Alarga la vida y le da alegría (91: 16; 34:12). Como un río fértil, sostiene la ciudad sitiada (Salmo 46). El es, en verdad, el dador de toda buena dádiva (Salmo 34:8-10). El Salmo 23 menciona las diferentes formas en que Dios socorre la necesidad de su pueblo. El Señor es pastor, sus ovejas no tendrán ninguna de estas necesidades: (1) Alimento ("En lugares de delicados pastos me hará yacer"). Dios provee ricamente porque la hierba es tierna. El satisface, porque las ovejas solamente yacen cuando han comido lo suficiente. (2) Descanso ("Junto a aguas de reposo"). (3) Consuelo

("Confortará mi alma"). (4) Guía (23:3). Dios va siempre delante, nunca detrás. El camino no es nunca desconocido. Sus caminos son siempre rectos, conduciendo siempre al destino determinado. Siendo Dios no puede hacer otra cosa. (5) Seguridad. En las gargantas más peligrosas sus ovejas tienen la protección necesaria. Como anfitrión protege a sus invitados incluso cuando el enemigo les observa. El salmista nunca será desalojado de *su* casa.

SALMOS DE ALABANZA

87, 103, 107, 114, 139, 150

Los salmistas, para compensar las quejas, elevaban alabanzas.[3] Ningún pueblo amó tanto a su Dios. Su carácter desafiaba descripción. Sin embargo sus diferentes atributos podrían ser reconocidos con gratitud.

1. Yahveh es ensalzado por su amor. "Porque un momento será su furor; *Mas* en su voluntad está *la* vida: Por la tarde durará el lloro, Y a la mañana *vendrá* la alegría" (30:5). Oye las oraciones de los hombres y es misericordioso (65:2, 3). Incluso los gentiles serán considerados ciudadanos nativos de Sión (Salmo 87). La belleza del Salmo 103:7-18 es bien conocida de todos.

2. Sus bienes son ilimitados. La tierra es del Señor y todo lo que en ella habita (24:1). Los bueyes que se sacrifican ya pertenecen a él (50:7-15).

3. Sana enfermedades y provee para cada necesidad (Salmo 103:3-5).

4. Es él quien libra de toda desgracia. El Salmo 107 invita a los redimidos de Dios a declararlo (107:2). Estos

---

[3] Compárense los Salmos 9, 18, 30, 33, 34, 47, 48, 65, 66, 67, 68, 76, 78, 81, 92, 93, 95, 96, 97, 98, 99, 105, 106, 111, 113, 115, 117, 118, 124, 134, 135, 136, 138, 145, 146, 147, 148, 149, 150.

son los que andan en la soledad y en la desesperación (4-9), los sujetos al pecado (10-16), los afligidos (17-22), los que están en la tormenta (23-32). Nótese el estribillo que aparece en cada estrofa haciendo que este salmo sea uno de los salmos más artísticamente construidos de todo el Salterio.

5. Su omnisciencia escapa al alcance humano (139: 1-6).

6. Su presencia está en todas partes. No es posible huir de su presencia. Este pensamiento resulta ser el más aterrador o el más consolador para el hombre (139:7-12).

7. Su omnipotencia queda demostrada en las maravillas de la formación del ser humano (139:13-19). El Salmo 114 describe su dominio de la naturaleza en hermosa poesía. El Salmo 115 declara su supremacía sobre otros dioses.

8. Su santidad se manifiesta en la destrucción del impío (Salmo 139:19-24).

Los Salmos sugieren varias formas en que Dios debería ser ensalzado. (1) Salmo 65:1 puede leerse así: "El silencio es alabanza delante de ti." Hay momentos que la mejor alabanza que se le puede rendir a Dios es callando en su presencia. (2) El Salmo 150 invita a los distintos instrumentos de orquesta a unirse para alabar a Dios. (3) El Salmo 107 insta a los hombres a que alaben a Dios con sus labios (107:2). (4) El Salmo 100 hace un llamamiento a los pueblos de la tierra a juntarse en alabanza por medio de cánticos. (5) La actitud que uno adopte sirviendo a Dios puede ser una alabanza o un menosprecio. Para alabarle como es debido el individuo debe "servir a Jehová con alegría". (6) El salmista en el Salmo 103:1 alaba a Dios con toda su personalidad: "...todas mis entrañas..."

Salmos Mesianicos

Estos salmos son muy difíciles de interpretar, pero su importancia dentro del plan de Dios es incalculable. Hay tres descripciones del Mesías.

1. El Mesías como Rey (Salmos 2; 20; 21; 45; 72; 110). Los Salmos 20, 21 y 45 parecen describir a un rey temporal como su objetivo inmediato, aunque el verdadero significado de los pasajes halló cumplimiento en Cristo. Los Salmos 2, 72 y 110, sin embargo, describen algo superior a un rey terrenal. El Salmo 2 está dividido en cuatro estrofas iguales. En la primera (1-3) vemos a las naciones preparándose para la guerra. Se están amotinando contra Dios y su ungido (Mesías), tratando de librarse de su servicio. Los lazos y las cuerdas no son de esclavitud, sino las usadas por los bueyes de yugo. Las naciones rehusan servir a Dios en sus propósitos para el mundo. La estrofa siguiente corre la cortina y se deja ver una escena celestial. Allí todo está tranquilo. Mientras las naciones se amontonan, Dios está tranquilamente sentado en su trono. En una figura muy atrevida el salmista le pinta riéndose de los locos esfuerzos de los que se mueven abajo. Luego, repentinamente, Yahveh interviene en su ira, estableciendo su Rey sobre Sión (4-6). Ahora habla el Mesías (7-9). Ha sido reconocido como el Hijo de Yahveh y obtendrá dominio universal. La última estrofa hace una aplicación práctica de estos acontecimientos (10 - 12). Aprópiense las advertencias los dirigentes de las naciones y den al Hijo la honra y el honor. Los que confían en él encontrarán refugio.

El Salmo 72 describe un rey que no tuvo semejante terrenal hasta la venida de Jesús. "Temerte han mientras duren el sol Y la luna, por generación de generaciones"

(72:5). "y dominará de mar a mar, Y desde el río hasta los cabos. de la tierra" (72:8). "Será su nombre para siempre ... y benditas serán en él todas las gentes" (72: 17; compárese Gén. 12:3).

El Salmo 100 es sin duda mesiánico en su referencia fundamental. Vv. 1, 2 presentan el dominio y el poderío del Mesías. V. 3 describe a aquellos que constituyen su invencible ejército. Son voluntarios y un pueblo santo, sacerdotal, con el vigor y el arrojo propio de la juventud. El salmo termina con la descripción de la victoria final del Mesías (5-7).

2. El Salmo 110 presenta también al Mesías como sacerdote. Tendrá un sacerdocio eterno como el de Melchisedec. El autor de la Epístola a los Hebreos demuestra cómo cumplió Jesús esta profecía (capítulos 5-7).

3. El Mesías sufriente. (Salmos 22; 31:5; 69:7-9, 21). Todos estos pasajes hacen referencia al sufrimiento de Jesús en la cruz, alusiones demasiado específicas (especialmente el Salmo 22) para creerlas meras coincidencias. El problema que se presenta es probablemente que los salmistas no están conscientes de que están prediciendo los acontecimientos del Calvario sino simplemente relatando su propia experiencia. Si la cruz no hubiese sido un hecho en la historia humana, nadie hubiese considerado estos salmos como mesiánicos. La única explicación lógica es que Dios en su sabiduría guiaba a los salmistas cuando escribían sus propias experiencias con un propósito desconocido para ellos. Cuando un día el Mesías sufrió y murió, el mundo se dio cuenta de que era el plan eterno de Dios. Porque fue fiel a Dios, el santo del Antiguo Testamento despertó la oposición de todos los enemigos de Yahveh. Más que ningún otro, Jesús, por su perfección,

hizo que los hombres malos se diesen cuenta de su pecado. Por consiguiente, no sólo su experiencia fue semejante sino más terrible.

PROVERBIOS

El término hebreo "*mashal*", que se traduce en castellano por "proverbio", tiene su origen en una palabra cuya
raíz significa "ser como" y, por lo tanto, su principal significado es comparación, similitud, y se aplica a muchos
discursos, oraciones y expresiones que no deberíamos considerar como proverbios tal y como entendemos el término
actualmente, (un adagio). La profecía de Balaam (Núm.
23:7) recibe este nombre; lo mismo ocurre con el poema
didáctico de Job; también las parábolas en Ezequiel 17:2
y 20:49. Hay en el libro de Proverbios muchos pasajes
que son proverbios en el sentido más estricto de la palabra
(compárense 13:12; 14:10; 14:12; 16:2; 16:3; 17:22; 22:
1). Pero hay también muchos que no son de esta naturaleza. Incluso si, como indicaba el significado hebreo, los
"proverbios" fueron limitados al principio a dichos que
contenían un símil, pronto dejaron esa limitación. Un proverbio hebreo es simplemente un *dicho sabio* de cualquier
forma. Los proverbios pueden dividirse en cinco clases:
(1) *Proverbios históricos*. Un acontecimiento histórico
puesto en forma de dicho popular. (Compárese ¿Está
Saúl también entre los profetas?") Sin embargo, no parece haber ningún ejemplo de estos en el libro de Proverbios. (2) *Proverbios metafóricos*. Estos son los que nosotros más propiamente llamaríamos proverbios. (3) *Enig-
mas*. Estos son acertijos o preguntas difíciles (capítulo

30). (4) *Proverbios parabólicos.* Verdades presentadas en forma alegórica. El mejor ejemplo de esta clase es el que tiene que ver con la Sabiduría. (5) *Proverbios didácticos,* que dan información precisa e instrucción sobre cuestiones de conducta (especialmente capítulos 1-9).

El libro asume que no hay más que un Dios. No hay referencias al templo, a los sacerdotes, a los ángeles ni a la idolatría. No se menciona el Mesías, ni Moisés, ni la cautividad ni ninguno de los acontecimientos en la historia de Israel. El tema del libro es la sabiduría, de la cual hay dos significados diferentes en sus pasajes: (1) religión práctica, rectitud inteligente, una cualidad humana (10-31); (2) sabiduría personificada como la soberana de la vida, el ayudante de Yahveh en su creación, dirigentes de las cuestiones humanas (1-9). El cuadro que nos presenta el capítulo 8 sobre la sabiduría es semejante al concepto de *Logos* en Juan 1:1 sig. Este concepto es sin duda el embrión del cual más tarde nació la doctrina. Es la búsqueda de una idea que solamente siglos de revelación podría finalmente esclarecer.

La tradición ha atribuido todo el libro a un solo autor, Salomón, rey de Israel. Es verdad que tres secciones del libro llevan en el prefacio su nombre, pero una sección se atribuye a Agur y otra a Lemuel. Así, pues, el libro mismo da testimonio de que fueron tres sus autores e incluye dos secciones que contienen las "palabras del sabio". Aunque algunos tratan de explicar el problema de los diferentes autores diciendo que Agur y Lemuel no son más que sinónimos de Salomón, no tienen en qué fundar esta posición, mientras que hay evidencias contundentes que defienden la obra como siendo de más de un autor. Como en los Salmos, la interpretación y el valor de los Proverbios no depende de la fecha cuando fueron escritos. Lo que nos interesa es la verdad que contienen estos pasajes inspirados.

RESUMEN DEL LIBRO

1. Elogio a la Sabiduría
   El estilo es flúido y poético. Predominan los pasajes largos. 1-9

2. Colección de Proverbios Cortos Atribuidos a Salomón
   Predominan los dísticos de contraste. 10:1 a 22:16

3. Dos Grupos de Dichos del Sabio
   Es más bien un conjunto de máximas que proverbios. Predominan los proverbios más largos. 22:17 a 24:34

4. Varias Colecciones de Proverbios Atribuidos a Salomón
   Predominan dísticos comparativos. Están más agrupados por temas que en cualquier otra parte. 25-29
   Discursos. De Agur (30), madre de Lemuel (31:1-9) y un poema acróstico sobre la mujer perfecta (31:10-31).

CLASIFICACION DE LOS PROVERBIOS

Es de mucha utilidad agrupar los pasajes del libro según las enseñanzas referentes a la conducta moral.

1. Sobre la Pereza: 6:6-10; 10:4, 5; 10:26; 15:19; 18:9; 19:24; 22:13.

2. La Lengua: 6:12-19; 14:29; 15:1; 16:32; 18:8; 18:13; 18:21; 26:2; 26:20; 29:20.

3. Contraste Entre el Necio y el Sabio: 9:8; 11:14; 12:15; 13:20; 14:7, 8; 14:15; 15:20; 17:10; 20:3; 26:1; 26:3; 29:9.

4. Sobre la Borrachera: 20:1; 23:29-35.

5. La Vida Recta y el Trato de los Enemigos: 1:10-19; 3:1-12; 4:18, 19, 23; 11:17; 11:30; 12:10; 13:15; 14: 34; 15:16; 23:17; 24:12; 24:29; 25:21a, 22; 28:13; 29:1.

6. El Trato con los Amigos y los Vecinos: 3:27-29; 10:12; 17:9; 17:17; 18:19; 18:24; 21:14; 25:17; 25:19; 25:20; 26:18; 27:5; 27:6; 27:14; 29:5.

7. Sobre el Orgullo y la Vanidad: 16:18; 25:14; 26: 12; 27:1; 27:2.

8. Relación Entre el Padre y el Hijo: 1:8; 4:2-4; 10:1; 13:24; 20:11; 22:6; 22:15: 30:17.

9. Exito en los Negocios: laboriosidad (20:4; 24:30-34); honestidad (11:1; 15:27; 20:10, 14); veracidad, 12: 19, 22); cautela con la palabra (12:16; 13:3; 16:24; 19: 11); evitar deudas (6:1-5; 11:15; 22:26 sig.); beneficencia sabia (11:24-26; 13:7; 14:31; 19:17); buenas compañías (15:22; 27:9, 10); confianza en Dios (3:5, 6; 16:3).

10. Mujeres: la mujer extraña (5:6, 7; 9:13-18); la mujer litigiosa (15:17; 17:1; 21:9, 19; 25:24; 27:5, 15, 16); la mujer necia e indiscreta (11:22; 12:4; 14:1); la mujer cabal (18:22; 31:10-31); la mujer trabajadora (31:13-16, 19, 24, 27); una buena ama de casa (31:21, 22, 25), inteligente y amable (31:26), caritativa (31:20), religiosa (31:30), bendecida por su marido y sus hijos (31:23, 28-31).

ECCLESIASTES

El libro se llama en hebreo, *"Koheleth"*, título tomado de las primeras palabras del libro, "Palabras de Koheleth, hijo de David, rey en Jerusalem". En las versiones latina y griega, sin embargo, se llama "Ecclesiastés". Jerónimo trata de explicar este título diciendo que en griego a una persona que junta una congregación, o *ecclesia,* se le llama así. Symmachus le da un título cuya mejor traducción es probablemente "traficante de Proverbios". Martín Lutero le dio el nombre "El Predicador, Salomón". Las versiones modernas lo titulan "Ecclesiastés" o "El Predicador".

Koheleth viene de una palabra hebrea cuya raíz significa "llamar" o "congregar". Podemos comparar el vocablo latino *calo* con el griego *kaleo,* que quieren decir llamar o reunir en asamblea, especialmente con propósitos religiosos. *Koheleth* es un participio femenino. Sin embargo, el género femenino de la palabra no quiere decir que el escritor haya sido forzosamente una mujer. Las palabras que se usan en hebreo para designar atributos son muchas veces femeninas. Un ejemplo de esto se encuentra en el libro de Isaías (40: 9), "Anunciadora de Sión". Se han dado varios significados a la palabra *Koheleth.* Algunos dicen que significa uno que "reúne una asamblea", por lo tanto equivale a conferencista; v. gr., predicador. Otros dicen que es un polemista. Algunos creen que significa un individuo unificador o reconciliador (el pueblo de Dios con éste). También la idea de uno que recoge o junta verdades ha sido sugerida.

Pocos eruditos bíblicos han sido capaces de descubrir que Ecclesiastés es un ensayo incomparable e informal sobre el bien supremo. Quizás estas cualidades expliquen en parte por qué Renán lo conceptuara como "el único libro agradable escrito por un hebreo". Las características de esta obra hebrea ya son conocidas por los ensayos de Montaigne, Lamb, Stevenson y otros. Para aquellos hombres el ensayo era una revelación informal de los procesos de la mente del escritor al reflexionar sobre un tema en el que estaba interesado. La palabra *essai,* que Montaigne escogió, significaba prueba, intento. El ensayista informal puede escribir sobre temas muy serios o menos serios.

Si los eruditos se hubiesen dado cuenta del verdadero carácter del libro de Ecclesiastés, se hubiesen podido ahorrar muchos problemas. La mayoría de ellos han insistido en demandar que originalmente era un tratado lógico que por alguna razón está ahora totalmente desarreglado, y han atribuido las aparentes contradicciones a inserciones de escribas o a diversidad de autores. El doctor Lyman Abbott es más exacto en su análisis:

El libro de Ecclesiastés es un monólogo dramático que presenta las complicadas experiencias de la vida; estas voces son antagónicas, pero presentan el problema de un alma en guerra consigo misma. En este monólogo se presenta al hombre discutiendo consigo mismo; pesando las contrastadas experiencias de la vida... Así el libro de Ecclesiastés es deliberada e intencionalmente confuso porque presenta las experiencias confusas de un alma dividida en sí misma.[1]

Gran parte de la dificultad en la interpretación del libro se debe al hecho de que muchos no reconocen el recurso

[1] Lyman Abbott, *Life and Literature of the Ancient Hebrews* (Nueva York: Houghton Mifflin and Company, 1901), pp. 292-293.

literario que inicia este ensayo. Las palabras, "Yo Koheleth fui rey sobre Israel en Jerusalem" (1:12) han hecho creer a muchos que Salomón es el autor. Pero a este punto de vista hay mucho que objetar. Nunca hubo un tiempo cuando Salomón pudiese decir, "Yo *fui* rey sobre Israel", porque fue rey hasta su muerte. ¿Se enorgullecería Salomón (el sabio) de su capacidad intelectual (1:16) y de sus posesiones y grandeza (2:7-9)? ¿Se está satirizando a sí mismo cuando condena el despilfarro, la glotonería y la miseria que el rey trae sobre la tierra (10:16-19)? Estas y otras consideraciones han conducido, incluso al conservador Delitzsch, a decir, "Si el libro del Koheleth fuese obra de Salomón, entonces no hay historia del idioma hebreo".[2]

Cualquier muchacho de escuela sabe que el que habla en una obra literaria no es necesariamente el autor de la misma. El autor de Ecclesiastés ha tratado de "evocar a Salomón de su tumba y hacerle decir cuál ha sido la experiencia y el resultado de su vida intelectual, práctica y emocional".[3] Si el hombre más rico y más sabio de la historia judía encontró que todo lo que había alcanzado era vano y no le satisfacía, entonces los éxitos parciales de otros no podían de ninguna manera impartir valores permanentes. En su entendimiento de lo que es fundamental en la vida, Ecclesiastés puede compararse con las obras filosóficas más grandes del mundo.

El propósito de Koheleth es descubrir el bien supremo en la vida. Prueba el placer, la sabiduría, la riqueza pero las encuentra vanas. ¿Hay algo que valga la pena en el mundo? Algunos eruditos afirman que la respuesta es ne-

---

[2] Franz Delitzsch, *Commentary on Song of Songs and Ecclesiastes* (Edimburgo: T. and T. Clark, 1877), p. 90.
[3] D. B. MacDonald, *The Hebrew Literary Genius* (Princeton University Press, 1933), p. 197.

gativa (Compárese 1:2, 3). Pero hay una nota de carácter positivo a lo largo de todo el libro. Koheleth constantemente recomienda moderación en el goce de los dones de Dios como el *summum bonum* de la vida. Puesto que todo lo mundano es vano, goce el hombre de todo lo que le salga al paso de su labor, puesto que esto es bendición de Dios. Si uno forja planes para el futuro, o se preocupa acerca de problemas filosóficos, todo es en vano. El pasado se fue y el futuro es incierto. El presente es el momento de gozar. (Compárense 3:13; 3:22; 5:18; 8:15; 9:7; 11:7.) Y a pesar de todo, el hombre debe vivir en forma tal que pueda gozar de sus obras. Si es demasiado justo (tal vez con una justicia propia), sus vecinos serán contrariados y le harán la vida imposible. Si es demasiado perverso, Dios le castigará. Lo mejor es seguir un camino intermedio entre estos dos (7:16, 17). La única forma en que un hombre puede tener el poder de gozar de la vida es recibiéndola de Dios (2:24). Por lo tanto, el *summun bonum* puede ser alcanzado solamente cuando uno teme a Dios y guarda sus mandamientos (12:13). Este temor, sin embargo, no exige perfección (7:18).

Lo que le impide a Koheleth alcanzar la norma cristiana de moral es su concepto tradicional de la inmortalidad (3:18-21; 9:1-6). La expresión en 12:2 simplemente afirma que el espíritu del hombre procede de Dios y vuelve a él. (No se puede decir que no se refiere a una vida después de la muerte, ni se puede probar que así sea). Puesto que no hay recompensas después de la muerte, lo mejor es una conducta prudente, porque en este mundo el más impío y el mejor de los hombres son los más perseguidos. Sin embargo, la esperanza del cristiano de una vida después de la muerte y la paz garantizada durante esta vida no deja lugar para esta doctrina popular de sentido común.

Los valores absolutos del libro de Ecclesiastés explican por qué Dios inspiró su redacción. Se imparten dos lecciones de verdadero valor que eran necesarias en la historia de la revelación. La primera es que Koheleth demuestra de forma contundente la inconsistencia de la idea tradicional de inmortalidad. Si no hay vida después de la muerte, la vida presente es algo gris, incoloro, de una existencia vana. A medida que se lee el libro, el lector comienza a experimentar eterna gratitud por la seguridad de la inmortalidad provista por Jesucristo. El libro de Job presenta los argumentos positivos para una doctrina de la inmortalidad; Ecclesiastés demuestra la necesidad de una doctrina semejante. El segundo valor del libro se encuentra en su argumento que demuestra que vale la pena servir a Dios en esta vida. La recompensa de Dios viene en el presente y en el futuro. Al que sirve, se le da una capacidad extraordinaria para vivir abundantemente.

Bosquejo del Libro

Prólogo. Capítulo 1

1. En Busca del Placer (2:1-11)
2. En Busca de Sabiduría (2:12-17)
3. En Busca de Riquezas (la mayor parte de 2:18 a 6:12). Este es el argumento más contundente en las Escrituras contra la acumulación de riquezas humanas. Koheleth expone extensamente sus argumentos en contra de esta práctica (Compárese el *Comentario Bíblico de Abingdon*):
   (1) Después de trabajar toda la vida, debe dejar sus bienes a quien nunca tuvo que trabajar por ellos y quien posiblemente los emplee neciamente (2:18-21).

(2) Hay una oportunidad para todo, pero esto solamente lo sabe Dios. El hombre siempre escoge el momento inoportuno y pierde todo lo que tiene (3:1-11).

(3) Los tribunales injustos generalmente desposeen a los hombres de sus riquezas una vez adquiridas (3: 16).

(4) El gobierno quita al hombre lo que le queda con los impuestos opresivos (4:1).

(5) El éxito crea celos y hace perder amigos (4:4).

(6) Después de haber adquirido riquezas el hombre se da cuenta de que no satisfacen el alma (4:7, 8; 6:1-12).

(7) Cuanto más dinero gana el hombre, más formas encuentra para gastarlo (5:11).

(8) Fortunas que cuestan toda una vida para amasarlas, pueden perderse en un momento (5:13-17).

4. Varias Observaciones Prácticas de las Experiencias de Koheleth (7:1 a 11:8).

5. Advertencia al Joven (11:8 a 12:12)

(1) Una vida de placer traerá su recompensa. La juventud en sí no es nada (11:9, 10). (11:9 es irónico.)

(2) Acuérdate de Dios en tu juventud antes de que sea demasiado tarde para gozar de la vida (12:1-8). En estos pasajes hay una alegoría notable que describe la completa desintegración del cuerpo que acompaña a la vejez. Algunas de las identificaciones son difíciles, otras son muy claras.

(3) La verdadera sabiduría no se halla en los libros (12:11, 12).

Conclusión. Teme a Dios y guarda sus mandamientos, porque el juicio es inevitable (12:13, 14).

CANTAR DE LOS CANTARES

El libro tradicionalmente se atribuye a Salomón. Algunos críticos lo atribuyen a un autor que vivía en el norte de Palestina poco después de la muerte de Salomón, mientras que otros lo sitúan en un período más avanzado. Aunque algunas partes del libro se refieren a Salomón (1:5; 3:7-11), está escrito más bien acerca de Salomón que por Salomón.

Durante muchos siglos este libro ha sido motivo de gran controversia. Hay tres puntos de vista en cuanto a su naturaleza. El punto de vista alegórico es el más antiguo. Los rabinos ya en el año 90 a. de J. C. interpretaban los poemas como descripciones en lenguaje figurado de las relaciones entre Yahveh e Israel. Los padres de la iglesia continuaron con este método y enseñaron que el Cantar describe el amor entre Cristo y la iglesia. Este punto de vista típico, que mantiene el poema describe el amor humano, pero que fue escrito para proveer un prototipo de relación entre Cristo y su iglesia. La mayoría de los eruditos hoy aceptan el punto de vista literal, es decir, que los poemas simplemente describen el amor humano.

Después de haber expuesto el tema de la fidelidad en el amor entre el hombre y la mujer, el autor, por medio de un diálogo, prepara al lector de forma dramática para la culminante declaración final:

"Ponme como un sello sobre tu corazón,
como una marca sobre tu brazo:
Porque fuerte es como la muerte el amor..."

Aunque es difícil encontrar en el Cantar de los Cantares una estructura dramática uniforme y completa, se puede fácilmente ver el propósito del escritor: ilustrar, por medio del diálogo repetido, la fuerza del amor y la fidelidad del amor de la mujer. Una vez conseguido esto, todas las pueriles interpretaciones alegóricas del libro desaparecen. ¿Por qué no debiera estar en el canon un libro que ensalza la fidelidad en el amor? Y si el amor humano es tan fuerte como la muerte, no podemos menos que concluir que el amor divino es todavía más fuerte.

El lenguaje del poema es considerado casto en extremo entre los orientales. ¡Qué lástima que esta joya sea a veces pervertida!

LAMENTACIONES

En la Biblia Hebrea este libro aparece entre los Escritos, pero en la Versión de los Setenta, en la Siríaca, y en la Vulgata aparece con el libro de Jeremías. La tradición que conecta estas palabras con el profeta es muy antigua y la Versión de los Setenta afirma que Jeremías escribió las Lamentaciones. Actualmente los eruditos no parecen muy dispuestos a aceptar esta obra como de la pluma de Jeremías, especialmente por la construcción artificial de la poesía. La poesía de Jeremías era espontánea; ésta es estudiada. Hay cinco poemas en el libro, que corresponden a los cinco capítulos. Los cuatro primeros son poemas alfabéticos, siendo el capítulo 3 un acróstico triple.

Cada una de las cinco elegías trata de las tristezas de la cautiva Sión. Hay una considerable variedad en la monotonía de la tristeza, las líneas cortas del capítulo 5 hacen un señalado contraste con las líneas largas de los capítulos segundo y cuarto. La cautiva Sión, aunque afirma que su tristeza no tiene paralelo (1:12), reconoce la perfecta justicia de Yahveh en su suerte (1:18). Mientras el poeta a veces se hunde en la desesperación (5:22), también se consuela a sí mismo pensando en la bondad y fidelidad de Yahveh (2:21-39).

LISTA DE LIBROS SUGERIDOS PARA ESTUDIO INTRODUCTORIO DEL ANTIGUO TESTAMENTO

I. LECTURA GENERAL

Adams, J. McKee, *Biblical Backgrounds*, segunda edición; Nashville: Broadman Press, 1938.

Davidson, A. B., *The Theology of the Old Testament*. Edimburgo: T. y T. Clark, 1904.

Dodd, C. H., *The Authority of the Bible*. Nueva York: Harper and Brothers, 1929.

Herbert, A. G., *The Authority of the Old Testament*. Londres: Faber and Faber, 1947.

Knudson, A. C., *The Religious Teaching of the Old Testament*. Nueva York: The Abingdon Press, 1918.

Robinson, H. Wheeler, *Inspiration and Revelation in the Old Testament*. Oxford: Clarendon Press, 1946.

Rowley, H. H., *The Re-Discovery of the Old Testament*. Filadelfia: The Westminster Press, 1946.

Snaith, H. H., *The Distinctive Ideas of the Old Testament*. Filadelfia: The Westminster Press, 1946.

Tasker, R. V. G., *The Old Testament in the New Testament*. Filadelfia: The Westminster Press, 1946.

II. INTRODUCCIONES

Cartledge, S. A., *A Conservative Introduction to the Old Testament*. Athens: University of Georgia Press, 1944. Valiosa presentación de la perspectiva progresiva del Antiguo Testamento.

Pfeiffer, R. H., *Introduction to the Old Testament*. Tercera edición.

Nueva York: Harper and Brothers, 1941. Una consideración liberal del Antiguo Testamento.

Watts, J. Wash, *A Survey of the Old Testament Teaching.* Nashville: Broadman Press, 1947. Dos tomos. Un estudio conservador de las enseñanzas del Antiguo Testamento. Preparado especialmente para uso en el aula.

III. DICCIONARIOS BIBLICOS

Hastings, J., *A Dictionary of the Bible.* Nueva York: Charles Scribner's Sons. Edición de cinco tomos, 1904; edición de un volumen, 1909. Considera el lenguaje, la literatura y el contenido de las Escrituras.

The International Standard Bible Encyclopaedia. Edición revisada; Grand Rapids, Mich.: Wm. B. Eerdmans Publishing Company, 1939. Cinco volúmenes. Una presentación conservadora del material del Antiguo Testamento con mapas, ilustraciones, etc.

IV. COMENTARIOS

(1) Comentarios de un volumen

The Abingdon Bible Commentary. Cincinnati: The Abingdon Press, 1929. Editado por Eiselen, Lewis, y Downey. Punto de vista progresivo de la Biblia.

Old Testament Commentary. Filadelfia: The Muhlenberg Press, 1948. Editado por Alleman y Flack. Una introducción general y progresiva al Antiguo Testamento.

(2) Juegos Completos

Generalmente no es recomendable comprar un comentario completo puesto que tomos individuales en cada juego superan otros. Sin embargo, si se tiene en vista la compra de unos de estos juegos, los mejores comentarios se enumeran a continuación en orden de importancia:

The Cambridge Bible for Schools and Colleges. Cambridge: University Press, 1886—. Este es el mejor comentario para uso general.

The Westminster Commentaries. Londres: Methuen and Company, 1914—

The Expositor's Bible. Nueva York: Funk and Wagnalls Company. Edición que consta de veinticinco tomos, 1900; edición de seis

tomos, 1940. Este juego es más una exposición que un comentario.
The American Commentary on the Old Testament and New Testament. Filadelfia: American Publishing Society, 1881—. Siete tomos sobre el Nuevo Testamento; diez tomos sobre el Antiguo Testamento.
The International Critical Commentary. Nueva York: Charles Scribner's Sons, 1903. Cuarenta y cuatro tomos. Un juego de incalculable valor para estudiantes adelantados pero demasiado técnico para el lector general.

V. LIBROS SOBRE LA HISTORIA DEL ANTIGUO TESTAMENTO

Breasted, J. H., *A History of Egypt from the Earliest Times to the Persian Conquest.* Segunda edición; Nueva York: Charles Scribner's Sons, 1909.

Oesterley, W. O. E., y Robinson, T. H., *A History of Israel.* Oxford: Clarendon Press, 1932. Dos tomos. Punto de vista liberal sobre la historia del Antiguo Testamento.

Olmstead, T. E., *A History of Assyria.* Nueva York: Charles Scribner's Sons, 1923.

Olmstead, A. T. E., *History of Palestine and Syria to the Macedonian Conquest.* Nueva York: Charles Scribner's Sons, 1931.

Price, Ira M., *The Dramatic Story of Old Testament History.* Segunda edición; Nueva York: Fleming H. Revell Company, 1935.

Rogers, R. W., *Cuneiform Parallels to the Old Testament.* Cincinnati: Jennings and Graham, 1912.

Rogers, R. W., *A History of Ancient Persia, from Its Earliest Beginnings to the Death of Alexander the Great.* Nueva York: Charles Scribner's Sons, 1929.

Rogers, R. W., *A History of Babylonia and Assyria.* Sexta edición en dos tomos; Nueva York: The Abingdon Press, 1915.

Robinson, D. M., *A Short History of Greece.* Nueva York: Huxley House, 1936.

VI. LIBROS SOBRE CRITICA DEL PENTATEUCO

Allis, O. T., *The Five Books of Moses.* Filadelfia: The Presbyterian and Reformed Publishing Company, 1943. Una hábil apologética de la posición conservadora.

Driver, S. R., *Introduction to the Literature of the Old Testament.* Edición revisada; Nueva York: Charles Scribner's Sons, 1906. La introducción crítica más conocida.

Eiselen, F. C., *The Books of the Pentateuch.* Cincinnati: The Methodist Book Concern, 1916. Presentación de incalculable valor por reconocido erudito progresista.

Orr, J., *The Problem of the Old Testament.* Nueva York: Charles Scribner's Sons, 1905. Valiosa presentación conservadora para el estudiante con paciencia.

Pfeiffer, R. H., *Introduction to the Old Testament.* Nueva York: Harper and Brothers, 1941.

VII. COMENTARIOS Y ESTUDIOS EN LOS PROFETAS

(1) Obras Generales:

Briggs, A. C., *Messianic Prophecy.* Nueva York: Charles Scribner's Sons, 1886.

Eiselen, F. C., *The Christian View of the Old Testament.* Cincinnati: Jennings and Graham, 1912.

Eiselen, F. C., *The Prophetic Books of the Old Testament.* Nueva York: The Methodist Book Concern, 1923. Dos tomos.

Hyatt, J. P., *Prophetic Religion.* Nueva York: Abingdon-Cokesbury Press, 1947.

Kirkpatrick, A. F., *The Doctrine of the Prophets.* Tercera edición; Londres: The Macmillan Company, 1901.

Scott, R. B. Y., *The Relevance of the Prophets.* Nueva York: The Macmillan Company, 1944.

Yates, K. M., *Predicando de los Libros Proféticos.* El Paso: Casa Bautista de Publicaciones, 1954.

(2) Isaías

Delitzsch, Franz A., *A Biblical Commentary on the Prophecies of Isaiah.* Cuarta edición; Edimburgo: T. y T. Clark, 1927. Dos tomos.

Driver, S. R., *Isaiah, His Life and the Times and the Writings which Bear His Name.* Nueva York: Fleming H. Revell Company.

Jefferson, C. E., *Cardinal Ideas of Isaiah.* Nueva York: The Macmillan Company, 1925.

Scherer, P., *Event in Eternity.* Nueva York: Harper and Brothers, 1945.

Skinner, J. "The Book of the Prophet Isaiah", *The Cambridge Bible for Schools and Colleges.* Edición revisada; Cambridge: The University Press, 1930.

Smith, G. A., *The Book of Isaiah.* Edición revisada; Nueva York: Harper and Brothers, 1927. Dos tomos.

Wade, G. W., "The Book of the Prophet Isaiah", *Westminster Commentaries.* Londres: Methuen and Company, 1911.

(3) Jeremías

Binns, L. E., "The Book of the Prophet Jeremiah", *Westminster Commentaries.* Londres: Methuen and Company, 1919.

Calkins, R., *Jeremiah the Prophet.* Nueva York: The Macmillan Company, 1930.

Gordon, T. C., *The Rebel Prophet.* Londres: James Clarke and Company, 1931.

Jefferson, C. E., *Cardinal Ideas of Jeremiah.* Nueva York: The Macmillan Company, 1928.

Meyer, F. B., *Jeremiah: Priest and Prophet.* Nueva York: Fleming H. Revell Company, 1894.

Morgan, G. Campbell, *Studies in the Prophecy of Jeremiah.* Chicago: Fleming H. Revell Company, 1931.

Peake, A. S., "Jeremiah", *The New Century Bible.* Nueva York: Henry Frowde. Dos tomos.

Robinson, H. Wheeler, *The Cross of Jeremiah.* Londres: Student Christian Movement, 1925.

Skinner, J. *Prophecy and Religion.* Cambridge: The University Press, 1922.

Smith, G. A., *Jeremiah.* Edición revisada; Nueva York: Harper and Brothers, 1929.

(4) Ezequiel

Davidson, A. B., y Streane, A. W., "Ezequiel", *The Cambridge Bible for Schools and Colleges.* Edición revisada; Cambridge: The University Press, 1916.

Lofthouse, W. F., *The Prophet of Reconstruction.* Londres: James Clarke and Company, 1920.

Matthews, I. G., "Ezekiel", *An American Commentary on the Old Testament.* Chicago: American Baptist Publication Society, 1939.

(5) Daniel

Boutflower, C., *In and Around the Book of Daniel.* Londres: Society for Promoting Christian Knowledge, 1923.

Charles, R. H., *A Critical and Exegetical Commentary on the Book of Daniel*. Oxford: Clarendon Press, 1929.

Wilson, R. D., *Studies in the Book of Daniel*. Segunda edición; Nueva York: Fleming H. Revell Company, 1938.

Young, E. J., *The Prophecy of Daniel*, Grand Rapids: Wm. B. Eerdmans, 1949.

(6) Profetas Menores

Calkins, R., *The Modern Message of the Minor Prophets*. Nueva York: Harper and Brothers, 1947.

Davidson, A. B., "Nahum, Habakkuk, and Zephaniah," *The Cambridge Bible for Schools and Colleges*. Edición revisada; Cambridge: The University Press, 1920.

Driver, S. R., "Joel and Amos", *The Cambridge Bible for Schools and Colleges*. Edición revisada; Cambridge: The University Press, 1915.

Eiselen, F. C., *The Minor Prophets*. Cincinnati: Jennings and Graham, 1907. Este es el mejor estudio sobre los Profetas Menores que aparece en un tomo; aunque se ha agotado la edición.

McFadyen, J. E., *A Cry for Justice, a Study in Amos*. Nueva York: Charles Scribner's Sons, 1912.

Merrill, W. P., *Prophets of the Dawn*. Chicago: Fleming H. Revell Company, 1927.

Morgan, G. Campbell, *Hosea, the Heart and Holiness of God*. Nueva York: Fleming H. Revell Company, 1934.

Robinson, G. L., *Los Doce Profetas Menores*. El Paso: Casa Bautista de Publicaciones, 1936.

Smith, G. A., *The Book of the Twelve Prophets*. Edición revisada; Nueva York: Harper and Brothers, 1928.

Storer, J. W., *The Major Messages of the Minor Prophets*. Nashville: Broadman Press, 1940.

VIII. COMENTARIOS Y ESTUDIOS EN LOS LIBROS POETICOS

(1) Job

Davidson, A. B., "Job", *The Cambridge Bible for Schools and Colleges*. Cambridge: The University Press, 1886.

Morgan, G. Campbell, *The Book of Job*. Nueva York: Fleming H. Revell Company, 1909.

Reichert, V. E., *Job*. Hindhead, Surrey: The Soncino Press, 1946 (una publicación judía).

(2) Salmos

Eiselen, F. C., *The Psalms and Other Sacred Writings*. Cincinnati: The Methodist Book Concern, 1918.

Kirkpatrick, A. F., "The Book of Psalms", *The Cambridge Bible for Schools and Colleges*. Cambridge: The University Press, 1910.

Maclaren, A., "The Psalms", *The Expositor's Bible*. Nueva York: Funk and Wagnalls Company, 1900. Dos tomos.

Oesterley, W. O. E., *The Psalms*. Londres: Society for Promoting Christian Knowledge, 1939.

Walker, R. H., *The Modern Message of the Psalms*. Cincinnati: The Abingdon Press, 1938.

Yates, K. M., *Preaching from the Psalms*. Nueva York: Harper and Brothers, 1948.

(3) Proverbios

Horton, R. F., "Proverbs", *The Expositor's Bible*. Nueva York: Funk and Wagnalls Company, 1900.

Perowne, T. T., "Proverbs", *The Cambridge Bible for Schools and Colleges*. Cambridge: The University Press, 1916.

Toy, C. H., "A Critical and Exegetical Commentary on the Book of Proverbs", *The International Critical Commentary*. Nueva York: Charles Scribner's Sons, 1910.

(4) Eclesiastés

Cox, S., "Ecclesiastes", *The Expositor's Bible*. Nueva York: Funk and Wagnalls Company, 1900.

Gordis, R., *The Wisdom of Ecclesiastes*. Nueva York: Behrman House, 1945.

(5) Cantar de los Cantares

Eiselen, F. C., *The Psalms and other Sacred Writings*. Cincinnati: The Methodist Book Concern, 1918.

Waterman, L., *The Song of Songs*. Ann Arbor: University of Michigan Press, 1948.

IX. ARQUEOLOGIA DEL ANTIGUO TESTAMENTO

Adams, J. McKee, *Ancient Records and the Bible*. Nashville: Broadman Press, 1946.

Albright, W. F., *The Archaeology of Palestine and the Bible*. Nueva York: Fleming H. Revell Company, 1932.

Albright, W. F., *Archaeology and the Religion of Israel*. Baltimore: The Johns Hopkins Press, 1942.

Albright, W. F., *From the Stone Age to Christianity*. Baltimore: The Johns Hopkins Press, 1940.

Barton, G. A., *Archaeology and the Bible*. Séptima edición; Filadelfia: American Sunday School Union, 1937.

Burrows, M., *What Mean These Stones?* New Haven, Conn.: The American Schools of Oriental Research, 1941.

Finegan, J., *Light from the Ancient Past; The Archaeological Background of the Hebrew-Christian Religion*. Princeton: Princeton University Press, 1946.

Frankfort, H. y H. A., Wilson, J. A., Jacobsen, T., y Irwin, W. A., *The Intellectual Adventure of Ancient Man*. Chicago: The University of Chicago Press, 1946.

Glueck, N., *The Other Side of the Jordan*, New Haven, Conn.: American Schools of Oriental Research, 1940.

Glueck, N., *The River Jordan*. Filadelfia: The Westminster Press, 1946.

Heidel, A., *The Gilgamesh Epic and Old Testament Parallels*. Chicago: The University of Chicago Press, 1946.

McCown, C. C., *The Ladder of Progress in Palestine*. Nueva York: Harper and Brothers, 1943.

Wright, G. E. y Filson, F. V., *The Westminster Historical Atlas to the Bible*. Filadelfia: The Westminster Press, 1946.

OTROS LIBROS
SOBRE EL ANTIGUO TESTAMENTO

Aalders, G. Ch., *A Short Introduction to the Pentateuch*. Londres: Tyndale Press, 1949.

Bentzen, A., *King and Messiah*. Londres: Lutterworth, 1955.

Johnson, A. R., *Sacral Kingship in Ancient Israel*. Cardiff: University of Wales Press, 1955.

Kissane, E. J., *The Book of Job*. Dublin: Browne and Nolan, 1939.

Leslie, E. A., *Jeremiah*. Nashville: Abingdon Press, 1954.

Modern Science and Christian Faith. Wheaton: Van Kampen Press, 1950. Editado por American Scientific Affiliation.

Nielsen, E., *Oral Tradition*. Chicago: A. R. Allenson, 1954.

Paterson, J., *The Book That Is Alive*. Nueva York: Charles Scribner's Sons, 1954.
Rowley, H. H. (ed) *The Old Testament and Modern Study*. Oxford: Clarendon Press, 1951.
The Interpreter's Bible. Nashville: Abingdon Press, 1951—. Algunos de los tomos son excelentes. Otros son bastante liberales y de ningún valor para el pastor o el laico.
Unger, M. F., *Introductory Guide to the Old Testament*. Grand Rapids: Zondervan, 1951.

LIBROS EN CASTELLANO PARA EL ESTUDIO DEL ANTIGUO TESTAMENTO

Báez-Camargo, Gonzalo. *Comentario Arqueológico de la Biblia*. Miami: Editorial Caribe, 1979.
Botterweck, G. Johannes-Ringgren. *Diccionario Teológico del Antiguo Testamento*. Madrid: Ediciones Cristiandad, 1973.
Bright, John. *La Historia de Israel*. Bilbao: Edición Desclee de Brouwer, 1970.
Brown, Raymond B. *El Mensaje del Antiguo Testamento*. Córdoba, Argentina: Ediciones Certeza.
Chávez, Moisés. *Enfoque Arqueológico del Mundo de la Biblia*. Editorial Caribe.
Eichrodt, Walter. *Teología del Antiguo Testamento*. Madrid: Ediciones Cristiandad, 1975. 2 Tomos.
Explorando el Antiguo Testamento. Casa Nazarena de Publicaciones.
Jacob, Edmond. *Teología del Antiguo Testamento*. Madrid: Editorial Marova, 1969.
Lange. *Introducción al Antiguo Testamento*. St. Louis, Missouri: Casa Publicadora Concordia, 1962.
Noth, Martin. *El Mundo del Antiguo Testamento*. Madrid: Ediciones Cristiandad, 1976.
Pfeiffer, Charles F. *Diccionario Bíblico Arqueológico*. El Paso: Editorial Mundo Hispano, 1982.
Robinson, J. L. *Los Doce Profetas Menores*. El Paso: Casa Bautista de Publicaciones, 1984.
Sampey, J. R. *Estudios sobre el Antiguo Testamento*. El Paso: Casa Bautista de Publicaciones, 1986.
Schreiner. *Palabra y Mensaje del Antiguo Testamento*. Editorial Herder, 1972.

Vandeman, Jorge E. *La Arqueología y la Palabra Viva.* El Paso: Casa Bautista de Publicaciones, 1968.

Von Rad, Gerhard. *Teología del Antiguo Testamento.* Salamanca: Ediciones Sígueme, 1972. 2 Tomos.

Wolff, H. W. *Antropología del Antiguo Testamento.* Salamanca: Ediciones Sígueme, 1975.

Wright, G. E. y Filson Floyd. *Atlas Histórico Westminster de la Biblia.* El Paso: Casa Bautista de Publicaciones, 1971.

Yates, Kyle M. *Los Profetas del Antiguo Testamento.* El Paso: Casa Bautista de Publicaciones, 1968.

Young, E. J. *Introducción al Antiguo Testamento.* Grand Rapids: Editorial T.E.L.L.

Zimmerli, Walther. *Manual de Teología del Antiguo Testamento.* Madrid: Ediciones Cristiandad, 1980.

TABLA CRONOLOGICA DEL REINO

DE ISRAEL

EL REINO UNIDO

Fecha	Acontecimientos entre los Israelitas
a. de J. C. c. 1020	Saúl ungido en Mizpa. David, rey de todo Judá.
1000 970 935	Salomón sube al trono. . . . .

DESDE LA DIVISION DEL REINO HASTA LA

Fecha	Juda	Profetas en Juda
a. de J. C.	I. Desde la muerte de Salomón hasta que Jehú,	
931 (922)	I. *Roboam* [17]. Error en Sichem (1)	Semeias prohibe la guerra con las diez tribus (2).
	Fortifica muchas ciudades (8). Después de t r e s años de obedien- cia y prosperidad J u d á cae en la idolatría (9).	
926 (918)	Invasión de Sisac. Jerusalem es sa- queada (11).	Semeias predice la victoria de Si- sac (10).

(1) 1 R. 12:1-19; 2 Crón. 10:1-19.
(2) 1 R. 12:21-24; 2 Crón. 11:1-4.
(8) 2 Crón. 11:5-12.

(9) 1 R. 14:21:24;
    2 Crón. 11:17;
    12:1.
(10) 2 Crón. 12:5-8.
(11) 1 R. 14:25-31;
    2 Crón. 12:2-9.

ACONTECIMIENTOS CONTEMPORANEOS
Vigésima primera dinastía en Egipto. Asiria débil.
Hiram I rey de Tiro. Asiria revive. Hiram II de Tiro.
Dinastía de Tanis depuesta por Sisac, fundador de la dinastía vigésima segunda.

CAIDA DE SAMARIA 931-722 (922-721) a. de J. C.

PROFETAS EN ISRAEL	ISRAEL (DIEZ TRIBUS)	ACONTECIMIENTOS CONTEMPORANEOS
Athalia y Hazael suben al trono, 931-842 a. de J.C.		
Hombre de Dios de Judá reprende a Jeroboam y maldice su altar (6).	I. Jeroboam [22] Construye Sichem y Penuel (3). Erige toros de oro en Bethel y Dan (4). Cambia la fecha de la celebración (5). Nombra a sacerdotes nuevos; por consiguiente, éxodo de los levitas a Judá (7).	Sisac de Egipto. Rezón de Siria.
Ahías predice la muerte del hijo de Jeroboam y la destrucción de su simiente (12).		

(3) 1 R. 12:25.
(4) 1 R. 12:26-31.
(5) 1 R. 12:32, 33.
(6) 1 R. 13:1-32.

(7) 1 R. 13:33,34.
2 Crón. 11:13-17.
(12) 1 R. 14:1-18.

* Las fechas que aparecen entre paréntesis representan cambios que el autor ha hecho en una revisión de este libro.

Fecha	Juda	Profetas en Juda
914 (915)	2. *Abdías* [3]. Derrota a Jeroboam en Semaraim (1).	
911 (913)	3. *Asa* [41]. Grandes reformas religiosas (2). Fortifica ciudades y organiza un gran ejército (3). Diez años de paz en Judá (5).	Iddo escribe las biografías de Roboam y A b í a s (4).
910 (901)	Segundo año*	
909 (900)	Tercer año	
c900	(a) Asa derrota al ejército de Zera que tenía un millón de hombres (8).	(b) **Azarías** estimula a Asa y fomenta un avivamiento (9).
	(b) Asa soborna a Benhadad a fin de que ataque las regiones de Baasa (11).	
	(c) Destruye Rama y con los escombros construye Gabaa y Mizpa (12).	(d) H a n a n i reprende a A s a (13).
886 (877)	*Año vigésimo sexto*	
885 (876)	Año vigésimo séptimo	
885 (876)		

(1) 2 Crón. 13.
(2) 1 R. 15:9-15; 2 Crón. 14:1-5.
(3) 2 Crón. 14:6-8.
(4) 2 Crón. 12:15; 13:22.
(5) 2 Crón. 14:1.

(8) 2 Crón. 14:9-15.
(9) 2 Crón. 15.
(11) 1 R. 15:18-21; 2 Crón. 16:1-5.
(12) 1 R. 15:22; 2 Crón. 16:6.
(13) 2 Crón. 16:7-10.

PROFETAS EN ISRAEL	ISRAEL (DIEZ TRIBUS)	ACONTECIMIENTOS CONTEMPORANEOS
	Año décimoctavo.	
	Año vigésimo.	
	2. *Nadab* [2]. Hijo de Jeroboam I. Nadab asesinado en el sitio de Gibbethón por (6).	
	3. *Baasa* [24]. Destruye la casa de Jeroboam (7).	
		Zera Etiope.
	(a) Baasa construye Rama a fin de poner fin al éxodo a Judá (10).	Ben-hadad I de Siria.
La profecía de Jehú contra la casa de Baasa (14).		
	(4) *Ela* [2]. Asesinado en Thirsa por Zimri (15).	
	(5) *Zimri* [7 días]. Sitiado por Omri, quema el palacio (16).	Asurnasirpal II (884 - 860). Primer asirio en conquistar hasta el Mediterráneo.
	(6) *Omri* [12]. Guerra Civil con Thibni por cuatro años (17).	

(6) 1 R. 15:25-28.
(7) 1 R. 15:29, 30.
(10) 1 R. 15:17.
(14) 1 R. 16:1-4, 7.

(15) 1 R. 16:9-13.
(16) 1 R. 16:15-19.
(17) 1 R. 16:21, 22.

* Las palabras en tipo cursivo no aparecen en la revisión del autor.

Fecha	Juda	Profetas en Juda
881 (872)	....	....
874 (869)	*Año decimoctavo* .... A los treinta y nueve años enferma Asa; no confía en Yahveh (4). Sepultado en Jerusalem con grandes honores (5).	....
871 (873)	4. *Josaphat* [25]. Reformas religiosas (6). Las fortalezas y el ejército muy fortificados (7).	....
869	La ley de Dios enseñada *en su tercer año* (9). Tributo de los filisteos y los árabes (10).	
853	....	....
852	Año decimoséptimo. (a) A l i a n z a con Achab (15 .... Joram regente (2 R 1:17; 3:1)	(d) Jehú reprende a Josaphat (18).

(4) 1 R. 15:23; 2 Crón. 16:12.
(5) 2 Crón. 16:13, 14.
(6) 2 Crón. 17:3-6.
(7) 2 Crón. 17:2, 12-19.

(9) 2 Crón. 17:7-9.
(10) 2 Crón. 17:10, 11.
(15) 1 R. 22: 44; 2 Crón. 18.
(18) 2 Crón. 19:1-3.

PROFETAS EN ISRAEL	ISRAEL (DIEZ TRIBUS)	ACONTECIMIENTOS CONTEMPORANEOS
....	Omri construye Samaria y establece su capital allí (1). Hace a Moab tributario.	
....	7. *Achab* [22]. Se casa con Jezabel de Sidón (2). Rápida introducción de la adoración a Baal en Israel (3).	Mesa de Moab.
....	*Cuarto año.*	
Elías.	Aparición de Elías y la sequía de tres años y medio (8). Destrucción de los 450 profetas de Baal en el monte Carmelo (11). Elías escapa a Horeb (12). Guerra con Siria. Achab victorioso en Samaria y en A p h e c. Pacto con Ben - hadad (13).	Ben-hadad II de Siria. Salmanasar III (859-824). Batalla de Karkar.
....	La viña de N a b o t h (14).	
(b) Micheas contra los 400 profetas falsos (16).	(c) Achab muere en la batalla de Ramoth de Galaad (17).	

(1) 1 R. 16:24.
(2) 1 R. 16:31.
(3) 1 R. 16:31-33.
(8) 1 R. 17.
(11) 1 R. 18.

(12) 1 R. 19.
(13) 1 R. 20.
(14) 1 R. 21.
(16) 1 R. 22:5-28;
    2 Crón. 18:4-27.
(17) 1 R. 22:1-40.

[327]

Fecha	Juda	Profetas en Juda
852 (850)	Josaphat mejora la administración de justicia (1). (a) Gran invasión de moabitas, ammonitas y edomitas (3). (c) Marina deshecha (7)..................	(b) Jahaziel alienta al pueblo (4). (d) Eliezer predice la destrucción de la marina (6).
851	*Año decimoctavo*	....
849	5. *Joram* [8]. Hija de Achab por esposa (11). Mata a sus hermanos (12). Revuelta de Edom y de Libna (13). Carta de Elías (14). Muerte de Josaphat. Invasión de los árabes y los filisteos, quienes saquean y matan (15). Detestable enfermedad por dos años (16).	.... Abdías (?).

(1) 2 Crón. 19:4-11.
(3) 2 Crón. 20:1-30.
(4) 2 Crón. 20:14-17.
(6) 2 Crón. 20:37.
(7) 1 R. 22:48, 49.
(11) 2 Crón. 21:6.

(12) 2 Crón. 21:1-4.
(13) 2 R. 8:20-22;
2 Crón. 21:8-10.
(14) 2 Crón. 21:12-15.
(15) 2 Crón. 21:16, 17
(16) 2 Crón. 21:18-20.

Profetas en Israel	Israel (diez tribus)	Acontecimientos Contemporaneos
....	8. *Ochozías* [2]. Revuelta en Moab (2).	
....	(e) Se une con Josaphat en la construcción de naves mercantes en Esion - geber (5). Joram regente con Ochozías. Inquiere de Baal-zebub. Trata de arrestar a Elías (8).	
....	9. *Joram* [12].	Mesa, rey de Moab, atacado
Elías.	Se une con Josaphat para reconquistar Moab (9).	por reyes de Judá, Israel y Edom (10).
....	*Año quincuagésimo quinto.*	
	Terrible sitio de Samaria por Benhadad. Sorprendente huida de los sirios (17).	

(2) 2 R. 1:1.
(5) 2 Crón. 20:35, 36.
(8) 2 R. 1:2-17.

(9) 2 R. 3:4-8.
(10) 2 R. 3:9-27.
(17) 2 R. 6:8-7:20.

Fecha	Juda	Profetas en Juda
842	6. *Ochozías* [1]. Afinidad con la casa de Achab (1).	
842	Asesinado por Jehú (5).	

II. DESDE QUE JEHU SUBE AL TRONO HASTA

842	(o) *Athalía* [6] usurpa el trono. Destruye la simiente real excepto Joas (6).	
836 (837)	Athalía asesinada (8). 7. *Joas* [40]. Adoración de Baal desarraigada (9). Bajo la dirección de Joiada, Joas es fiel a Yahveh (10).	Joel (?).
814 (814)	*Año décimo tercero.* El templo reparado (12). Muerte de Joiada, seguida por la caída en idolatría (13).	Zacharías, hijo de Joiada, reprende a Joas y es asesinado (14).
800 (801)	Hazael amenaza Jerusalem pero es comprado con grandes regalos (17). *Año trigésimo séptimo*	

(1) 2 Crón. 22:2-4.
(5) 2 Crón. 22:5-9.
(6) 2 R. 11: 1-3;
    2 Crón. 22:10-12.
(8) 2 R. 11:4-20;
    2 Crón. 23.
(9) 2 R. 11:17-20.

(10) 2 R. 12:1-3;
    2 Crón. 24:1-3.
(12) 2 R. 12:4-16;
    2 Crón. 24:4-14.
(13) 2 Crón. 24:15-19.
(14) 2 Crón. 24:20-22.
(17) 2 R. 12:17, 18;
    2 Crón. 24:23, 24.

PROFETAS EN ISRAEL	ISRAEL (DIEZ TRIBUS)	ACONTECIMIENTOS CONTEMPORANEOS
....	*Año décimo segundo.* Herido en batalla con los sirios (2).	Asesinato de Ben-adad II (Hadadezer)
....	Asesinado por Jehú en Jezreel (4).	por Hazael (3).

LA CAIDA DE SAMARIA 842-722 (721) a. de J. C.

....	10. *Jehú* [28]. Extermina la casa de Achab y socava la adoración a Baal pero retiene la adoración de becerros (7). Paga tributo a Salmanasar III de Asiria.	Salmanasar III ataca a Hazael
....	*Séptimo año.* Avance de Hazael. Toma posesión del territorio al este del Jordán (11).	Shamsi-adad (824-805).
....	11. *Joachaz* [17].	
	Hazael mantiene en sujeción a Israel (15).	Adad-nirari III (805-782).
....		Hazael toma Gath y amenaza Jerusalem (16). (María de Siria,
....	12. *Joas* [16]. Dos años asociado con su padre.	803).

(2) 2 R. 8:28, 29.	(11) 2 R. 10:32, 33.
(3) 2 R. 8:7-15.	(15) 2 R. 13:1-7.
(4) 2 R. 9.	(16) 2 R. 12:17, 18.
(7) 2 R. 10:1-29.	

DESDE LA DIVISION DEL REINO HA
931-722 (922-721) a. de J. C.

Fecha	Juda	Profetas en Juda
799	Amasías regente con Joas. Conspiración contra Joas. Asesinado en Millo (1).	
797 (800)	8. *Amasías* [29]. Mata a los asesinos de su padre (2). (a) Contrata a un numeroso ejército de mercenarios de Israel para pelear contra Edom (5).	.... (b) Hombre de Dios prohibe la liga con Israel (6).
790	(c) Derrota a Edom pero adora los ídolos de la nación conquistada (7).	(d) Profeta reprende a **Amasías** (8).
785	Reta a Israel pero es capturado en Beth-semes y Jerusalem es saqueada (9).	....
785	*Año décimo quinto* ...... Decae Amasías. Uzzías regente. Amasías asesinado por sirvientes en Lachis (11).	....
c770 (783)	9. *Uzzías* o Azarías [52]. Conquista los filisteos y los árabes. Construye Eloth. Recibe tributo de los ammonitas. Fortifica Jerusalem y Judá. Le gusta la agricultura. Organiza y equipa a un gran ejército (14).	Zacharías instruye a Uzzías (13).
750 (746)	*Año trigésimo octavo* ...... Sacrilegio y lepra de Uzzías.	....

(1) 2 R. 12:20, 21; 2. Crón. 24:25, 26.
(2) 2 R. 14:5, 6.
(5) 2 Crón. 25:5, 6.
(6) 2 Crón. 25:7-10.
(7) 2 R. 14:7; 2 Crón. 25:11-14.

(8) 2 Crón. 25:15, 16.
(9) 2 R. 14:8-16; 2 Crón. 25:17-24.
(11) 2 R. 14:19, 20.
(13) 2 Crón. 26:5.
(14) 2 Crón. 26:1-15.

PROFETAS EN ISRAEL	ISRAEL (DIEZ TRIBUS)	ACONTECIMIENTOS CONTEMPORANEOS
-----------------	Segundo año. Visita a Eliseo (3). Tres Victorias sobre los sirios (4)	Ben-hadad III de Siria.
-----------------	Jeroboam regente con Joas. *Año décimo quinto.* Derrota Judá y rompe parte de la muralla de Jerusalem (10).	
----------------- Jonás.	13. *Jeroboam* II [41]. Gran guerrero. Las fronteras de Israel extendidas (12).	
-----------------	Año vigésimo séptimo (?)	
Amós.		
Oseas.		
-----------------	14. *Zacharías* [6 meses]. Asesinado por (15).	

(3) 2 R. 13:14-19.
(4) 2 R. 13:22-25.
(10) 2 R. 14:8-16;
    2 Crón. 25:17-24.

(12) 2 R. 14:25-28.
(15) 2 R. 15:8-12.

Fecha	Juda	Profetas de Juda
	Regencia de Jotham (1).	
748 (745)	*Año trigésimo noveno*........	
738 (745)	*Año quincuagésimo*	
736 (738)	*Año quincuagésimo segundo*	
		Isaías.
735	10. *Jotham* [16]. .... Fortifica Judá y Jerusalem (5). Mantiene bajo sujeción a los ammonitas (6).	Miqueas.
734 (735)	11. (*Jeho*) *Achaz*, [16]. .... Dado a la idolatría (8) .... Derrotado por Israel y Siria (9). (a) Cautivos llevados a Samaria (10) ...... Edomitas y filisteos capturan muchos pueblos (12).	
734 (732)	Achaz pide ayuda a Pul (13).	
732	Achaz en Damasco (16) . Introduce la idolatría a Siria (17).	

(1) 2 R. 15:5.
(5) 2 Crón. 27:3 sig.
(6) 2 Crón. 27:5.
(8) 2 R. 16:1-4;
    2 Crón. 28:1-4.
(9) 2 R. 16:5 sig;
    2 Crón. 28:5-7.

(10) 2 Crón. 28:8.
(12) 2 Crón. 28:16-19.
(13) 2 R. 16:7-9.
    2 Crón. 28:20 sig.
(16) 2 R. 16:10.
(17) 2 R. 16:11-18;
    2 Crón. 28:22-25.

Profetas en Israel	Israel (DIEZ TRIBUS)	Acontecimientos Contemporaneos
....	15. *Sallum* [1 mes]. Asesinado por (2).	
....	16. *Manahem* [10]. Tributario de Pul de Asiria (3).	Tiglath-pileser IV (Pul) de Asiria (745-727).
....	17. *Pekaia* [2]. Asesinado por (4).	
....	18. *Peka* [20]. Largo reinado en Galaad, quizás de quince años.	
....	*Segundo año.* Peka y Resín entran en alianza contra Judá (7).	Resín de Siria. 734 ... Syro-Ephraimitic war
(b) Obed alienta a los hombres de Israel para que devuelvan los cautivos (11).	*Año décimo séptimo.*	
....	Distritos del este y del norte de Israel llevados cautivos por Pul (14).	
....	....	Damasco capturado y Resín asesinado (15).

(2) 2 R. 15:13-15.
(3) 2 R. 15:17-22.
(4) 2 R. 15: 23-26.
(7) Isa. 7:1-9.

(11) 2 Crón. 28:9-15.
(14) 2 R. 15:29.
(15) 2 R. 16:9.

DESDE LA DIVISION DEL REINO HA
931-722 (922-721) a. de J. C.

Fecha	Judá	Profetas en Judá
731 (732)		
730 (732)	*Año décimo segundo....*	
727	12. *Ezechías* [29]. Grandes reformas (3). Sorprendente celebración de la Pascua (4). Idolos destruidos (5). Restablece el servicio del templo (6).	
724		
722 (721)	*Sexto año*	

DESDE LA CAIDA DE SAMARIA H
JERUSALEM POR NABUCO

Fecha	Judá	Profetas
720		
717		
713	Enfermedad de Ezechías (11). Salmo de gratitud (13).	Isaías predice el restablecimiento de Ezechías (12).

(3) 2 R. 18:3-6; 2 Crón. 29:2-36.
(4) 2 Crón. 30.
(5) 2 Crón. 31:1.
(6) 2 Crón. 31:2-21.

(11) 2 R. 20:1-11; 2 Crón. 32:24-26; Isa. 38:1-8.
(12) 2 R. 20:4-6; Isa. 38:1-6.
(13) Isa. 38:9-20.

STA LA CAIDA DE SAMARIA (Cont.)

PROFETAS EN ISRAEL	ISRAEL (DIEZ TRIBUS)	ACONTECIMIENTOS CONTEMPORANEOS
....	Oseas mata a Peka (1). 19. *Oseas* [9]. Confirmado en su reino por Asiria.	So (Sibe) de Egipto.
....	*Tercer año.* Alianza con So de Egipto (2).	Salmanasar V de Asiria (727-722).
....	Oseas encarcelado (7).	
....	*Séptimo año.* Salmanasar sitia Samaria (8).	
....	Caída de Samaria (9). Habitantes llevados por Sargón al Lejano Oriente (10).	Sargón II de Asiria (722 [721] 705).

ASTA LA PRIMERA CAPTURA DE
DONOSOR 722 (721) 605 a. de J. C.

ASIRIA Y BABILONIA	OTRAS NACIONES
Sargón captura Karkar......	Egipcios derrotados en Raphia por Sargón.
Sargón destruye Carchemis	

(1) 2 R. 15:30.	(8) 2 R. 17:5.	
(2) 2 R. 17:4.	(9) 2 R. 17:6.	
(7) 2 R. 17:4.	(10) 2 R. 17:6.	

Fecha	Juda	Profetas
712	Merodach - baladán envía embajada a Jerusalem (1).	Isaías predice una cautividad babilónica (2).
711	....	....
710	....	....
705		....
701	(a) Sennacherib invade Filistea y Judá (4). (b) Ezechías prepara a Jerusalem para el sitio (5). (c) Ezechías se entrega y paga tributo (6). (d) Dos veces se resiste entregar su capital (7). (g) Gran desastre para el ejército asirio (9).	(e) Isaías anuncia la seguridad de Jerusalem (8).
698	13. *Manasés* [55]. Se entrega a crasa idolatría y crueldad (10).	
681	....	....
681	Manasés tributario de Esarhadón.	....
670	....	....
669	....	....
668	Manasés tributario de Asurbanipal.	....
663	....	....

(1) Isa. 39:1, 2; 2 R. 20:12-15; 2 Crón. 32:31.
(2) Isa. 39:3-8; 2 R. 20:16-19.
(4) 2 R. 18:13; 2 Crón. 32:1; Isa. 36:1.
(5) 2 Crón. 32:2-8.
(6) 2 R. 18:14-16.

(7) 2 R. 18:17-19:19; 2 Crón. 32:9-20; Isa. 36:2-37:20.
(8) 2 R. 19:20-34; Isa. 37:21-35.
(9) 2 R. 19:35, 36; 2 Crón. 32:21; Isa. 37:36, 37.
(10) 2 R. 21:1-16; 2 Crón. 33:1-10.

ASTA LA PRIMERA CAPTURA DE DONOSOR 722 (721) 605 a. de J. C. (Cont.)

Asiria y Babilonia	Otras Naciones
El general de Sargón captura Asdod (3). Sargón derrota a Merodach-baladán. Muerte de Sargón. Reina Sennacherib.	
....	(f) Batalla con Tirakah en Eltekeh. Sennacherib se atribuye la victoria.
Sennacherib asesinado por sus hijos (11). Esarhadón de Asiria (681-669). Esarhadón conquista Egipto.	Tirakah huye a Etiopía. Tirakah reconquista Egipto.
.... Asurbanipal de Asiria (669-626). Los asirios invaden Egipto.	Egipto arrebatado de Tirakah. Saqueo de Tebas (NoAmon).

(3) Isa. 20:1.
(11) 2 R. 19:36, 37;
    2 Crón. 32:21;
    Isa. 37:37, 38.

Fecha	Juda	Profetas
c647	Manasés llevado en cadenas a Babilonia (1). Restablecido en su trono, reforma (2). Dioses paganos quitados; Jerusalem fortalecida (3).	
642	14. *Amón* [2]. Malvado como su padre (4). Asesinado en una conspiración (5).	
640	15. *Josías* [31]. Busca a Yahveh a los quince años (6).	
629	Destruye los ídolos de Judá (7).	
626	....	Nahum (?). Jeremías comienza su ministerio (8). Sofonías.
621	(a) Repara el templo (9). (b) El Libro de la Ley encontrado (10). (d) Renueva pacto con Yahveh (12). (e) Reforma total que se extiende hasta Bethel y Samaria (13). (f) Gran Pascua (14).	(c) Profecía de Hulda (11).
609	Josías asesinado por los egipcios en Megiddo (16)	....
608	16. *Joachaz* [3 meses]. Depuesto por Nechao al regresar del Eufrates y llevado a Egipto (17).	
608	17. *Joacim* [11]. Coronado por Nechao (18).	Habacuc.

(1) 2 Crón. 33:11.
(2) 2 Crón. 33:12, 13.
(3) 2 Crón. 33:14-16.
(4) 2 R. 21:19-22;
    2 Crón. 33:21-23.
(5) 2 R. 21:23, 24;
    2 Crón. 33:24, 25.
(6) 2 Crón. 34:1-3.
(7) 2 Crón. 34:3-7.
(8) Jer. 1:1, 2.
(9) 2 R. 22:3-7;
    2 Crón. 34:8-13.
(18) 2 R. 23:34, 35;
    2 Crón. 36:4.

(10) 2 R. 22:8-11;
    2 Crón. 34:14-19.
(11) 2 R. 22:12-20;
    2 Crón. 34:20-28.
(12) 2 R. 23:1-3;
    2 Crón. 34:29-33.
(13) 2 R. 23:4-20;
    2 Crón. 34:33.
(14) 2 R. 23:21-23;
    2 Crón. 35:1-19.
(16) 2 R. 23:29, 30;
    2 Crón. 35:20-25.
(17) 2 R. 23:31-33;
    2 Crón. 36:1-3.

Asiria y Babilonia	Otras Naciones
	Saxares funda el **Imperio medo** (633).
Nabopolosar (625-605), **rey de Babilonia.**	¿Invasión escita?
	Nínive es destruida (612).
	Nechao de Egipto (609-594). Faraón Nechao marcha por Palestina hasta el Eufrates (15).

(15) 2 R. 23:29.

FECHA	JUDA	PROFETAS
605	Nabucodonosor captura Jerusalem (3). Lleva algunos de los vasos sagrados a Babilonia (5).	Daniel llevado a Babilonia (4).
604 (605)	....	....
602	Joacim se levanta contra Babilonia (6).	
597 (598)	18. *Joachín* [3 meses]. Llevado cautivo por Nabucodonosor (7).	Ezequiel llevado cautivo a Babilonia (8).
597	19. *Sedecías* [11]. Establecido sobre el trono por Nabucodonosor (9).	
593	Sedecías visita Babilonia	
592	....	Ezequiel comienza a profetizar (11). Jeremías muy perseguido (16).
588 (589)	Sedecías, conjuntamente con otros reyes títeres, se levanta contra Babilonia (13). Nabucodonosor invade Jerusalem (14).	....

(1) 2 R. 23:34, 35;
    2 Crón. 36:4.
(3) 2 R. 24:1;
    2 Crón. 36:6.
(4) Dan. 1:3-6.
(5) 2 Crón. 36:7.
(6) 2 R. 24:1.
(7) 2 R. 24:10-16;
    2 Crón. 36:10.
(8) Ezeq. 1:2.

(9) 2 R. 24:17;
    2 Crón. 36:10.
(10) Jer. 51:59.
(11) Ezeq. 1:2.
(13) Jer. 27:1-3;
    2 R. 24:20;
    2 Crón. 36:13.
(14) 2 R. 25:1, 2.
(16) Jer. 37:11-38:28.

BABILONIA Y PERSIA	OTRAS NACIONES
Nabopolosar muere.	Faraón Nechao derrotado por Nabucodonosor en Carchemis (2).
Nabucodonosor (604-561 [605-562]).	
	Faraón-hophra (Apriés) de Egipto (589-564). Estimula a Judá para que se levante contra Babilonia (12).
	Trata de levantar el sitio de Jerusalem (15).

(2) Jer. 46.
(12) Jer. 37:5-10.
(15) Jer. 34:8-22; 37:5, 11.

Fecha	Juda	Profetas
586 (587)	Jerusalem capturada y destruida (1). Gedalías nombrado gobernador de Judá (2). Asesinado por Ismael (3). Johanán derrota a Ismael (4).	Jeremías llevado por fuerza a Egipto (5).
581	Nabuzaradán se lleva una banda de judíos (6).	
561		
559		
555		
549		
546		
539		
537	Se les permite a los judíos regresar a Judá.	

(1) 2 R. 25:3-21;
     2 Crón. 36:14-21;
     Jer. 39:1-8.
(2) Jer. 40:5-12;
     2 R. 25:22.
(3) 2 R. 25:23-25;
     Jer. 40:13-41:3.

(4) Jer. 41:4-18.
(5) Jer. 43:1-7.
(6) Jer. 52:30.

BABILONIA Y PERSIA	OTRAS NACIONES

Muerte de Nabucodonosor. Sucedido por Evil-merodach (561-559).
Joachín liberado de la prisión y recibe trato de honor (7).
Neriglisar (559-556).
Nabonido (555-539). Belsasar es príncipe regente (8).

Ciro une Persia y Media.
Ciro conquista a Creso de Lidia.

....

....

Ciro toma Babilonia. Darío es gobernador por dos años. Daniel es ascendido por Darío (9).
Ciro es el único gobernante de Babilonia (537-529 [530]). Edicto a beneficio de los judíos (10).

(7) 2 R. 25:27-30.
(8) Dan. 5:1, 16.

(9) Dan. 6:1-3.
(10) Esdras 1:1-4.

FECHA	JUDA	PROFETAS
537	Los judíos bajo Zorobabel regresan (Primer Retorno) (1). Tratan de reconstruir el templo pero son desalentados ante la oposición (2).	
529		
525		
522		
521		
520	Los profetas instan al pueblo a reconstruir el templo (3). Se resume la construcción (4). Darío protege y ayuda a los edificadores (5).	Hageo y Zacarías.
516	Dedicación del templo (6). Observancia gozosa de la Pascua (7).	
490		
485		
480		
465		
458	Esdras encabeza una caravana de judíos a Jerusalem (Segundo Retorno) (9). Poco después llegan, insta al pueblo a dejar sus esposas paganas (10).	

(1) Esdras 2:1, 64-67.
(2) Esdras 2:68-4:6.
(3) Esdras 5:1.
(4) Esdras 5:2.
(5) Esdras 5:3-6:14.

(6) Esdras 6:15-18.
(7) Esdras 6:19-22.
(9) Esdras 7, 8.
(10) Esdras 9, 10.

PERSIA	OTRAS NACIONES
Asciende al trono Cambises (529 [530] 522).	
	Cambises, derrotado en Etiopía, devasta Egipto.
Seudo Smerdis (8 meses). Asciende al trono D a r í o Histaspes (521-485 [522-486]), después de destronar a Seudo Smerdis.	
Sube al trono Jerjes (485 [486] 465).	Batalla de Maratón.
Sube al trono Artajerjes Longímano (465-424).	Batalla de Salamina.

Fecha	Juda	Profetas
445	Nehemías, después de sincera oración, consigue nombramiento de gobernador de los judíos en Palestina (1). Comienza la reconstrucción de los muros de Jerusalem a pesar de seria oposición (2). Releva a los pobres de intereses opresores (3). Aunque molestado por los enemigos, Nehemías termina los muros después de 52 días (4). Se lee la Ley y se observa la Fiesta de los Tabernáculos (5). Reformas sociales y religiosas inauguradas (6). Dedicación del muro de la ciudad (7).	
433	Nehemías regresa por un tiempo a la corte de Persia (8).	Malaquías (?).
432	Regresa a Jerusalem. Ciertos males son corregidos (9).	

(1) Neh. 1:1-2:10.
(2) Neh. 2:11-4:23.
(3) Neh. 5.
(4) Neh. 6.
(5) Neh. 8.

(6) Neh. 9, 10.
(7) Neh. 12:27-43.
(8) Neh. 13:6.
(9) Neh. 13:31.

537 a. de J. C. (Cont.)

| | Herodoto (444 a. de J. C.)
Pericles en Atenas. |

El autor siente particular deuda de gratitud para con Ira M. Price y su *The Dramatic Story of Old Testament History* (Nueva York: Fleming H. Revell Company, 1935); y para con Wright y Filson *The Westminster Historical Atlas of the Bible* (Filadelfia: The Westminster Press, 1946) en la preparación de esta tabla cronológica.